COLLECTION
FOLIO/ESSAIS

Dans la même collection

CONFÉRENCES D'INTRODUCTION À LA PSYCHANALYSE, *n° 528*

LE DÉLIRE ET LES RÊVES DANS LA *GRADIVA* DE W. JENSEN, *n° 181*

L'HOMME MOÏSE ET LA RELIGION MONOTHÉISTE, *n° 219*

MÉTAPSYCHOLOGIE, *n° 30*

LE MOT D'ESPRIT ET SA RELATION À L'INCONSCIENT, *n° 201*

NOUVELLES CONFÉRENCES D'INTRODUCTION À LA PSYCHANALYSE, *n° 126*

LA PSYCHOPATHOLOGIE DE LA VIE QUOTIDIENNE, *n° 530*

LA QUESTION DE L'ANALYSE PROFANE, *n° 318*

SIGMUND FREUD PRÉSENTÉ PAR LUI-MÊME, *n° 54*

SUR L'HISTOIRE DU MOUVEMENT PSYCHANALYTIQUE, *n° 529*

SUR LA PSYCHANALYSE, *n° 526*

SUR LE RÊVE, *n° 12*

TOTEM ET TABOU, *n° 527*

TROIS ESSAIS SUR LA THÉORIE SEXUELLE, *n° 6*

Sigmund Freud

L'inquiétante étrangeté

et autres essais

Traduit de l'allemand
par Bertrand Féron

Gallimard

Quelques types de caractère dégagés par le travail psychanalytique a été traduit par André Bourguignon, Alice Cherki et Pierre Cotet.

AVERTISSEMENT DE L'ÉDITEUR

Les textes de Freud que nous publions ici dans une traduction nouvelle et annotée sont ceux qui figuraient auparavant dans le recueil intitulé Essais de psychanalyse appliquée *(trad. Marie Bonaparte et Mme Ed. Marty, Gallimard, coll. « Les Essais », 1933). Nous n'avons pas maintenu ce titre pour notre édition, d'abord parce qu'il n'est pas de Freud, ensuite parce qu'il conduit à ranger les textes en question dans une classe particulière d'écrits où Freud s'emploierait à* appliquer *à des objets extérieurs à la psychanalyse des conceptions théoriques et une méthode qui auraient été découvertes et validées ailleurs, notamment dans le cadre du traitement psychanalytique. Or c'est là une vue fort discutable et discutée, dont le lecteur de ces essais pourra mesurer la fragilité. Nous avons donc préféré choisir pour titre celui de l'un d'eux, le plus apte, selon nous, à désigner ce qui est l'objet même de la psychanalyse :* das Unheimliche *– ce qui n'appartient pas à la maison et pourtant y demeure.*

Plutôt que de recourir au classement arbitraire par « thèmes », nous proposons les textes dans l'ordre chronologique de leur publication. Nous faisons figurer dans le recueil l'étude sur l'humour (1927) qui apparaissait dans les éditions précédentes à la suite du Mot d'esprit et ses rapports avec l'inconscient *(1905).*

Signalons enfin que, comme pour les autres volumes de cette série, les notes appelées par des chiffres sont de Freud, celles appelées par des lettres des notes de traduction et d'édition. Les numéros en marge sont ceux des pages des Gesammelte Werke *(en abrégé* G.W.*).*

J.-B. P.

L'ÉTABLISSEMENT DES FAITS PAR VOIE DIAGNOSTIQUE ET LA PSYCHANALYSE

Note liminaire

TATBESTANDSDIAGNOSTIK [a] UND PSYCHOANALYSE [1906*c*]

Éditions allemandes :

1906 *Archiv für Kriminalanthropologie und Kriminalistik,* 26 (1).
1909 *Sammlung kleiner Schriften zur Neurosenlehre,* tome 2 (deuxième édition, 1912; troisième édition, 1921).
1924 *Gesammelte Schriften,* tome 10.
1941 *Gesammelte Werke,* tome 7.

Traduction anglaise :

1959 *« Psycho-Analysis and the Establishment of the Facts in Legal Proceedings »,* traduit par James Strachey, *Standard Edition,* tome 9.

Paru dans la traduction Bonaparte-Marty sous le titre de « La psychanalyse et l'établissement des faits en matière judiciaire par une méthode diagnostique ».

a. Pour le mot *Tatbestand,* littéralement : « état de fait », le dictionnaire Wahrig donne la définition suivante (que nous transcrivons en français) : « ensemble de tous les indices extérieurs d'un acte délictueux ». Dans le cours de l'exposé, le mot lui-même ne sera réutilisé qu'une fois, p. 18.

Ce texte est celui d'une conférence faite en juin 1906, à la demande du professeur Löffler, qui enseignait le droit à l'université de Vienne, devant les étudiants de son séminaire. Son titre fait écho à celui d'un ouvrage de C. G. Jung paru la même année : *Die psychologische Diagnose des Tatbestandes* (*Le diagnostic psychologique de l'établissement des faits*).

Messieurs, vous voyez toujours mieux le peu de foi qu'il convient d'accorder aux dépositions des témoins – dépositions qui n'en constituent pas moins actuellement le fondement de tant de condamnations dans des cas litigieux –, ce qui a augmenté chez vous tous, futurs juges et défenseurs, l'intérêt pour un nouveau procédé d'instruction [a], qui est censé contraindre l'accusé à démontrer lui-même sa culpabilité ou son innocence par des signes objectifs. Ce procédé consiste en une expérience psychologique et se fonde sur des travaux psycholo-

a. *Untersuchungsverfahren* : les deux éléments de ce mot composé font problème :

– *Verfahren* peut désigner, suivant le contexte, soit une « procédure », soit un « procédé ». Il nous a semblé qu'il s'agissait plus ici d'un procédé, d'une méthode à suivre, que d'un rituel juridique, encore que le contexte juridique pourrait précisément tirer le mot dans cette deuxième acception et qu'on puisse de ce fait hésiter parfois sur la traduction.

– *Untersuchung* : il n'est peut-être pas vain de signaler que les rapprochements auxquels se livre Freud au cours de cette analyse sont en partie facilités et induits par la langue allemande qui couvre de ce seul et même vocable ce que le français détaille par les termes d'« investigation », d'« enquête » (en général), d'« examen médical », d'« auscultation » et d'« instruction (judiciaire) ». Pour « instruction (judiciaire) », l'allemand dispose aussi du mot *Ermittlung*.

giques; il est étroitement lié à certaines conceptions qui ne se sont faites jour que récemment en psychologie médicale. Je sais que vous vous êtes occupés à éprouver le maniement et la portée de cette nouvelle méthode, en commençant par des essais qu'on pourrait appeler des « exercices sur effigie »[a], et j'ai déféré volontiers à la demande de votre président, le prof. Löffler, qui m'a invité à vous expliquer de manière détaillée les relations de ce procédé à la psychologie.

Vous connaissez tous le jeu de société et jeu d'enfants 4 au cours duquel l'un lance à l'autre n'importe quel mot de son choix, auquel celui-ci doit ajouter un deuxième mot qui forme avec le premier un mot composé. Par exemple « bateau » – « mouche », soit « bateau mouche ». L'exercice associatif introduit par l'école de Wundt en psychologie n'est rien d'autre qu'une modification de ce jeu d'enfants, moyennant la seule renonciation à une clause de ce jeu. Il consiste donc à lancer à une personne un mot – le *mot-stimulus* – auquel elle répond aussi rapidement que possible par un second mot qui lui vient à propos du premier, ce qu'on appelle la *« réaction »*, sans qu'elle ait été limitée par quoi que ce soit dans le

a. *Phantomübungen.* Il s'agit de ce que nous nommerions « simulations ». Notre traduction, un peu « forcée », s'appuie sur les considérations suivantes : 1° Les précautions introductives utilisées par Freud ainsi que le recours aux guillemets induisent à penser qu'il ne s'agit pas là en allemand non plus d'une expression très naturelle. 2° Le mot allemand *Phantom* n'est pas le plus immédiat ni le plus courant pour traduire le mot français « fantôme ». (On trouve plus fréquemment *Gespenst* et *Geist.*) En revanche, le dictionnaire donne comme deuxième sens de *Phantom* : reproduction d'une partie du corps à des fins pédagogiques. 3° Il nous a semblé de ce fait que le mot français « effigie » pouvait en être un assez bon équivalent; qu'on songe en particulier à l'expression : « pendre quelqu'un en effigie ». 4° Il est possible que Freud utilise ici un terme en usage alors dans l'enseignement de la médecine.

choix de cette réaction. Le temps qui est utilisé pour la réaction et le rapport entre le mot-stimulus et la réaction, qui peut être très varié, sont l'objet de l'observation. On ne saurait affirmer qu'il soit en un premier temps sorti grand-chose de ces essais. C'est compréhensible, car ils étaient faits sans qu'on se soit clairement posé les problèmes, et il manquait une idée applicable aux résultats. Ils ne devinrent sensés et fructueux que lorsque à Zurich, Bleuler et ses élèves, en particulier Jung, commencèrent à s'occuper de ce genre d'« expériences d'associatives ». Mais leurs essais ne prirent valeur que grâce au présupposé que la réaction au mot-stimulus ne pouvait être rien de fortuit, mais qu'elle était nécessairement déterminée par un contenu de représentation présent chez la personne réagissante.

On a pris l'habitude de nommer un tel contenu de représentation, qui est à même d'influencer la réaction au mot-stimulus, un *« complexe »* [a]. L'influence s'exerce soit du fait que le mot-stimulus effleure directement le complexe, soit du fait que ce dernier réussit à se mettre en liaison avec le mot-stimulus par des maillons intermédiaires. Cette détermination de la réaction est un fait très singulier; vous pouvez voir l'étonnement qu'elle suscite s'exprimer sans feinte dans la littérature concernant ce sujet. Mais sa pertinence ne fait pas de doute, car en règle générale, vous pouvez faire la preuve du complexe qui exerce son influence, et comprendre à partir de lui les réactions qui seraient sans cela incompréhensibles, en interrogeant la personne réagissante elle-même sur les motifs de sa réaction. Des exemples comme ceux

a. C'est sans doute ici la première fois que Freud fait usage de ce mot dans une publication, en lui donnant ce sens spécifique.

des pages 6 et 8 à 9 de l'ouvrage de Jung [a] sont tout à fait de nature à nous faire douter du hasard et de l'arbitraire qu'on allègue dans les événements psychiques.

Jetez maintenant avec moi un coup d'œil sur la préhistoire de l'idée de Bleuler et Jung touchant la détermination de la réaction par le complexe présent chez la personne examinée. En 1901, j'ai exposé dans un essai [1], que toute une série d'actions, que l'on considère comme non motivées, sont au contraire rigoureusement déterminées, et j'ai contribué à réduire d'autant le champ de l'arbitraire psychique. J'ai examiné les menus actes manqués, tels que l'oubli, le lapsus de parole et d'écriture, l'égarement d'objets, et j'ai montré que quand quelqu'un fait un lapsus en parlant, il ne faut pas en rendre responsables le hasard, pas plus que de simples difficultés d'articulation et des similitudes phoniques, mais qu'à chaque fois, on peut établir la présence d'un contenu de représentation perturbateur – un complexe – qui modifie dans son sens à lui, en suscitant l'apparence d'une erreur, le discours visé. J'ai également pris en considération les menus actes des humains, apparemment dépourvus d'intention et fortuits, tels que leurs petits actes futiles, leurs jeux, etc., et les ai démasqués comme « actes symptomatiques », qui sont en relation avec un sens caché et sont destinés à ménager à celui-ci une expression discrète. J'ai découvert encore qu'on ne peut même pas s'aviser arbitrairement d'un prénom [b] qui ne s'avère déterminé par un puissant complexe de représen-

1. *Psychopathologie de la vie quotidienne* (Freud, 1901*b*).

a. Jung, 1906.

b. Il paraît probable que Freud pense ici à son choix du prénom de « Dora », qu'il analyse dans l'édition originale de la *Psychopathologie de la vie quotidienne* (1901*b*), chap. XII (A), exemple 1, auquel il ajouta un paragraphe dans l'édition de 1907.

tations; voire, que des nombres qu'on choisit d'une manière apparemment arbitraire, peuvent se ramener à un complexe caché de ce genre. Un collègue, le Dr Alfred Adler[a], a pu vérifier quelques années plus tard cette 6 assertion, qui était la plus déconcertante de toutes, par quelques beaux exemples[b]. Une fois qu'on s'est ainsi accoutumé à une telle conception du caractère déterminé de la vie psychique, il ressort comme une déduction légitime des résultats de la psychopathologie de la vie quotidienne, que les pensées qui viennent à la personne qui se soumet à l'expérience associative pourraient également ne pas être arbitraires, mais conditionnées par un contenu de représentation qui œuvre en elle.

Et maintenant, messieurs, retournons à l'expérience associative! Dans les cas envisagés jusqu'ici, c'était la personne examinée qui nous éclairait sur l'origine des réactions, et cette circonstance rend à vrai dire cet essai dénué d'intérêt pour la pratique du droit. Mais qu'en serait-il si nous modifiions l'agencement de l'expérience, de même que, par exemple, on peut résoudre une équation à plusieurs grandeurs en direction de l'une ou l'autre, faire soit du *a* soit du *b* qu'elle renferme, l'*x* recherché? Jusqu'ici le complexe nous était inconnu à nous autres, expérimentateurs; nous expérimentions avec des mots-stimuli choisis au hasard, et c'était le sujet de l'expérience qui nous dénonçait le complexe dont les mots-stimuli avaient déclenché l'expression. Procédons à présent d'une autre manière; prenons un complexe qui nous est connu, réagissons-y par des mots-stimuli choisis à dessein, trans-

a. C'est ici la première fois que Freud mentionne dans une publication le nom d'Adler.

b. L'un d'entre eux est cité par Freud dans sa *Psychopathologie de la vie quotidienne* (1901*b*), éd. de 1907, chap. XII (A), exemple 3.

férons l'*x* du côté de la personne réagissante : est-il alors possible, à partir de la manière dont se produisent les réactions, de décider si la personne examinée porte aussi en elle le complexe choisi?

Vous vous apercevez que cet agencement expérimental correspond exactement au cas du juge d'instruction, qui voudrait bien apprendre si un certain état des faits, qui lui est connu, est également connu de l'accusé en tant que son auteur. Il semble que ce soient Wertheimer et Klein, deux élèves du professeur de droit pénal Hans Gross à Prague, qui aient procédé les premiers à cette modification de l'agencement expérimental qui est pour vous d'une si grande portée [1] [a].

7 Vous savez déjà, à partir de vos propres tentatives, que face à une telle position du problème on peut trouver dans les réactions de nombreux points de repère qui permettent de trancher la question de savoir si la personne examinée possède le complexe auquel vous réagissez par des mots-stimuli. Je vais vous les énumérer dans l'ordre : 1) Le contenu inhabituel de la réaction, qui exige en effet un éclaircissement. 2) L'allongement du temps de la réaction, quand il apparaît que les mots-stimuli qui ont touché le complexe ne reçoivent la réaction d'une réponse qu'avec un net retard (souvent égal à plusieurs fois le temps de réaction habituel). 3) L'erreur dans la reproduction. Vous savez à quel fait singulier je fais ici allusion. Si, peu de temps après la fin de l'expérience, qui a comporté une assez longue série de mots-stimuli, on les propose encore une fois à la personne examinée,

1. Cf. Jung, *Die psychologische Diagnose des Tatbestandes* (*Le diagnostic psychologique de l'établissement des faits*), 1906.

a. Freud se réfère également à ce fait dans une note ajoutée en 1907 au chap. XII (B) de la *Psychop. de la vie quotidienne* (1901*b*).

elle répétera les mêmes réactions que la première fois. Sauf qu'avec les mots-stimuli qui ont touché directement le complexe, elle remplacera volontiers la première réaction par une autre. 4) Le fait de la persévération (ou peut-être, pour dire mieux : de l'effet de contrecoup [a]). Il arrive en effet souvent que l'effet de la mise en éveil du complexe par un mot-stimulus qui le touche (« critique »), à savoir par exemple l'allongement du temps de réaction, persiste et modifie également les réactions aux mots suivants, non critiques. Donc, là où la totalité ou plusieurs de ces indices convergent, le complexe qui nous est connu a attesté par ses effets perturbateurs sa présence chez le sujet auquel on s'adresse. Vous interprétez cette perturbation en vous disant que le complexe présent chez le sujet en cause est investi d'affect et en mesure de soustraire de l'attention à la tâche d'avoir à réagir; vous trouvez donc dans cette perturbation une « auto-trahison psychique ».

Je sais que vous êtes présentement occupés à étudier les chances de succès et les difficultés de ce procédé, qui doit amener l'accusé à se trahir objectivement lui-même, et c'est pourquoi j'attire votre attention en vous disant qu'un procédé tout à fait analogue de mise au jour du 8 matériel psychique caché ou tenu secret est pratiqué depuis plus d'une décennie dans un autre domaine. Vous me donnez pour tâche de vous exposer la similitude et la différence des deux situations, ici et là.

Ce domaine est sans doute fort différent du vôtre. Je pense en effet à la thérapie de certaines « maladies nerveuses », qu'on appelle les psychonévroses, dont vous

a. *Nachwirkung* dans le texte allemand. Il ne s'agit donc pas de la *Nachträglichkeit*, « l'après-coup ».

pouvez prendre pour modèles l'hystérie et les représentations obsessionnelles. Le procédé y porte le nom de psychanalyse, et a été développé par moi à partir du procédé de guérison « cathartique », pratiqué d'abord à Vienne par J. Breuer [1]. Pour prévenir votre étonnement, il faut que j'établisse une analogie entre le criminel et l'hystérique. Chez les deux, il y va d'un secret, de quelque chose de caché. Mais, sous peine de devenir paradoxal, il faut que je souligne tout de suite la différence. Chez le criminel, il s'agit d'un secret qu'il connaît et qu'il vous cache, chez l'hystérique, d'un secret qu'il ne connaît pas non plus lui-même, qui se cache à lui-même. Comment cela est-il possible? Eh bien, nous savons grâce à de laborieuses investigations que toutes ces affections reposent sur le fait que de telles personnes sont parvenues à refouler certaines représentations et certains souvenirs chargés d'intenses investissements affectifs, ainsi que les désirs édifiés sur eux, de telle sorte qu'ils ne jouent aucun rôle dans leur pensée, qu'ils ne se présentent pas à leur conscience et qu'ainsi ils leur restent secrets à elles-mêmes. Or c'est de ce matériel psychique refoulé, de ces « complexes », que proviennent les symptômes somatiques et psychiques, qui, tout à fait à l'instar d'une mauvaise conscience, tourmentent ces malades. La différence entre le criminel et l'hystérique est donc sur ce point fondamentale.

9 Mais la tâche du thérapeute est la même que celle du juge d'instruction; nous devons mettre au jour le psychique caché et à cette fin, nous avons inventé une série d'astuces de détective, dont messieurs les juristes vont donc désormais imiter quelques-unes.

1. J. Breuer et S. Freud, *Études sur l'hystérie* (1895*d*).

Cela les intéressera pour leur propre travail d'apprendre comment les médecins procèdent en matière de psychanalyse. Après que le malade a raconté son histoire une première fois, nous le convions à s'abandonner tout à fait aux pensées qui surgissent en lui et à faire part, sans aucune réserve critique, de ce qui lui vient à l'esprit. Nous partons donc du présupposé, qu'il ne partage nullement, que ces pensées qui viennent ne sont pas arbitraires, mais qu'elles seront déterminées par la relation à son secret, à son « complexe », qu'elles peuvent être pour ainsi dire conçues comme des rejetons de ce complexe. Vous le voyez, c'est le même présupposé que celui à l'aide duquel vous avez trouvé les expériences associatives interprétables. Mais le malade auquel on enjoint de se conformer à la règle de faire part de toutes les pensées qui lui viennent, ne semble pas être en mesure de le faire. Il retient tantôt telle pensée, tantôt telle autre, ayant recours à cette fin à des motivations variées : ou bien ça n'a aucune importance, ou bien ça n'a rien à voir, ou encore : c'est tout simplement complètement absurde. Nous exigeons alors que, malgré ces objections, il communique cette pensée et en suive le fil ; car justement la critique qui se fait jour est pour nous une preuve que cette pensée relève du « complexe » que nous cherchons à mettre au jour. Dans un tel comportement des malades nous apercevons une manifestation de la *« résistance »*, présente en lui, qui ne nous quitte pas pendant toute la durée du traitement. Je ne ferai que souligner brièvement que le concept de résistance a revêtu la plus grande importance pour notre compréhension de la genèse de la maladie comme du mécanisme de la guérison.

Poursuivons. Au cours de vos essais, vous ne pouvez

observer directement une telle critique des idées qui viennent; en revanche, sur le terrain de la psychanalyse, 10 nous sommes en mesure d'observer tous les signes d'un complexe qui sont frappants pour vous. Quand le malade n'ose plus enfreindre la règle qui lui a été donnée, nous remarquons toutefois que par moments, lors de la reproduction de ses pensées, il s'arrête, hésite, fait des pauses. Toute hésitation de ce genre est pour nous une manifestation de la résistance et nous sert de signe d'appartenance au « complexe ». Plus, elle est pour nous l'indice principal d'une telle signification, tout de même que pour vous l'allongement du temps de réaction. Nous sommes habitués à interpréter l'hésitation dans ce sens, même quand le contenu de la pensée retenue semble ne présenter aucun obstacle, quand le malade assure qu'il ne voit pas du tout pourquoi il devrait hésiter à en faire part. Les pauses qui interviennent en psychanalyse sont en général beaucoup plus grandes que les retards que vous notez lors des expériences de réaction.

L'autre de vos indices de complexe, la modification du contenu de la réaction, joue également un rôle dans la technique de la psychanalyse. Nous avons coutume de considérer très généralement des écarts, même légers, par rapport au mode d'expression usuel chez notre malade, comme des indices d'un sens caché, et nous nous plaisons même à nous exposer pendant un certain temps à sa moquerie en risquant de telles interprétations. Nous sommes précisément à l'affût chez lui de discours où chatoie la double entente, et dans lesquels le sens caché transparaît à travers l'expression innocente. Non seulement le malade, mais aussi des collègues qui ne sont pas au fait de la technique psychanalytique et des conditions particulières de son exercice, nous refusent créance sur ce chapitre et nous reprochent de trop jouer et subtiliser sur les mots; mais nous finissons presque toujours par avoir raison. En fin de compte, il n'est pas difficile de comprendre qu'un secret soigneusement gardé ne se trahit que par des allusions légères, tout au plus à double entente. Le malade finit par s'habituer à nous donner sous forme de ce que nous appelons « présentation indirecte » tout ce dont nous avons besoin pour mettre au jour le complexe.

C'est dans un champ plus limité que nous tirons parti, dans la technique de la psychanalyse, du troisième de vos indices de complexe, l'erreur, c'est-à-dire la modification lors de la reproduction. Une tâche qui nous incombe fréquemment est l'interprétation de rêves, c'est-à-dire la traduction du contenu du rêve remémoré en son sens caché. Il arrive ce faisant que nous soyons indécis quant au point sur lequel nous devons engager notre travail, et dans ce cas nous pouvons recourir à une règle établie de manière empirique, qui nous conseille de faire répéter le récit du rêve. En cette occurrence, le rêveur transforme habituellement son mode d'expression en maints endroits, tandis qu'en d'autres, il se répète fidèlement. Quant à nous, nous nous attachons aux passages dans lesquels la reproduction est défectueuse, du fait d'une modification, souvent aussi d'une omission, parce que cette infidélité nous garantit l'appartenance au complexe et nous promet le meilleur accès au sens secret du rêve [1].

11

N'allez pas maintenant avoir l'impression que la concordance que j'ai suivie pas à pas serait arrivée à son terme, si je vous avoue qu'un phénomène semblable à

1. Cf. mon *Interprétation du rêve* (1900*a*).

celui de la « persévération » ne se manifeste pas en psychanalyse. Cette apparente différence ne provient que des conditions particulières dans lesquelles vous effectuez vos expériences. En effet, vous ne laissez pas vraiment au complexe le temps de déployer son effet ; à peine celui-ci a-t-il commencé que vous détournez à nouveau l'attention du sujet examiné par un mot-stimulus probablement anodin, et alors vous pouvez observer que le sujet, parfois en dépit de vos perturbations, persiste à s'occuper du complexe. Quant à nous, nous évitons en psychanalyse de telles perturbations, nous faisons en sorte que le malade reste préoccupé par le complexe, et étant donné que chez nous, tout pour ainsi dire est persévération, nous ne pouvons pas observer ce phénomène en tant qu'événement isolé.

12 Nous pouvons risquer l'affirmation que nous réussissons en principe, par des techniques comme celles que je viens d'évoquer, à amener le refoulé, son secret, à la conscience du malade, et à lever du même coup le conditionnement psychique des symptômes dont il souffre. Avant que vous ne concluiez à présent de ce résultat aux chances de succès de vos travaux, nous allons éclairer les différences entre les deux situations psychologiques considérées ici et là.

Pour ce qui est de la différence principale, nous l'avons déjà nommée : chez le névrosé, il y a secret pour sa propre conscience, chez le criminel, seulement pour vous ; chez le premier, un authentique non-savoir, encore que ce ne soit pas vrai dans tous les sens, chez le second, une simple simulation de non-savoir. À cette différence s'en rattache une autre, d'une grande portée pratique. En psychanalyse, le malade apporte le concours de ses efforts conscients contre sa résistance, car il a un avantage à attendre de l'examen : la guérison; le criminel en revanche ne coopère pas avec vous, il travaillerait contre son moi tout entier. Comme à titre de compensation, il ne s'agit dans votre instruction que d'obtenir une conviction objective, tandis que dans la thérapie, il est requis que le malade acquière pour lui-même la même conviction. Mais il reste à attendre quelles difficultés ou modifications entraînera pour votre procédé l'absence de coopération de la part du sujet examiné. C'est du reste un cas que vous ne pourrez jamais constituer dans vos essais en séminaire, car celui de vos collègues qui se plie au rôle d'accusé reste malgré tout votre collaborateur, et vous apporte son concours malgré son dessein conscient de ne pas se trahir.

Si vous affinez la comparaison entre les deux situations, vous constaterez d'une manière générale qu'en psychanalyse on a affaire à un cas plus simple, un cas spécial, de la mise au jour d'éléments cachés dans la vie psychique, tandis que votre travail constitue un cas plus large. Quant au fait qu'il s'agit d'une manière tout à fait régulière, chez les personnes souffrant de psychonévroses, d'un complexe sexuel refoulé (le mot étant pris 13 dans son acception la plus large), cela n'entre pas pour vous en ligne de compte comme différence. C'est autre chose qui entre en jeu. La tâche de la psychanalyse revient, de manière tout à fait uniforme, dans tous les cas, à mettre au jour des complexes qui sont refoulés par suite de sentiments de déplaisir, et qui émettent des signes de résistance quand on essaie de les faire entrer dans la conscience. Cette résistance est en quelque sorte localisée, elle se constitue au poste frontière entre inconscient et conscient. Dans les cas qui vous intéressent, il s'agit d'une résistance qui provient tout entière de la conscience.

Vous ne pourrez négliger, sans plus, cette disparité, et vous aurez à établir d'abord par des essais si la résistance consciente se trahit par des indices en tout point identiques à la résistance inconsciente. En outre, je suis d'avis que vous ne pouvez pas encore être certains d'avoir le droit d'interpréter vos indices de complexe objectifs comme « résistance », à l'instar de nous, psychothérapeutes. Même si ce n'est pas très fréquent chez les criminels, il se peut toutefois qu'il advienne chez vos sujets expérimentaux que le complexe que vous effleurez porte un accent de plaisir, et on peut se demander si celui-ci provoquera les mêmes réactions qu'un complexe portant un accent de déplaisir.

Je voudrais aussi faire ressortir qu'il se peut que votre essai soit soumis à une ingérence qui ne peut évidemment pas se présenter en psychanalyse. Vous pouvez en effet, lors de votre instruction, être induits en erreur par un névrosé qui réagit comme s'il était coupable, bien qu'il soit innocent, parce qu'il a en lui une conscience de culpabilité aux aguets, déjà toute prête, qui s'empare de l'imputation de ce cas particulier. Ne considérez pas que ce cas est une fiction oiseuse; pensez à la chambre d'enfants où l'on peut très souvent l'observer. Il arrive qu'un enfant à qui l'on reproche un méfait nie carrément toute culpabilité, tout en pleurant comme un pécheur qu'on a confondu. Vous penserez peut-être que l'enfant ment lorsqu'il affirme son innocence; mais il se peut qu'il en aille autrement. L'enfant n'a effectivement pas commis le méfait particulier dont vous le chargez; mais
14 en revanche, il en a commis un autre semblable, dont vous ne savez rien et dont vous ne l'accusez pas. Il nie donc à juste titre sa culpabilité – sur un point –, tout en trahissant pourtant sa conscience de culpabilité – à

cause de l'autre [a]. Le névrosé adulte se comporte sur ce point – comme sur beaucoup d'autres – exactement comme un enfant; il y a beaucoup d'hommes de cette sorte, et l'on peut encore se demander si votre technique réussira à distinguer de telles personnes, qui s'accusent elles-mêmes, des véritables coupables. Encore une chose pour terminer; vous savez que, conformément à votre code de procédure pénale, vous n'avez pas le droit d'user de ruse à l'égard de l'accusé. Il saura donc qu'il s'agit, au cours de cette expérience, de ne pas se trahir, d'où résulte une autre question, celle de savoir s'il faut escompter les mêmes réactions quand l'attention est tournée vers le complexe que quand elle en est détournée, et jusqu'à quel point le dessein de dissimuler peut, chez différentes personnes, intervenir dans leur mode de réaction.

Justement parce que les situations qui font l'objet de vos enquêtes sont si variées, la psychologie est vivement intéressée à leurs résultats, et l'on serait porté à vous prier de ne surtout pas désespérer trop vite de leur applicabilité pratique. Permettez à un homme qui se situe tout à fait à l'écart de l'exercice pratique du droit, de formuler encore une autre proposition. Si indispensables que puissent être les expériences en séminaire pour préparer le terrain et élaborer une problématique, vous ne pourrez pourtant jamais y constituer la même situation psychologique que celle de l'examen d'accusés au cours d'une procédure pénale. Elles restent des exercices sur effigies, sur lesquels une application pratique au cours d'une procédure pénale ne saurait en aucun cas se fonder.

a. Freud est revenu sur ce point plus tard dans « Das Fakultätsgutachten im Prozess Halsmann » (1931*d*).

Si nous ne voulons pas renoncer à cette application, l'issue suivante s'offre à nous. Qu'il vous soit permis, voire enjoint, de vous livrer à des investigations de ce genre pendant un certain nombre d'années sur tous les
15 cas *réels* d'accusation pénale, *sans que soit accordée aux résultats de celles-ci une influence quelconque sur la décision de l'instance appelée à juger.* Le mieux serait que celle-ci n'ait en aucune manière connaissance des conclusions que vous aurez tirées de l'instruction quant à la culpabilité de l'accusé. Après plusieurs années passées à recueillir et à collationner les expériences ainsi acquises, tous les doutes quant à la validité de ce procédé psychologique d'instruction devraient sans doute être levés. Je sais, bien sûr, que la réalisation de cette proposition ne dépend pas seulement de vous et de votre estimé professeur.

LE CRÉATEUR LITTÉRAIRE ET LA FANTAISIE

Note liminaire

DER DICHTER
UND DAS PHANTASIEREN [1908*e*]

Éditions allemandes :

1908 *Neue Revue,* tome 1 (10) [mars].
1909 *Sammlung kleiner Schriften zur Neurosenlehre,* tome 2 (deuxième édition, 1912; troisième édition, 1921).
1924 *Gesammelte Schriften,* tome 10.
1924 *Dichtung und Kunst.*
1941 *Gesammelte Werke,* tome 7.
1969 *Studienausgabe,* tome 10.

Traduction anglaise :

1959 *« Creative Writers and Day-Dreaming »,* traduit par James Strachey, *Standard Edition,* tome 9.

Paru dans la traduction Bonaparte-Marty, sous le titre de « La création littéraire et le rêve éveillé ».

Cet essai a pour point de départ une conférence que Freud fit le 6 décembre 1907, devant une centaine de personnes, dans les locaux de l'éditeur et libraire viennois Hugo Heller, membre de la Société psychanalytique de Vienne. Un résumé de la conférence parut le lendemain dans le quotidien *Die Zeit.* La version définitive rédigée par Freud ne parut qu'au début de 1908 dans la *Neue Revue,* revue littéraire qui venait de se créer à Berlin.

Peu de titres de ce recueil sont aussi difficiles à traduire. La traduction proposée par Marie Bonaparte et Mme E. Marty a été souvent critiquée. S'il est vrai qu'elle est distante du sens littéral des mots choisis ici par Freud, elle évoque néanmoins assez justement le contenu de l'article.

Une traduction littérale au point de ne plus prendre le risque de traduire serait « Le poète et le fantasmer ». L'ennui est que le mot *Dichter,* s'il peut désigner ce que le français appelle « poète », est susceptible d'une extension beaucoup plus large. Dirons-nous qu'un auteur de romans feuilletons ou d'aventures est un « poète »? Ce genre littéraire est pourtant le seul exemple un peu précis de *Dichtung* auquel Freud se réfère ici. La *Dichtung* recouvre toute forme de création littéraire, elle en souligne le caractère fictif, imaginatif (voir le fameux titre de Goethe *Dichtung und Wahrheit*). On est d'ailleurs là au plus près de l'étymologie du mot poésie. C'est pourquoi nous nous sommes résolu, faute de mieux, à rendre *Dichter* par « créateur littéraire ».

La traduction du second substantif du titre, *das Phantasieren,* soulève d'autres difficultés. Si la langue allemande la plus courante, et pas seulement Freud ou Heidegger, substantive les verbes (« le penser », « le rêver », « le désirer »), le français n'a pas cet usage. Nous nous sommes donc refusé à « techniciser » ce terme, d'autant que le texte qu'on va lire a d'abord été destiné à un public littéraire. Deuxième difficulté : dire *das Phantasieren* plutôt que *die Phantasie* montre que l'accent est mis sur l'activité imaginative plus que sur l'imagination envisagée comme faculté ou comme fonction. Nous aurions aimé faire apparaître cette nuance dans notre titre. Troisième difficulté : les mots de la famille du *Phantasieren* sont généralement traduits *en psychanalyse* par « fantasme » et des dérivés (« fantasmer », « fantasmatique »). Traduire ici *das Phantasieren* par « création (ou production) de fantasmes » eût été un choix possible et assurément légitime. Nous en avons opéré un autre, critiquable comme tout choix, là aussi dans le souci d'éviter le recours à des termes réputés techniques et porteurs de l'« estampille » psychanalytique, dans l'intention aussi de réhabiliter, comme y invitait naguère Daniel Lagache, le vieux mot de « fantaisie ». La fantaisie, ou la « folle du logis ».

Pour signaler cependant, à défaut d'autres moyens, la différence entre *die Phantasie* et *das Phantasieren,* nous traduisons le premier par *la fantaisie,* le second par la *fantaisie* suivi d'un astérisque.

G.W., VII, 213

Nous autres profanes, nous avons toujours été très curieux de savoir où cette singulière personnalité, le créateur littéraire, va prendre sa matière – dans l'esprit, par exemple, de la fameuse question qu'adressa le cardinal à l'Arioste [a], – et comment il parvient, par elle, à tellement nous saisir, à provoquer en nous des émotions dont nous ne nous serions peut-être même pas crus capables. Que le créateur, même quand nous l'interrogeons, ne nous donne pas de renseignement, ou pas de renseignement satisfaisant, ne fait qu'attiser notre intérêt pour ce sujet, et cet intérêt ne souffre pas de savoir que les meilleurs aperçus sur les conditions du choix de la matière littéraire et sur l'essence de l'art de la mise en forme poétique ne contribueraient en rien à faire de nous-mêmes des créateurs.

Si nous pouvions à tout le moins découvrir en nous ou chez nos semblables une activité qui soit d'une manière

a. Le cardinal Hippolyte d'Este fut le premier protecteur de l'Arioste; celui-ci lui dédia son *Orlando furioso*. Le poète en aurait été remercié par cette seule question : *« Dove avete trovato, Messer Ludovico, tante corbellerie? »* (« Où avez-vous trouvé, messire Ludovico, toutes ces âneries? »)

ou d'une autre apparentée à la création littéraire! En l'examinant, nous pourrions espérer obtenir un premier éclaircissement sur cette dernière. Et de fait, cette espérance se nourrit de quelque raison, – les écrivains [*Dichter*] se plaisent eux-mêmes en effet à diminuer la distance qui sépare leur particularité de l'essence humaine générale; ils nous assurent très fréquemment qu'en chaque homme se cache un poète [*Dichter*] et que le dernier poète ne mourra qu'avec le dernier homme.

214 Ne devrions-nous pas chercher les premières traces d'activité littéraire, déjà chez l'enfant? L'occupation la plus chère et la plus intense de l'enfant est le jeu. Peut-être sommes-nous autorisé à dire : chaque enfant qui joue se comporte comme un poète, dans la mesure où il se crée un monde propre, ou, pour parler plus exactement, il arrange les choses de son monde suivant un ordre nouveau, à sa convenance. Ce serait un tort de penser alors qu'il ne prend pas ce monde au sérieux; au contraire, il prend son jeu très au sérieux, il y engage de grandes quantités d'affect. L'opposé du jeu n'est pas le sérieux, mais... la réalité. L'enfant distingue très bien son monde ludique, en dépit de tout son investissement affectif, de la réalité, et il aime étayer ses objets et ses situations imaginés sur des choses palpables et visibles du monde réel. Ce n'est rien d'autre que cet étayage qui distingue encore le « jeu » de l'enfant de la « fantaisie * ».

Le créateur littéraire fait donc la même chose que l'enfant qui joue; il crée un monde de fantaisie, qu'il prend très au sérieux, c'est-à-dire qu'il dote de grandes quantités d'affect, tout en le séparant nettement de la réalité. Et le langage a conservé cette parenté entre jeu enfantin et création poétique, lorsqu'il qualifie des dispositifs littéraires qui ont besoin d'être étayés sur des objets saisissables, qui sont susceptibles de représentation, de *Spiele* (jeux) : *Lustspiel* (comédie), *Trauerspiel* (tragédie), et la personne qui les représente, de *Schauspieler* (acteur) [a]. Mais de l'irréalité du monde de la création littéraire, il résulte des conséquences très importantes pour la technique artistique, car beaucoup de choses qui, en tant que réelles, ne pourraient pas procurer de jouissance, le peuvent tout de même, prises dans le jeu de la fantaisie; beaucoup d'émotions qui sont par elles-mêmes proprement pénibles, peuvent devenir, pour l'auditeur ou le spectateur du créateur littéraire, source de plaisir.

Attardons-nous encore un instant, pour établir un autre rapport, sur l'opposition entre réalité et jeu. Quand l'enfant est devenu adulte, et a cessé de jouer, quand pendant des décennies, il s'est psychiquement efforcé [215] d'appréhender les réalités de la vie avec le sérieux requis, il peut un beau jour tomber dans une disposition psychique qui annule à nouveau l'opposition entre jeu et réalité. L'adulte peut se remémorer avec quel profond sérieux il s'adonnait autrefois à ses jeux d'enfant, et en assimilant maintenant ses occupations, qui se prétendent sérieuses, à ces jeux d'enfant, il se débarrasse de l'oppression trop lourde que fait peser sur lui la vie et conquiert le haut gain de plaisir qu'est l'*humour* [b].

a. Freud joue ici – c'est le cas de le dire! – d'une ressource de la langue allemande qui n'a pas d'équivalent en français. Les mots *Lustspiel, Trauerspiel, Schauspieler* sont des composés qui renferment tous l'élément *Spiel* : « jeu ». *Lust* : « plaisir », « amusement »; *Trauer* : « deuil »; quant à *Schau-*, c'est une racine qui signifie « voir », « regarder ». En français, nous disons : jouer un rôle, une pièce, la comédie, etc. L'anglais appelle une pièce de théâtre : *a play*.

b. Cf. la section 7 du chapitre VII du livre de Freud sur le *Mot d'esprit* (1905*c*) et également l'essai intitulé « L'humour » (voir ci-après).

L'adolescent cesse donc de jouer, il renonce apparemment au gain de plaisir qu'il tirait du jeu. Mais quiconque connaît la vie psychique de l'homme, sait que presque rien ne lui est aussi difficile que de renoncer à un plaisir qu'il a une fois connu. À vrai dire, nous ne pouvons renoncer à rien, nous ne faisons que remplacer une chose par une autre; ce qui paraît être un renoncement est en réalité une formation substitutive ou un succédané. De même, l'adolescent, quand il cesse de jouer, n'abandonne rien d'autre que l'étayage sur des objets réels; au lieu de *jouer,* maintenant, il se *livre à sa fantaisie.* Il se construit des châteaux en Espagne [a], il crée ce qu'on appelle des rêves diurnes. Je crois que la plupart des hommes, en certaines périodes de leur vie, forgent des fantaisies. C'est là un fait qu'on a pendant longtemps ignoré, et dont on a, pour cette raison, sous-estimé l'importance.

La fantaisie * des hommes est moins facile à observer que le jeu des enfants. L'enfant, il est vrai, joue aussi tout seul, ou bien il constitue avec d'autres enfants un système psychique clos à des fins ludiques, mais même s'il ne joue rien pour les adultes, il ne leur cache pas pour autant son jeu. En revanche, l'adulte a honte de ses fantaisies et les dissimule aux autres, il les cultive comme sa vie intime la plus personnelle; en règle générale, il préférerait confesser ses manquements plutôt que de communiquer ses fantaisies. Il peut arriver que pour cette raison, il se croie le seul à forger de telles fantaisies, et qu'il ne pressente rien de la diffusion universelle de
216 créations tout à fait analogues chez d'autres. Cette dif-

a. En allemand *Luftschlösser,* soit littéralement « châteaux d'air », « qui ont la consistance de l'air ».

férence de comportement entre celui qui joue et celui qui se livre à sa fantaisie a son fondement dans les motifs des deux activités dont l'une ne fait pourtant que continuer l'autre.

Le jeu de l'enfant était guidé par des désirs, proprement par le désir qui aide à éduquer l'enfant : le désir d'être grand et adulte. Il joue à « être grand », il imite dans ses jeux ce qu'il a appris de la vie des grands. Il n'a en effet aucune raison de cacher ce désir. Il en va autrement de l'adulte; celui-ci sait d'une part qu'on attend de lui qu'il ne joue plus ou ne se livre plus à sa fantaisie, mais qu'il agisse dans le monde réel, et d'autre part, parmi les désirs qui produisent ses fantaisies, il y en a beaucoup qu'il est tout simplement impératif de cacher; c'est pourquoi il a honte de sa fantaisie * comme de quelque chose d'infantile et d'interdit.

Vous me demanderez comment il se fait qu'on soit si bien informé de la fantaisie * des hommes, si celle-ci est voilée par eux par tant de mystère. C'est qu'il existe une catégorie d'humains auxquels non pas un dieu, il est vrai, mais une sévère déesse – la Nécessité – a donné pour charge de dire ce qu'ils souffrent et de quoi ils se réjouissent [a]. Ce sont les nerveux, qui doivent confesser au médecin dont ils attendent un rétablissement par traitement psychique jusqu'à leurs fantaisies; c'est de cette source que proviennent nos meilleures connaissances, et nous sommes ensuite parvenus à la conjecture bien

a. C'est là une allusion à quelques vers bien connus prononcés par le héros-poète dans la scène finale de la pièce de Goethe *Torquate Tasse* :

Und wenn der Mensch in seiner Qual verstummt,
Gab mir ein Gott, zu sagen, wie ich leide.

(« Et quand l'homme en son tourment se tait, à moi un dieu a donné de dire comme je souffre. »)

fondée que nos malades ne nous communiquent rien d'autre que ce que nous pourrions également apprendre de la bouche des bien-portants.

Faisons connaissance avec quelques-uns des caractères de la fantaisie *. On est en droit de dire que l'homme heureux ne s'y livre jamais, seulement l'homme insatisfait. Les désirs insatisfaits sont les forces motrices des fantaisies, et chaque fantaisie particulière est l'accomplissement d'un désir, un correctif de la réalité non satisfaisante. Les désirs moteurs sont différents suivant le sexe, le caractère et les conditions de vie de la personnalité qui se livre à la fantaisie; mais ils se laissent regrouper, sans forcer les choses, suivant deux directions principales. Ce sont des désirs ou bien ambitieux, destinés à rehausser la personnalité, ou bien érotiques. Chez la jeune femme, ce sont les désirs érotiques qui dominent de façon presque exclusive, car son ambition est en général absorbée par son aspiration amoureuse; chez le jeune homme, outre les désirs érotiques, les désirs égoïstes et ambitieux sont nettement prioritaires. Cependant, nous ne voulons pas accentuer l'opposition entre les deux directions, mais bien plutôt, leur conjonction fréquente; de même que sur beaucoup de retables, on peut voir dans un angle le portrait du donateur, de même, dans la plupart des fantaisies ambitieuses, nous pouvons découvrir dans quelque recoin la dame pour qui leur auteur accomplit toutes ses prouesses et aux pieds de laquelle il va déposer tous ses succès. Vous voyez qu'ici il y a des motifs de dissimulation suffisamment forts; en effet, la femme bien élevée ne se voit reconnaître en général qu'un minimum de besoin érotique, et le jeune homme doit apprendre, afin de s'intégrer dans une société si riche en individus nourrissant des prétentions analogues, à réprimer l'excès d'amour-propre qui lui vient des gâteries de son enfance.

Quant aux produits de cette activité imaginative [*phantasierend*], fantaisies, châteaux en Espagne ou rêves diurnes spécifiques, nous ne devons pas nous les représenter figés et immuables. Ils se moulent bien plutôt sur les impressions changeantes de la vie, se modifient au gré de chaque fluctuation de la situation personnelle, reçoivent de chaque nouvelle impression active ce qu'on appelle une « estampille d'époque ». Le rapport de la fantaisie au temps est d'une manière générale très important. On peut dire qu'une fantaisie flotte en quelque sorte entre trois temps, les trois moments de notre activité représentative. Le travail psychique se rattache à une impression actuelle, une occasion dans le présent qui a été en mesure de réveiller un des grands désirs de l'individu ; à partir de là, il se reporte sur le souvenir d'une expérience antérieure, la plupart du temps infantile, au cours de laquelle ce désir était accompli ; et il crée maintenant une situation rapportée à l'avenir, qui se présente comme l'accomplissement de ce désir, précisément le rêve diurne ou la fantaisie, qui porte désormais sur lui les traces de son origine à partir de l'occasion et du souvenir. Passé, présent, avenir donc, comme enfilés sur le cordeau du désir qui les traverse.

218

L'exemple le plus banal pourra vous rendre ma thèse plus claire. Supposez le cas d'un jeune homme pauvre et orphelin à qui vous avez donné l'adresse d'un employeur, chez qui il pourra peut-être trouver une place. Chemin faisant, il pourra se bercer d'un rêve diurne décrivant la manière dont il échappe à sa situation à point nommé. Le contenu de cette fantaisie sera par exemple qu'il est accepté, qu'il plaît à son nouveau patron, qu'il se rend indispensable dans l'entreprise, qu'il est intégré à la famille du maître, épouse la ravissante fille de la maison et qu'ensuite il dirigera l'entreprise lui-même, d'abord en tant qu'associé, ultérieurement en tant que successeur. Ce faisant, le rêveur a remplacé ce qu'il a possédé pendant son enfance heureuse : la maison protectrice, les parents aimants, et les premiers objets de ses tendres inclinations. Vous voyez sur un tel exemple comment le désir utilise une occasion du présent, pour ébaucher une image d'avenir d'après le modèle du passé.

Il y aurait encore bien des choses à dire sur les fantaisies; mais je veux m'en tenir aux indications les plus sommaires. C'est le foisonnement des fantaisies et le fait qu'elles deviennent prépondérantes, qui créent les conditions de la chute dans la névrose et la psychose; les fantaisies sont aussi les ultimes stades psychiques préalables aux symptômes douloureux dont nos malades se plaignent. Ici s'embranche une large voie latérale qui mène à la pathologie.

Mais je ne peux passer sur la relation des fantaisies au rêve. Nos rêves nocturnes aussi ne sont rien d'autre que de telles fantaisies, comme nous pouvons le mettre en évidence par l'interprétation des rêves [1]. En son insurpassable sagesse, la langue a tranché depuis longtemps la question de l'essence des rêves en nommant *« rêves diurnes »* les créations aériennes des individus qui se livrent à leur fantaisie. Si, malgré cette indication, le sens de nos rêves nous reste la plupart du temps indistinct, cela tient au fait que la nuit aussi se mettent en branle des désirs dont nous avons honte et que nous devons nous cacher à nous-mêmes, qui justement pour

1. Cf. *L'interprétation du rêve* (1900*a*) de l'auteur.

cette raison ont été refoulés, poussés dans l'inconscient. Or, à de tels désirs refoulés et à leurs rejetons, il ne peut être accordé qu'une expression fortement déformée. Lorsque le travail de la science eut réussi à élucider la *déformation du rêve,* il ne fut plus difficile de reconnaître que les rêves nocturnes sont des accomplissements de désirs au même titre que les rêves diurnes, les fantaisies que nous connaissons tous si bien.

En voilà assez sur les fantaisies; passons maintenant au créateur littéraire. Sommes-nous vraiment autorisé à tenter l'essai de comparer le créateur littéraire avec le « rêveur en plein jour », ses créations avec des rêves diurnes? Dans ce cas, une première distinction s'impose sans doute; nous devons séparer les auteurs qui reprennent des matières toutes prêtes, comme les anciens poètes épiques et tragiques, de ceux qui paraissent créer librement. Tenons-nous-en à ces derniers, et ne sélectionnons pas pour notre comparaison justement les auteurs qui sont le plus hautement prisés par la critique, mais les narrateurs moins ambitieux que sont les auteurs de romans, de nouvelles et d'histoires, qui pour cette raison trouvent les lecteurs et les lectrices les plus nombreux et les plus assidus. Dans les créations de ces narrateurs, il est un trait qui doit nous frapper entre tous; elles ont toutes un héros qui est au centre de l'intérêt, pour qui l'auteur cherche à gagner notre sympathie par tous les moyens, et qu'il semble protéger comme par une providence particulière. Quand à la fin du chapitre d'un roman, j'ai quitté le héros sans connaissance, perdant son sang par des blessures graves, je suis sûr de le trouver au début du suivant, objet des soins les plus attentifs et en voie de rétablissement; et quand le premier volume s'est terminé par le naufrage dans la tempête du bateau

220

sur lequel se trouvait notre héros, je suis sûr d'entendre parler au commencement du deuxième volume de son sauvetage miraculeux, sans lequel, du reste, le roman ne pourrait continuer. Le sentiment de sécurité avec lequel j'accompagne le héros à travers ses destinées périlleuses, est le même que celui avec lequel un héros réel plonge dans l'eau pour sauver quelqu'un qui se noie, ou s'expose au feu de l'ennemi pour prendre une batterie d'assaut : c'est proprement ce sentiment héroïque que l'un de nos meilleurs créateurs littéraires a gratifié de la savoureuse expression : *« Es kann dir nix g'schehen »* (Anzengruber) [a]. Je pense quant à moi qu'à cette caractéristique révélatrice de l'invulnérabilité, on reconnaît sans peine... Sa Majesté le Moi, héros de tous les rêves diurnes, comme de tous les romans [b].

D'autres traits typiques encore de ces récits égocentriques renvoient à la même parenté. Quand toutes les femmes du roman tombent régulièrement amoureuses du héros, cela ne peut guère être conçu comme une peinture de la réalité, mais peut être entendu aisément comme un élément obligé du rêve diurne. De même quand les autres personnages du roman se scindent nettement en bons et en méchants, au mépris de la nature composite des caractères humains qu'on peut observer dans la réalité; les « bons » sont justement les auxiliaires, les « méchants » au contraire les ennemis et les concurrents du moi devenu héros.

Cela dit, nous ne méconnaissons nullement que beau-

a. « Y peut rien t'arriver. » Nous reproduisons l'original allemand pour lui garder sa saveur de transcription phonétique du parler autrichien populaire. Cette formule d'Anzengruber, dramaturge viennois, était l'une des citations favorites de Freud. Cf. « Considérations actuelles sur la guerre et sur la mort » (1915*b*, chap. II).

b. Cf. « Pour introduire le narcissisme », fin du chap. II (1914*c*).

coup de créations littéraires se tiennent très à l'écart du rêve diurne naïf, mais je ne peux pour autant réprimer la conjecture que même les déviations les plus extrêmes pourraient être mises en relation avec ce modèle par une série continue de transitions. Dans beaucoup de ce qu'on appelle des romans psychologiques, j'ai été également frappé par le fait qu'un seul personnage, encore le héros, est décrit de l'intérieur; le créateur est en quelque sorte installé dans son âme, et il regarde les autres personnages de l'extérieur. Le roman psychologique doit sans doute dans l'ensemble sa particularité à la tendance du créateur 221 littéraire moderne à scinder son moi en moi partiels, par l'effet de l'observation de soi; et par voie de conséquence, à personnifier les courants conflictuels de sa vie psychique en plusieurs héros. Les romans qui paraissent s'opposer tout particulièrement au type du rêve diurne sont ceux qu'on pourrait qualifier d'« excentriques », dans lesquels le personnage introduit comme héros joue le rôle actif le plus réduit, voit défiler devant lui, plutôt en spectateur, les actes et les souffrances des autres. À ce genre appartiennent plusieurs des derniers romans de Zola. Je dois toutefois remarquer que l'analyse psychologique d'individus non créateurs, et s'écartant par bien des aspects de ce qu'on appelle la norme, nous a fait connaître des variantes analogues de rêves diurnes, dans lesquelles le moi se contente du rôle de spectateur.

Si notre assimilation du créateur littéraire au rêveur diurne, de la création poétique au rêve diurne doit prendre quelque valeur, il faut qu'avant tout, d'une manière ou d'une autre, elle s'avère féconde. Essayons par exemple d'appliquer aux œuvres littéraires notre thèse précédemment avancée sur la relation de la fantaisie aux trois temps et au désir qui les traverse, et d'étudier par ce moyen les relations entre la vie de l'écrivain et ses créations. En règle générale, on ne sait pas avec quelles représentations d'attente on doit aborder ce problème; souvent, on s'est représenté cette relation d'une manière beaucoup trop simple. À partir des aperçus que nous avons acquis sur les fantaisies, nous devrions nous attendre à trouver l'état de choses suivant : une expérience actuelle intense réveille chez l'écrivain le souvenir d'une expérience antérieure, appartenant la plupart du temps à l'enfance, dont émane maintenant le désir qui se crée son accomplissement dans l'œuvre littéraire; l'œuvre littéraire elle-même permet de reconnaître aussi bien des éléments de l'occasion récente que des éléments du souvenir ancien [a].

Ne vous effrayez pas de la complexité de cette formule; 222 je présume qu'en réalité, elle se révélera être un schéma trop indigent, mais il se pourrait tout de même qu'elle contienne une première approximation de l'état des choses réel, et au terme de quelques essais que j'ai entrepris, je suis à même de penser qu'une telle manière de considérer les productions littéraires ne peut manquer d'être féconde. Vous n'oublierez pas que l'insistance, qui peut vous paraître déconcertante, que nous mettons sur le souvenir d'enfance dans la vie du créateur littéraire dérive en dernier ressort du présupposé que la création littéraire, comme le rêve diurne, est la continuation et le substitut du jeu enfantin d'autrefois.

N'oublions pas de revenir sur cette classe d'œuvres littéraires dans lesquelles nous sommes obligés d'apercevoir non des créations libres, mais les remaniements

a. Un point de vue analogue avait déjà été suggéré par Freud dans une lettre à Fliess du 7 juillet 1898, à propos d'une nouvelle de Conrad Ferdinand Meyer, *Die Hochzeit des Mönchs* (« Les noces du moine ») (Freud, 1950*a*, lettre 92).

de matières toutes prêtes et connues. Dans ce cas aussi, il reste à l'auteur une marge d'autonomie qui est autorisée à se manifester dans le choix de la matière et dans la modification de celle-ci, qui va souvent assez loin. Mais dans la mesure où les matières sont données, elles sont issues du trésor populaire des mythes, des légendes et des contes. L'investigation de ces formations relevant de la psychologie des peuples n'est nullement close, mais il est extrêmement probable, par exemple à propos des mythes, qu'ils correspondent aux vestiges déformés de fantaisies de désir propres à des nations entières, aux *rêves séculaires* de la jeune humanité.

Vous allez dire que je vous ai parlé beaucoup plus des fantaisies que du créateur littéraire, que j'avais pourtant mis à la première place dans le titre de ma conférence. Je le sais, et j'essaie de m'en excuser en arguant de l'état actuel de nos connaissances. Je n'ai pu vous apporter que des incitations et des exhortations qui, à partir de l'étude des fantaisies, conduisent au problème du choix de sa matière par le créateur littéraire. Quant à l'autre problème, à savoir par quels moyens l'auteur obtient chez nous les effets d'affect qu'il suscite par ses créations, nous ne l'avons pas abordé du tout. Je voudrais au moins vous montrer encore quelle voie mène de nos analyses des fantaisies aux problèmes des effets poétiques.

Vous vous souvenez que nous avons dit que le rêveur 223 diurne cache soigneusement ses fantaisies aux autres, parce qu'il éprouve des raisons d'en avoir honte. J'ajoute maintenant que, même s'il nous les communiquait, il ne nous procurerait aucun plaisir par un tel dévoilement. De telles fantaisies, quand nous les apprenons, nous rebutent, ou nous laissent tout au plus froids. Mais quand le créateur littéraire nous joue ses jeux ou nous raconte ce que nous inclinons à considérer comme ses rêves diurnes personnels, nous ressentons un plaisir intense, résultant probablement de la confluence de nombreuses sources. Comment parvient-il à ce résultat? C'est là son secret le plus intime; c'est dans la technique du dépassement de cette répulsion, qui a sans doute quelque chose à voir avec les barrières qui s'élèvent entre chaque moi individuel et les autres, que gît la véritable *ars poetica*. Nous pouvons soupçonner à cette technique deux sortes de moyens : le créateur littéraire atténue le caractère du rêve diurne égoïste par des modifications et des voiles, et il nous enjôle par un gain de plaisir purement formel, c'est-à-dire esthétique, qu'il nous offre à travers la présentation de ses fantaisies. Un tel gain de plaisir, qui nous est offert pour rendre possible par son biais la libération d'un plaisir plus grand, émanant de sources psychiques plus profondes, c'est ce qu'on appelle une *prime de séduction* ou un *plaisir préliminaire* [a]. Je pense que tout le plaisir esthétique que le créateur littéraire nous procure, porte le caractère d'un tel plaisir préliminaire, et que la jouissance propre de l'œuvre littéraire est issue du relâchement de tensions siégeant dans notre âme. Peut-être même le fait que le créateur littéraire nous mette en mesure de jouir désormais de nos propres fantaisies, sans reproche et sans honte, n'entre-t-il pas pour peu dans ce résultat. Ici, nous serions au seuil de nouvelles investigations, intéressantes et complexes, mais, au moins pour cette fois, au terme de nos analyses.

a. Cette théorie du « plaisir préliminaire » et de la « prime de séduction » avait été appliquée par Freud aux mots d'esprit dans les derniers paragraphes du chapitre IV du livre consacré à ce sujet (1905*c*). La nature du « plaisir préliminaire » avait aussi été analysée dans les *Trois essais sur la théorie de la sexualité* (1905*d*).

SUR LE SENS OPPOSÉ DES MOTS ORIGINAIRES

Note liminaire

ÜBER DEN GEGENSINN DER URWORTE [1910*e*]

Éditions allemandes :

1910 *Jahrbuch der psychoanalytischen und psychopathischen Forschung*, tome 2 (1).
1913 *Sammlung kleiner Schriften zur Neurosenlehre*, tome 3 (seconde édition, 1921).
1924 *Gesammelte Schriften*, tome 10.
1943 *Gesammelte Werke*, tome 8.
1970 *Studienausgabe*, tome 4

Traduction anglaise :

1957 *« The Antithetical Meaning of Primal Words »*, traduit par Alan Tyson, *Standard Edition*, tome 11.

Paru dans la traduction Bonaparte-Marty sous le titre de « Des sens opposés dans les mots primitifs ».

Dans les éditions antérieures à 1924, le titre est placé entre parenthèses. Il est suivi du sous-titre : « À propos de la brochure du même nom de Karl Abel, 1884. »

Les nombreuses mentions de l'ouvrage de K. Abel qu'on trouve dans l'œuvre de Freud (par exemple dans *L'interprétation du rêve* (1900*a*), chap. VI, C, note de la page 274) témoignent de l'intérêt que celui-ci portait à ce travail. Il faut relever à ce propos que la brochure de K. Abel était parue en 1884 et qu'elle ne correspondait plus tout à fait à l'état de la recherche en 1910, notamment dans le domaine de l'égyptologie.

On trouvera une discussion de l'article de Freud dans l'étude d'Émile Benveniste intitulée « Remarques sur la fonction du langage dans la découverte freudienne » (1956), repris dans *Problèmes de linguistique générale*, vol. I, p. 75-87 (Gallimard, 1966).

G.W., X, 214

En guise de préambule à cet exposé, je répéterai une affirmation que j'ai formulée dans mon *Interprétation du rêve*; elle constitue un résultat de l'effort analytique qui n'a pas encore été compris [1] :

« Le comportement du rêve à l'égard de la catégorie de l'opposition et de la contradiction est extrêmement frappant. Celle-ci est tout bonnement négligée. Le " non " semble, pour le rêve, ne pas exister. Avec une prédilection particulière, les oppositions sont contractées en une unité ou représentées par un élément unique. Mieux, le rêve prend également la liberté de représenter n'importe quel élément par le désir de son opposé, de sorte qu'au premier abord, on ne sait d'aucun élément admettant un contraire s'il est contenu dans les pensées du rêve de manière positive ou négative. »

Les interprètes de rêves de l'Antiquité semblent avoir fait du présupposé qu'une chose peut, dans le rêve, signifier son contraire, l'usage le plus abondant. Occasionnellement, cette possibilité a été aussi reconnue par des explorateurs modernes du rêve, pour autant qu'ils

1. Freud, 1900*a*, chap. VI, section C (trad. fr., p. 274).

215 accordent au rêve sens et interprétabilité [1]. Je ne crois pas non plus susciter la contradiction en supposant que l'affirmation que j'ai citée ci-dessus s'est trouvée vérifiée par tous ceux qui m'ont suivi sur la voie d'une interprétation scientifique du rêve.

Ce qui m'a amené à comprendre cette singulière tendance du travail du rêve à ne tenir aucun compte de la négation et à exprimer des choses opposées par le même moyen représentatif, c'est d'abord la lecture fortuite d'un ouvrage du linguiste K. Abel [a], qui, publié en 1884 sous forme de brochure séparée, a ensuite également trouvé place l'année suivante parmi les *Sprachwissenschaftliche Abhandlungen* (*Essais de linguistique*) de cet auteur. L'intérêt de l'objet justifiera que je restitue ici les principaux passages de l'essai d'Abel dans leur libellé intégral (à l'omission près de la plupart des exemples). Nous obtiendrons en effet cette information étonnante que la pratique du travail du rêve dont nous venons de parler coïncide avec une particularité propre aux langues les plus anciennes qui nous sont connues.

Après avoir fait ressortir l'ancienneté de la langue égyptienne, qui a nécessairement dû se développer bien avant les premières inscriptions hiéroglyphiques, Abel poursuit ainsi :

> (P. 4 :) « Or dans la langue égyptienne, ce reliquat unique d'un monde primitif, se trouve un nombre appréciable de mots à deux significations, dont l'une énonce l'exact contraire de l'autre. Qu'on imagine, si tant est que l'on puisse imaginer un non-sens aussi patent, que le mot " stark " (fort)

1. Cf. par exemple B. G. H. von Schubert, *Die Symbolik des Traumes (La symbolique du rêve)* [1814], 4e éd. 1862, chap. 2, *« Die Sprache des Traumes »* (« La langue du rêve »).

a. Voir la note liminaire.

signifie dans la langue allemande aussi bien " stark " que " schwach " (faible) ; que le substantif " Licht " (lumière) soit utilisé à Berlin aussi bien pour désigner " Licht " que " Dunkelheit " (obscurité) ; qu'un citoyen de Munich appelle la bière " Bier ", tandis qu'un autre userait du même mot quand il parlerait de l'eau ; et l'on aurait ainsi une idée de l'étonnante pratique à laquelle les anciens Égyptiens avaient coutume de se livrer en suivant l'usage de leur langue. À qui en voudrait-on s'il hoche la tête à ce propos d'un air incrédule ?... » (Exemples.) 216

(P. 7 :) « Au vu de ces cas de signification antithétique et de beaucoup d'autres analogues (voir appendice), il ne peut faire aucun doute que dans *une* langue au moins, il y eut une foule de mots qui désignaient à la fois une chose et le contraire de cette chose. Si étonnant que cela soit, nous sommes confrontés à ce fait et nous devons en tenir compte. »

Ensuite, l'auteur récuse ceux qui expliquent cet état de choses par une homonymie fortuite et il s'élève avec une égale résolution contre ceux qui l'attribuent au bas niveau de l'évolution intellectuelle des Égyptiens :

(P. 9 :) « Or l'Égypte était rien moins que la patrie du non-sens. Ce fut au contraire l'un des lieux où se développa le plus tôt la raison humaine... Elle connaissait une morale pure et digne et avait formulé une grande partie des Dix Commandements, alors que les peuples qui sont les dépositaires de la civilisation actuelle, avaient coutume de faire des sacrifices humains à des idoles sanguinaires. Un peuple qui a allumé, en des temps si obscurs, le flambeau de la justice et de la culture ne peut tout de même pas avoir été tout bonnement stupide dans sa manière quotidienne de parler et de penser... Qui a été capable de fabriquer du verre ainsi que de soulever et de mouvoir d'énormes blocs à l'aide de machines doit avoir eu au moins assez de raison pour ne pas considérer qu'une chose est à la fois elle-même et son contraire. Mais comment concilier cela avec le fait que les Égyptiens se soient permis d'avoir une langue aussi singulièrement contradictoire ?... qu'ils aient eu coutume de donner d'une manière générale aux pensées les plus ennemies un seul et même vecteur phonique, et de lier ce qui s'opposait terme à terme de la façon la plus forte en une sorte d'union indissoluble? »

Avant toute tentative d'explication, il faut mentionner une hyperbolisation de ce procédé inintelligible de la langue égyptienne.

217 « De toutes les excentricités du lexique égyptien, la plus extraordinaire est peut-être qu'en dehors des mots qui unissent en eux des significations opposées, il possède d'autres mots composés, dans lesquels deux vocables de signification opposée sont unis en un composé, qui ne possède la signification que de l'un des deux éléments qui le constituent. Il n'y a donc pas seulement, dans cette langue extraordinaire, des mots qui signifient " fort " aussi bien que " faible ", " ordonner " aussi bien qu'" obéir "; il y a aussi des composés du genre " vieux-jeune ", " lointain-proche ", " lier-séparer ", " dehors-dedans "... qui, en dépit de leur composition, qui inclut le plus disparate, signifient, pour le premier, seulement " jeune ", pour le second, seulement " proche ", pour le troisième, seulement " lier ", pour le quatrième, seulement " dedans "... Dans ces mots composés, on a donc, de propos quasi délibéré, uni des contradictions conceptuelles, non pour créer un troisième concept, comme cela arrive quelquefois en chinois, mais seulement pour exprimer, par le biais du composé, la signification de l'un de ses éléments contradictoires, qui aurait signifié la même chose à lui tout seul... »

Toutefois l'énigme se résout plus aisément qu'il n'y paraît. Nos concepts sont engendrés par comparaison.

« S'il faisait toujours clair, nous ne distinguerions pas entre le clair et l'obscur, et partant, nous ne saurions avoir ni le concept ni le mot de clarté... » « Cela est manifeste, tout sur cette planète est relatif et n'a d'existence indépendante que dans la mesure où cela est distingué dans ses relations à d'autres choses et de ces autres choses... » « Étant donné qu'en conséquence chaque concept est le jumeau de son opposé, comment pouvait-il être d'abord pensé, comment pouvait-il être communiqué à d'autres qui essayaient de le penser, sinon en étant mesuré à son opposé?... » (P. 15 :) « Comme on ne pouvait concevoir le concept de force hors de son opposition à faiblesse, le mot qui voulait dire " fort " renfermait le rappel concomitant de " faible ", en tant que c'est par lui qu'il était en un premier temps parvenu à l'existence. Ce mot ne désignait en vérité ni " fort " ni " faible ", mais le rapport entre les deux et la distinction entre les deux, qui avait produit les deux du même coup... » « L'homme n'a justement pu conquérir ses concepts les plus anciens et les plus simples autrement qu'en les opposant à leur opposé, et ce n'est que progressivement qu'il a appris à isoler les deux versants de l'antithèse et à penser l'un sans le mesurer consciemment à l'autre. »

218

Étant donné que la langue ne sert pas seulement à exprimer les pensées propres, mais essentiellement à les communiquer à d'autres, on est autorisé à soulever la question de savoir de quelle manière l'« Égyptien primitif » a fait connaître à son prochain « quel versant du concept hybride il envisageait chaque fois ». Dans l'écriture, cela se faisait à l'aide des images dites « déterminatives », qui, placées derrière les signes-lettres, précisent le sens de ceux-ci sans être elles-mêmes destinées à être prononcées.

(P. 18 :) « Quand le mot égyptien *ken* est destiné à signifier " fort ", on place, derrière sa phonie transcrite alphabétiquement, l'image d'un homme debout armé; quand le même mot doit exprimer " faible ", les lettres qui représentent la phonie sont suivies de l'image d'un humain accroupi et nonchalant. D'une manière analogue, la plupart des autres mots ambigus sont accompagnés d'images explicatives. »

Dans la langue parlée, c'était le geste qui, suivant l'opinion d'Abel, servait à donner au mot prononcé la valence souhaitée.

Ce sont, d'après Abel, les « racines les plus anciennes » sur lesquelles on peut observer le phénomène du double sens antithétique. Au cours de l'évolution ultérieure de la langue, cette ambiguïté disparut, et, dans l'égyptien ancien tout au moins, on peut suivre toutes les transitions qui conduisent à l'univocité du vocabulaire moderne.

> « Les mots qui sont originairement à double sens se dissocient dans la langue ultérieure chaque fois en deux mots à sens unique, chacun des deux sens opposés accaparant 219 à lui seul une " modulation " (modification) phonique de la même racine. » C'est ainsi que par exemple, dès le hiéroglyphique, *ken,* « fort-faible », se scinde en *ken* (« fort ») et *kan* (« faible »). « En d'autres termes, les concepts qui n'ont pu être trouvés que par voie antithétique deviennent au cours du temps suffisamment familiers à l'esprit humain pour autoriser chacune de leurs deux parties à une existence autonome, et pour assurer ainsi à chacune son représentant phonique séparé. »

L'attestation, facile à effectuer pour l'égyptien, de significations originaires contradictoires peut s'étendre également, d'après Abel, aux langues sémitiques et indoeuropéennes [a].

> « Il reste à voir dans quelle mesure cela peut se produire aussi dans d'autres familles linguistiques; car bien que le sens opposé ait été nécessairement présent chez les êtres

a. On sait que l'allemand, aujourd'hui encore, dit le plus couramment, pour « indo-européen », *indogermanisch,* ce qui est une curieuse réduction de la réalité! Remarquons que Freud emploie, quant à lui, le mot *indoeuropäisch.* Un peu plus bas, on trouvera à deux reprises, sous la plume d'Abel, le mot *indogermanisch.*

pensants de chaque race, il ne s'ensuit pas forcément que celui-ci ait dû se manifester et se conserver partout dans les significations. »

Abel fait ressortir encore que le philosophe Bain a postulé ce double sens des mots, sans avoir, semble-t-il, connaissance des phénomènes constatables, comme une nécessité logique découlant de raisons purement théoriques. Le passage en question (*Logic,* I, 54) commence par ces phrases :

« *The essential relativity of all knowledge, thought or consciousness cannot but show itself in language. If everything that we can know is viewed as a transition from something else, every experience must have two sides; and either every name must have a double meaning, or else for every meaning there must be two names*[a]. »

Dans le *Anhang von Beispielen des ägyptischen, indogermanischen*[b] *und arabischen Gegensinnes* (Appendice d'exemples de sens opposé en égyptien, indo-européen et arabe), je relève quelques cas qui peuvent aussi faire impression sur des non-spécialistes de la linguistique comme nous : en latin, *altus* signifie haut et profond, *sacer,* saint et maudit, cas donc où le sens opposé est encore tout entier présent sans modification de la phonie. Le changement phonétique destiné à dissocier les opposés est attesté par des exemples comme *clamare* crier – *clam* doucement, en silence; *siccus* sec – *succus* suc. En alle- 220

a. « La relativité essentielle de toute connaissance, pensée et conscience ne peut pas ne pas se manifester dans le langage. Si tout ce que nous pouvons connaître est appréhendé comme une transition à partir d'autre chose, alors toute expérience doit avoir deux versants, et ou bien chaque nom doit avoir une double signification, ou bien à l'inverse, pour chaque signification, il doit y avoir deux noms. »

b. Voir note *a*, p. 56.

mand, *Boden* signifie aujourd'hui encore la partie la plus haute aussi bien que la partie la plus basse de la maison. À notre *bös* (mauvais) correspond un *bass* (bon), en vieux-saxon *bat* (bon), qui s'oppose à l'anglais *bad* (mauvais); en anglais *to lock* (fermer) s'oppose à l'allemand *Lücke, Loch* [a]. Allemand *kleben* [b] – anglais *to cleave* (scinder); allemand *Stumm* – *Stimme* [c], etc. Ainsi peut-être, la dérivation tant moquée : *lucus a non lucendo,* finirait malgré tout par prendre un sens [d].

Dans son essai sur l'*Origine du langage* [*Ursprung der Sprache*] (*op. cit.,* p. 305), Abel fait remarquer encore d'autres traces d'anciens tâtonnements de la pensée. L'Anglais dit encore aujourd'hui, pour exprimer « sans », *without,* c'est-à-dire « avec-sans », de même que l'habitant de Prusse-Orientale. *With* lui-même, qui correspond à notre « avec » actuel, a signifié à l'origine aussi bien « avec » que « sans », comme on peut s'en apercevoir aujourd'hui avec *withdraw* (se retirer), *withhold* (retirer). Nous identifions la même mutation dans l'allemand *wider* (contre) et *wieder* (ensemble avec).

Pour la comparaison avec le travail du rêve, il est une autre particularité, hautement singulière, de la langue égyptienne ancienne qui a également de l'importance.

a. *Lücke* : « lacune »; *Loch* : « trou ».
b. *Kleben* : « coller ».
c. *Stumm* : « muet »; *Stimme* : « voix ».
d. Étymologie proposée par Quintilien (*De institutione oratoria,* I, 6) qui consiste à faire dériver le mot latin *lucus* (« bois sacré »), par antithèse, du verbe *lucere* qui signifie : « luire, briller, faire clair », le bois étant un endroit où, en général, on n'y voit pas très clair! Remarquons que F. Martin, dans ses *Mots latins,* fait bien dériver *lucus* de la même racine que *lux,* en précisant que ce mot désigne en fait proprement une *clairière,* comme lieu de réunions dans un bois.

« En égyptien, les mots peuvent – nous dirons pour l'instant : apparemment – *inverser aussi bien leur phonie que leur sens.* À supposer que le mot allemand *gut* soit égyptien, il pourrait signifier, outre bon, mauvais, il pourrait aussi se prononcer, outre *gut, tug.* De telles inversions phoniques, qui sont trop nombreuses pour s'expliquer par le hasard, on peut aussi fournir des exemples abondants dans les langues aryennes et sémitiques. Si l'on s'en tient pour commencer au germanique, que l'on observe : *Topf – pot, boat – tub, wait – täuwen, hurry – Ruhe, care – reck, Balken – Klobe, club* [a]. Si l'on englobe dans l'observation les autres langues indo-européennes [b], le nombre des cas qui entrent en ligne de compte croît proportionnellement, par exemple : *capere – packen, ren – Niere, the leaf* (feuille) – *folium, dum-a,* θυμός – (sanskrit) *mêdh, mûdha, Mut, Rauchen* - (russe) *Kur-ít, kreischen – to shriek* [c], etc. »

a. *Topf* et *pot* désignent un pot, respectivement en allemand et en anglais. *Boat* et *tub* désignent en anglais un « bateau » et un « baquet » ou un « rafiot ». *To wait* signifie en anglais « attendre » ; *täuwen* est un verbe qui signifie la même chose dans le dialecte bas-allemand. *To hurry* signifie en anglais « se hâter, se dépêcher » ; *Ruhe* signifie en allemand « calme, tranquillité ». Les deux verbes *to care* et *to reck* signifient tous deux en anglais « se soucier » ; le second est rare et poétique. *Balken* signifie en allemand « poutre » ; nous n'avons pu identifier la forme *Klobe,* mais on peut la rapprocher du mot allemand *der Kloben,* qui désigne entre autres une « bûche », un « billot » ; et le mot anglais *club* désigne une « massue », un « gourdin », etc. (cf. club de golf).

b. Voir note *a,* p. 56.

c. Le verbe latin *capere* signifie « prendre, saisir » ; le verbe allemand *packen,* « empoigner ». Les mots *ren* et *Niere* signifient tous deux « rein », respectivement en latin (inusité sous cette forme) et en allemand. *Duma* signifie « pensée » en russe et « orgueil » en polonais ; θυμός désigne en grec l'« âme » ; *Mut* signifie en allemand « courage » et désignait plus anciennement *(muot)* le siège des affects et des sentiments (cf. anglais *mood*). *Rauchen* et *kuriti* (transcription approximative) signifient tous deux « fumer », respectivement en allemand et en russe. *Kreischen* signifie en allemand « pousser un cri enroué, rauque » (corneille, mouette, etc.) ; *to shriek* signifie en anglais « pousser un cri strident ».

221 Pour ce qui est du phénomène de l'*inversion phonique,* Abel cherche à l'expliquer à partir d'un redoublement, d'une réduplication de la racine. Ici nous éprouverions une certaine difficulté à suivre notre chercheur. Nous nous souvenons combien les enfants aiment à jouer à inverser les phonèmes d'un mot, et combien fréquemment le travail du rêve se sert de l'inversion de son matériau représentatif à des fins diverses. (Ici, ce ne sont plus des lettres, mais des images dont l'ordre de succession est renversé.) Nous inclinerions donc plutôt à rapporter l'inversion phonique à un facteur plus profond [1].

Dans la concordance, que nous avons soulignée d'emblée, entre la particularité du travail du rêve et la pratique des langues les plus anciennes mise au jour par le linguiste, nous sommes autorisé à apercevoir une confirmation de notre conception du caractère régressif et archaïque de l'expression de la pensée dans le rêve. Et à nous psychiatres s'impose comme une présomption impossible à écarter l'idée que nous comprendrions mieux et que nous traduirions plus aisément la langue du rêve, si nous en savions plus sur l'évolution de la langue [2].

1. À propos du phénomène de l'inversion phonique (métathèse), qui entretient peut-être avec le travail du rêve des rapports encore plus intimes que le sens opposé (antithèse), cf. encore W. Meyer-Rinteln in *Kölnische Zeitung* du 7 mars 1909.

2. On est également tenté de supposer que le sens opposé originaire des mots représente le mécanisme préformé qui est mis à profit par le lapsus par énonciation du contraire au service de tendances variées.

LE MOTIF DU CHOIX DES COFFRETS

Note liminaire

DAS MOTIV DER KÄSTCHENWAHL
[1913*f*]

Éditions allemandes :

1913 Imago, tome 2 (3).
1918 *Sammlung kleiner Schriften zur Neurosenlehre*, tome 4 (seconde édition, 1922).
1924 *Gesammelte Schriften,* tome 10.
1924 *Dichtung und Kunst.*
1946 *Gesammelte Werke,* tome 10.
1969 *Studienausgabe,* tome 10.

Traduction anglaise :

1958 *« The Theme of the Three Caskets »,* traduit par James Strachey, *Standard Edition,* tome 12.

Paru dans la traduction Bonaparte-Marty sous le titre de « Le thème des trois coffrets ».

Selon Ernest Jones, qui se fonde sur la correspondance de Freud, l'idée de ce texte serait née en juin 1912. Il fut publié l'année suivante. Dans une lettre à Ferenczi (7 juillet 1913), Freud parle du fait d'avoir trois filles comme d'un « élément subjectif » ayant joué un rôle dans la composition de cet article (cf. Freud, 1960*a*, p. 323).

I

G.W., X, 24

Deux scènes de Shakespeare, l'une gaie, l'autre tragique, m'ont fourni récemment l'occasion de poser un petit problème et de le résoudre.

La scène gaie est celle du choix des prétendants entre trois coffrets dans *Le marchand de Venise*. La belle et intelligente Portia est tenue de par la volonté de son père de ne prendre pour époux que celui de ses soupirants qui choisira le bon parmi trois coffrets qui lui seront proposés. Les trois coffrets sont d'or, d'argent et de plomb; le bon est celui qui renferme le portrait de la jeune fille. Deux soupirants sont déjà repartis bredouilles, pour avoir choisi l'or et l'argent. Bassanio, le troisième, se décide pour le plomb; il gagne ainsi une fiancée, dont l'inclination lui était acquise dès avant l'épreuve fatidique. Chacun des prétendants avait motivé sa décision par un discours dans lequel il vantait le métal préféré par lui, tandis qu'il rabaissait les deux autres. La tâche la plus ardue avait échu de ce fait à l'heureux troisième prétendant; ce qu'il peut dire pour magnifier le plomb

contre l'or et l'argent, est peu de chose et paraît forcé.
25 Si, dans la pratique analytique, nous étions confronté à un tel discours, nous pressentirions, derrière cette justification peu satisfaisante, des motifs gardés secrets.

Ce n'est pas Shakespeare qui a inventé l'oracle du choix des coffrets, il l'a repris d'un récit des *Gesta Romanorum* [a], dans lequel c'est une jeune fille qui procède au même choix pour gagner le fils de l'empereur [1]. Ici aussi, c'est le troisième métal, le plomb, qui porte bonheur. Il n'est pas difficile de deviner que nous avons affaire ici à un motif ancien qui appelle interprétation, dérivation et remontée aux sources. Une première conjecture sur ce que pourrait bien signifier le choix entre or, argent et plomb se trouve rapidement confirmée par une assertion d'Ed. Stucken [2], qui s'occupe du même sujet dans un contexte qui le déborde largement. Il dit : « L'identité des trois prétendants de Portia ressort clairement de ce qu'ils choisissent : le prince du Maroc choisit le coffre d'or; il est le soleil; le prince d'Aragon choisit le coffre d'argent : il est la lune; Bassanio choisit le coffre de plomb : il est l'enfant des étoiles. » À l'appui de cette interprétation, il cite un épisode de l'épopée populaire estonienne *Kalewipoeg,* dans laquelle les trois prétendants apparaissent de manière non déguisée comme les jeunes hommes du soleil, de la lune et des étoiles (« le petit aîné de l'étoile polaire ») et où la fiancée, cette fois encore, échoit au troisième.

Notre petit problème nous conduirait donc ainsi vers un mythe astral! Il est seulement dommage qu'avec cet

1. G. Brandes (1896).
2. Ed. Stucken (1907), p. 655.

a. Récits latins du XIIIe ou XIVe siècle qui mettent en scène des empereurs romains et tirent des moralités de leurs actes.

éclaircissement nous ne soyons pas au bout de nos peines. Notre interrogation rebondit, car nous ne croyons pas, à l'instar de maints mythologues, que les mythes ont été déchiffrés dans le ciel; nous jugeons plutôt, avec Otto Rank [1], qu'ils ont été projetés sur le ciel après être nés ailleurs, au sein de conditions purement humaines. Et c'est sur ce contenu humain que porte notre intérêt.

26 Examinons encore attentivement notre matière. Tant dans l'épopée estonienne que dans le récit des *Gesta Romanorum,* il s'agit du choix opéré par une jeune fille entre trois prétendants; dans la scène du *Marchand de Venise,* il s'agit apparemment de la même chose, à ceci près qu'en ce dernier point surgit quelque chose comme une inversion du motif : un homme choisit entre trois... coffrets. Si nous avions affaire à un rêve, nous penserions aussitôt que les coffrets sont aussi des femmes, des symboles de ce qui est l'essentiel en la femme, et par suite de la femme elle-même, comme les boîtes, étuis, écrins, corbeilles, etc. Si nous nous autorisons à faire l'hypothèse, également dans le mythe, d'une substitution symbolique de ce genre, alors la scène des coffrets dans *Le marchand de Venise* devient effectivement l'inversion que nous avions conjecturée. D'un seul coup, comme cela n'arrive d'ordinaire que dans les contes, nous avons dépouillé notre thème de son vêtement astral et nous voyons à présent qu'il traite un motif humain, le *choix que fait un homme entre trois femmes.*

Mais ce motif est aussi l'objet d'une autre scène de Shakespeare dans l'un des plus bouleversants de ses drames; il ne s'agit pas du choix d'une fiancée cette fois, mais pourtant le motif est lié par maintes analogies

1. O. Rank (1909).

secrètes au choix des coffrets dans le *Marchand*. Le vieux roi Lear décide, de son vivant encore, de partager son royaume entre ses trois filles, proportionnellement à l'amour qu'elles lui témoigneront. Les deux aînées, Goneril et Régane, s'épuisent en protestations et exaltations de leur amour, la troisième, Cordélia, s'y refuse. Lear aurait dû reconnaître et récompenser cet amour discret et muet de la troisième; mais il le méconnaît, repousse Cordélia, et partage le royaume entre les deux autres, pour son malheur et celui de tous. N'est-ce pas à nouveau une scène de choix entre trois femmes, dont la plus jeune est la meilleure, la plus digne d'être préférée?

Et voici qu'aussitôt, issues de mythes, de contes et d'œuvres littéraires, nous viennent à l'esprit d'autres 27 scènes qui ont pour objet la même situation : le berger Pâris a le choix entre trois déesses dont il déclare la troisième la plus belle. Cendrillon est de la même manière une cadette que le fils du roi préfère aux deux aînées; Psyché, dans le conte d'Apulée, est la plus jeune et la plus belle de trois sœurs, Psyché – qui est d'une part vénérée comme une Aphrodite devenue humaine, qui est d'autre part traitée par cette déesse comme Cendrillon par sa belle-mère – doit trier un tas de graines de semences mélangées et y parvient grâce à l'aide de petits animaux (des pigeons dans le cas de Cendrillon [a], des fourmis dans le cas de Psyché [1]). Quiconque voudrait se livrer à de plus amples investigations

1. Je dois le repérage de ces concordances au Dr O. Rank.

a. Freud fait ici allusion à un épisode qui ne figure pas dans le conte de Perrault et est donc sans doute ignoré du lecteur français. Il est présent dans le conte allemand de Grimm et dans beaucoup d'autres versions du conte, de par le monde.

trouverait sans doute encore d'autres élaborations du même motif où seraient conservés les mêmes traits essentiels.

Contentons-nous de Cordélia, Aphrodite, Cendrillon et Psyché. Les trois femmes, dont la troisième emporte la préférence, doivent sans doute être conçues comme faisant en quelque sorte partie de la même espèce, puisqu'elles sont présentées comme des sœurs. Nous ne devons pas nous laisser déconcerter par le fait qu'il s'agit, dans le cas de Lear, des trois filles de l'homme qui choisit; peut-être cela ne signifie-t-il rien d'autre que le fait que Lear doit être représenté comme un homme âgé. Il n'est pas facile de mettre autrement en scène le choix d'un homme âgé entre trois femmes; c'est pour cette raison que celles-ci deviennent ses filles.

Mais qui sont ces trois sœurs et pourquoi faut-il que le choix tombe sur la troisième? Si nous pouvions répondre à cette question, nous serions en possession de l'interprétation recherchée. Or nous avons déjà eu recours une fois à des techniques psychanalytiques lorsque nous avons élucidé les trois coffrets comme symbolisant trois femmes. Si nous avons le courage de poursuivre avec ce procédé, nous nous engageons sur un chemin qui nous conduit d'abord au sein de l'imprévu, de l'incompréhensible, peut-être au prix de détours, à une destination.

Nous pouvons être frappé par le fait que cette troisième personne digne d'être préférée possède dans plusieurs cas, outre sa beauté, d'autres particularités encore. 28 Ce sont des qualités qui semblent tendre à quelque unité; nous ne devons pas nous attendre, il est vrai, à les trouver marquées avec une égale netteté dans tous les exemples. Cordélia se fait effacée, terne comme le plomb, elle reste muette, elle « aime et se tait » [a]. Cendrillon se cache, de sorte qu'on ne peut la trouver. Peut-être sommes-nous autorisé à mettre en équivalence le se-cacher et le se-taire. Il est vrai que cela ne constituerait que deux cas sur les cinq que nous avons sélectionnés. Mais il est remarquable qu'un indice de cela se rencontre encore aussi dans deux autres. En effet, nous avons résolu de comparer Cordélia, crispée dans son refus, au plomb. À propos de ce dernier il est dit, dans le bref discours de Bassanio au cours du choix des coffrets, d'une manière que rien n'annonce au fond :

Thy paleness moves me more than eloquence
(*plainness* suivant une autre leçon) [b].

C'est-à-dire : « Ta simplicité me touche plus que la manière d'être tapageuse des deux autres. » L'or et l'argent sont « tapageurs », le plomb est muet, tout à fait comme Cordélia, qui « aime et se tait » [1].

Dans les récits que l'Antiquité grecque fait du jugement de Pâris, rien n'est dit d'une semblable réserve de la part d'Aphrodite. Chacune des trois déesses parle à l'éphèbe et cherche à se le gagner par des promesses. Mais dans un remaniement tout à fait moderne de la même scène, le trait caractéristique de la troisième qui a retenu notre attention se refait jour d'une singulière

1. Dans la traduction de Schlegel, cette allusion se perd tout à fait, elle est même retournée en son contraire :

Dein schlichtes Wesen spricht beredt mich an.

(« Ta simplicité me parle avec éloquence. »)

a. Selon un aparté de Cordélia, acte I, scène I.

b. Soit : « Ta pâleur m'émeut plus que l'éloquence. » La variante donne « simplicité » à la place de « pâleur ». Les précisions subséquentes de Freud ne sont pas une traduction, mais une glose de ce vers.

façon. Dans le livret de *La belle Hélène* [a], Pâris, après avoir relaté les avances des deux autres déesses, raconte comment s'est comportée Aphrodite dans ce concours de beauté :

> La troisième, ah! la troisième...
> La troisième *ne dit rien.*
> Elle eut le prix tout de même, etc.

Si nous nous résolvons à voir les particularités de notre troisième résumées dans le « mutisme », alors la psychanalyse nous dit : le mutisme est dans le rêve une représentation usuelle de la mort [1]. 29

Il y a plus de dix ans, un homme d'une grande intelligence m'a fait part d'un rêve dont il voulait se servir pour démontrer la nature télépathique des rêves. Il voyait un ami absent dont il n'avait pas reçu de nouvelles depuis très longtemps, et il lui faisait des reproches acerbes sur son silence. L'ami ne donnait pas de réponse. Or il s'avéra par la suite qu'à peu près au moment de ce rêve, il avait mis fin à ses jours par un suicide. Laissons de côté le problème de la télépathie [b]; que le mutisme devienne dans le rêve la représentation de la mort, cela semble ne pas faire ici de doute. De même, le fait de se cacher, de rester introuvable, comme le prince charmant en fait trois fois l'expérience avec Cendrillon, est dans le rêve un symbole de mort qu'on ne peut méconnaître; non moins que la pâleur frappante à laquelle fait penser la *paleness* du plomb dans une des

1. Également cité parmi les symboles de la mort dans *Sprache des Traumes* de Stekel (1911), p. 351.
a. Opérette d'Offenbach, 1864.
b. Cf. l'article ultérieur de Freud sur « Rêve et télépathie » (1922*a*).

leçons du texte de Shakespeare [1]. Mais la transposition de ces interprétations de la langue du rêve au mode d'expression du mythe, qui nous occupe ici, sera pour l'essentiel facilitée si nous pouvons rendre plausible que le mutisme doit être nécessairement interprété comme signe de l'état de mort dans d'autres productions aussi, qui ne sont pas des rêves.

J'aurai ici recours au neuvième des contes populaires de Grimm, qui a pour titre : « Les douze frères ». Un roi et une reine avaient douze enfants, rien que des garçons. Alors le roi dit : Si le treizième enfant est une fille, les garçons devront mourir. Dans l'attente de cette naissance, il fait faire douze cercueils. Les douze fils se
30 réfugient à l'aide de leur mère dans une forêt retirée et jurent de tuer toute fille qu'ils rencontreront.

C'est une fille qui naît, qui grandit et qui apprend un jour de sa mère qu'elle a eu douze frères. Elle décide de se mettre à leur recherche, et trouve dans la forêt le cadet qui la reconnaît, mais voudrait la cacher à cause du serment des frères. La sœur dit : Je veux bien mourir, si par là je peux racheter mes douze frères. Mais les frères l'accueillent avec cordialité; elle reste auprès d'eux et s'occupe de leur maison.

Dans un petit jardin près de la maison poussent douze fleurs de lis; la jeune fille les cueille pour en offrir une à chaque frère. À cet instant, les frères sont transformés en corbeaux et disparaissent avec la maison et le jardin. Les corbeaux sont des oiseaux-âmes, le meurtre des douze frères par leur sœur est à nouveau représenté par la cueillette des fleurs, de même qu'au début par les cercueils et la disparition des frères. La jeune fille qui est

1. Stekel (1911).

derechef prête à racheter ses frères de la mort, apprend maintenant qu'elle devra pour cela rester muette pendant sept ans, ne prononcer aucune parole. Elle se soumet à cette épreuve, par laquelle elle se met elle-même en danger de mort, c'est-à-dire qu'elle meurt elle-même pour ses frères comme elle en avait fait le vœu avant de les rencontrer. En observant le mutisme, elle réussit enfin à délivrer les corbeaux.

De manière tout à fait analogue, dans le conte des « Six cygnes », les frères transformés en oiseaux sont délivrés, c'est-à-dire ranimés par le mutisme de leur sœur. La jeune fille a pris la ferme décision de délivrer ses frères, « quand il en irait de sa vie », et, devenue l'épouse du roi, elle met sa propre vie en danger, parce que, en dépit d'accusations malveillantes, elle ne veut pas renoncer à son mutisme.

Nous pourrions certainement tirer encore des contes d'autres preuves montrant qu'il faut comprendre le mutisme comme une figuration de la mort. Si nous avons 31 le droit de suivre ces indices, la troisième de nos sœurs, entre lesquelles a lieu le choix, serait une morte. Mais elle peut aussi être autre chose, à savoir la mort elle-même, la déesse de la mort. En vertu d'un déplacement qui est loin d'être rare, les qualités qu'une divinité attribue aux humains lui sont attribuées à elle-même. C'est dans le cas de la déesse de la mort qu'un tel déplacement devrait le moins nous déconcerter, car dans la conception et la figuration modernes, dont le cas présent serait l'anticipation, la mort elle-même n'est qu'une personne morte.

Mais si la troisième des sœurs est la déesse de la mort, alors nous connaissons les sœurs. Ce sont les sœurs symboles du destin, les Moires ou Parques ou Nornes, dont la troisième s'appelle Atropos [a] : l'Inexorable.

II

Laissons provisoirement de côté le souci de savoir comment il convient d'intégrer à notre mythe l'interprétation que nous avons trouvée, et allons chercher chez les mythologues quelques enseignements sur le rôle et l'origine des déesses du destin [1].

La mythologie grecque la plus ancienne ne connaît qu'une Μοῖρα en tant que personnification du destin inéluctable (chez Homère). L'évolution de cette Moire unique vers un groupe sororal de trois (plus rarement deux) divinités s'est sans doute produite par analogie avec d'autres figures divines dont les Moires étaient proches, les Charites et les Heures.

Les Heures sont à l'origine des divinités des eaux célestes qui dispensent la pluie et la rosée, des nuages d'où tombe la pluie; et du fait que ces nuages sont appréhendés comme un tissu, il en résulte pour ces déesses le caractère de fileuses, qui se fixe ensuite sur les Moires. Dans les contrées méditerranéennes choyées par le soleil, c'est de la pluie que la fertilité du sol devient dépendante, et c'est pourquoi les Heures se transmuent
32 en divinités de la végétation. On leur doit la beauté des

1. Ce qui suit, d'après le *Dictionnaire des mythologies grecque et romaine* de Roscher [1884-1937], aux articles correspondants.

a. *Atropos* : le *a-* est privatif; et l'élément *-tropos* renvoie à un verbe qui signifie « tourner » et donc « mouvoir, fléchir », etc.

fleurs et l'opulence des fruits, on les dote largement de traits aimables et gracieux. Elles deviennent les représentantes divines des saisons, et c'est peut-être par cette relation qu'elles acquièrent leur caractère triple, au cas où la nature sacrée du nombre trois ne suffirait pas à en rendre compte. Car ces peuples anciens ne distinguaient au début que trois saisons : hiver, printemps et été. L'automne ne vint s'y ajouter qu'à l'époque gréco-romaine tardive; alors, l'art figura fréquemment quatre Heures.

Les Heures conservèrent leur relation au temps; plus tard, elles veillèrent aux périodes du jour, comme elles l'avaient fait d'abord pour les périodes de l'année [a]; pour finir, leur nom déchut jusqu'à désigner l'*heure* que nous connaissons [b]. Les Nornes de la mythologie germanique, dont l'essence est apparentée à celle des Heures et des Moires, montrent ostensiblement cette signification temporelle dans leurs noms [c]. Mais il ne pouvait manquer de se produire que l'essence de ces divinités fût appréhendée à un niveau plus profond et transférée aux lois périodiques de la succession temporelle; les Heures

a. Nous traduisons ici *die Zeiten des Jahres.* Il ne faut pas oublier que « les saisons » se dit en allemand *die Jahreszeiten.*

b. Freud donne ici le mot allemand pour « heure », puis cite entre parenthèses le mot français et le mot italien *ora.* En français, ces précisions perdent leur sens.

c. D'après la *Deutsche Mythologie* de Jakob Grimm, les trois Nornes ont pour noms (scandinaves, d'après l'*Edda*) : Urtr, Vertandi, Skuld. On peut interpréter les deux premiers comme dérivés du prétérit et du participe présent de la forme ancienne du verbe *werden,* soit « devenir ». La troisième fait écho aux mots anglais *shall, should,* allemands *soll, Schuld,* qui connotent l'idée de devoir et dont certains servent à exprimer le futur. On peut donc considérer que les trois noms renvoient respectivement au passé, au présent et à l'avenir.

En revanche, le mot « Norne » lui-même n'a rien à faire avec la temporalité. Dans son *Etymologisches Wörterbuch,* Friedrich Kluge le rapproche de verbes qui signifient « chuchoter, murmurer, marmonner », ce qui rangerait les Nornes du côté de *fatum* et de *fata.*

devinrent ainsi les gardiennes de la loi naturelle et de l'ordre sacré qui fait que, dans la nature, le même revient toujours selon un ordre immuable.

Cette prise de connaissance de la nature eut des répercussions sur la conception de la vie humaine. Le mythe naturel se transmua en un mythe humain; les déesses météorologiques devinrent des déesses du destin. Mais cet aspect des Heures ne vint à s'exprimer que dans les Moires qui veillent à l'ordre nécessaire de la vie humaine d'une manière tout aussi inexorable que les Heures veillent sur les lois de la nature. La rigueur inflexible de la loi, la relation à la mort et à la disparition, qui avaient été épargnées aux silhouettes charmantes des Heures, voici qu'elles s'accusèrent dans les traits des Moires, comme si l'homme n'éprouvait tout le sérieux de la loi naturelle que lorsqu'il est tenu d'y subordonner sa propre personne.

Les noms des trois fileuses ont également fait l'objet de la part des mythologues d'une exégèse significative. 33 La deuxième, Lachésis, semble désigner le « fortuit au sein de la loi du destin [1] » – nous dirions : l'expérience vécue – comme Atropos, l'inéluctable, la mort; enfin resterait pour Clotho la signification de la disposition fatale, innée.

Et maintenant il est temps de retourner au motif, objet de notre interprétation, du choix entre les trois sœurs. C'est avec une profonde insatisfaction que nous nous apercevons à quel point les situations deviennent incompréhensibles quand nous les insérons dans l'interprétation que nous avons trouvée, et quelles contradictions en résultent avec le contenu apparent de celles-ci. La troisième des sœurs serait la déesse de la mort, la

1. J. Roscher d'après Preller-Robert [1894].

mort elle-même, et dans le jugement de Pâris, c'est la déesse de l'amour, dans le conte d'Apulée, une beauté comparable à cette dernière, dans le *Marchand,* la femme la plus belle et la plus intelligente, dans *Le roi Lear,* la seule fille fidèle. Peut-on concevoir contradiction plus parfaite? Et pourtant ce paradoxe invraisemblable nous conduit peut-être tout près de la solution. En effet, il se présente chaque fois que, dans notre motif, on choisit librement entre les femmes, et que le choix doit tomber sur la mort, que pourtant personne ne choisit, dont on est victime par un arrêt fatal.

N'oublions pas que les contradictions d'une certaine espèce, les substitutions par un contraire totalement contradictoire n'opposent pas de difficulté sérieuse au travail d'interprétation analytique. Nous ne ferons pas ici appel au fait que dans les modes d'expression de l'inconscient, comme dans le rêve, les opposés sont très fréquemment représentés par un seul et même élément. Nous songerons en revanche que dans la vie psychique, il existe des motifs qui appellent la substitution par leur contraire du fait de ce qu'on nomme formation réactionnelle, et nous pouvons justement chercher le fruit de notre travail dans la mise au jour de tels motifs cachés. La création des Moires est le résultat d'une connaissance qui rappelle à l'homme que lui aussi est une parcelle de la nature et qu'à ce titre, il est soumis à l'immuable [34] loi de la mort. Contre cet assujettissement, il fallait que quelque chose protestât en l'homme, car il ne renonce qu'avec le plus grand déplaisir à sa position d'exception. Nous savons que l'homme utilise l'activité de sa fantaisie pour satisfaire ceux de ses désirs qui ne sont pas satisfaits par la réalité. C'est ainsi que sa fantaisie s'est rebellée contre la connaissance incarnée par le mythe des Moires, et qu'il a créé le mythe qui en est dérivé, dans lequel la déesse de la mort est remplacée par la déesse de l'amour et ses équivalents à figure humaine. La troisième des sœurs n'est plus la mort, elle est la plus belle, la meilleure, la plus désirable, la plus aimable des femmes. Et cette substitution ne présentait aucune difficulté technique; elle était préparée par une antique ambivalence, elle a suivi le fil d'un lien archaïque qui ne pouvait être oublié depuis longtemps. La déesse de l'amour elle-même, qui prenait maintenant la place de la déesse de la mort, avait été autrefois identique à elle. Même l'Aphrodite grecque n'était pas tout à fait exempte de relations avec les Enfers, bien qu'elle eût dès longtemps cédé son rôle chtonien à d'autres figures divines, telles que Perséphone et l'Artémis-Hécate aux trois corps. Mais les grandes divinités maternelles des peuples orientaux paraissent avoir été toutes aussi bien des génitrices que des destructrices, aussi bien des déesses de la vie et de la fécondation que des déesses de la mort. Ainsi, la substitution, dans notre motif, d'un élément par son contraire désiré, remonte à une identité archaïque.

La même réflexion nous fournit la réponse à la question de l'origine de l'élément du choix qui est venu marquer le mythe des trois sœurs. Ici encore une inversion de désir a eu lieu. Le choix est mis à la place de la nécessité, de la fatalité. Ainsi, l'homme surmonte la mort qu'il a reconnue dans sa pensée. On ne peut concevoir triomphe plus éclatant de l'accomplissement du désir. On choisit là où, en réalité, on obéit à la contrainte, et celle qu'on choisit n'est pas la terrifiante, mais la plus belle et la plus désirable.

35 À regarder de plus près, nous nous apercevons, bien sûr, que les déformations du mythe originel ne sont pas

assez radicales pour ne pas se trahir par quelques phénomènes résiduels. Le libre choix entre les trois sœurs n'est pas à vrai dire un libre choix, car il doit nécessairement se porter sur la troisième, sans quoi, comme dans *Le roi Lear,* il va entraîner tous les malheurs possibles. La plus belle et la meilleure, qui a pris la place de la déesse de la mort, a gardé des traits qui frisent l'inquiétante étrangeté de sorte que c'est grâce à eux que nous avons pu deviner les éléments cachés [1].

Jusqu'ici, nous avons suivi le mythe et ses avatars, et nous espérons avoir dégagé les raisons secrètes de ceux-ci. À présent nous avons sans doute le droit de nous intéresser à l'utilisation du motif dans la création littéraire. Nous avons l'impression que s'opère chez le créateur littéraire la réduction du motif au mythe d'origine, de sorte que nous éprouvons à nouveau le sens saisissant de celui-ci, que la déformation avait affaibli. Ce serait par cette réduction de la déformation, le retour partiel à l'originel, que le créateur littéraire obtiendrait l'effet plus profond qu'il provoque chez nous.

1. La Psyché d'Apulée a aussi conservé un grand nombre de traits qui rappellent sa relation à la mort. Ses noces sont apprêtées comme des funérailles, il faut qu'elle descende aux Enfers, et elle sombre ensuite dans un sommeil léthargique (O. Rank).

À propos de la signification de Psyché comme divinité printanière et « fiancée de la mort », cf. A. Zinzow [1881].

Dans un autre conte de Grimm (nº 179, *« Die Gänsehirtin am Brunnen »,* « La gardeuse d'oies à la fontaine »), on trouve, comme chez Cendrillon, l'alternance entre beauté et laideur chez la troisième fille, dans laquelle on est sans doute autorisé à apercevoir une indication de sa double nature – avant et après la substitution. Cette troisième fille est repoussée par son père au terme d'une épreuve qui coïncide presque avec celle du *Roi Lear.* Comme les autres sœurs, elle doit montrer à quel point elle aime son père, mais ne trouve pas d'autre expression de son amour que la comparaison avec le sel. (Communication amicale du Dr Hanns Sachs.)

Pour prévenir des malentendus, je dois dire que je n'ai pas l'intention de contredire l'idée que le drame du roi Lear serait destiné à inculquer les deux sages leçons 36 selon lesquelles on ne doit pas de son vivant renoncer à ses biens et à ses droits et qu'il faut se garder de prendre la flatterie pour argent comptant. Ces exhortations, ainsi que d'autres du même genre, ressortent effectivement de la pièce, mais il me paraît tout à fait impossible d'expliquer l'effet considérable que produit *Le roi Lear* à partir de l'impression suscitée par ce contenu de pensées, ou bien d'admettre que les motivations personnelles de l'auteur seraient épuisées par l'intention d'exposer ces leçons. De même, quand on affirme que l'auteur aurait voulu nous représenter la tragédie de l'ingratitude, dont il aurait sans nul doute ressenti les morsures dans sa propre chair, et que l'effet de la pièce reposerait sur le facteur purement formel du revêtement artistique, une telle échappatoire ne me paraît pas pouvoir tenir lieu de la compréhension qui nous est ouverte par la prise en compte du motif du choix entre les trois sœurs.

Lear est un vieil homme. Nous avons déjà dit que c'est pour cette raison que les trois sœurs apparaissent comme ses filles. La relation paternelle, d'où pourraient émaner tant d'incitations dramatiques fécondes, n'est pas exploitée plus avant dans le drame. Mais Lear n'est pas seulement un vieillard, c'est aussi un moribond. De ce fait, le préalable si extravagant de la répartition de l'héritage perd tout aspect déconcertant. Cependant cet homme promis à la mort ne veut pas renoncer à l'amour de la femme, il veut entendre à quel point il est aimé. Qu'on pense alors à la bouleversante dernière scène, l'un des sommets du tragique dans le drame moderne : Lear apporte le cadavre de Cordélia sur la scène. Cordélia est la mort. Si l'on renverse la situation, elle nous devient compréhensible et familière. C'est la déesse de la mort qui emporte le héros mort du champ de bataille, comme la Walkyrie [a] dans la mythologie germanique. La sagesse éternelle drapée dans le mythe ancestral conseille au vieil homme de renoncer à l'amour, de choisir la mort, de se familiariser avec la nécessité du trépas.

Le créateur littéraire nous rend le motif ancien plus proche en faisant accomplir le choix entre les trois sœurs par un homme vieilli et moribond. Le remaniement régressif qu'il a ainsi entrepris, au moyen du mythe déformé par une transmutation du désir, laisse affleurer son sens ancien jusqu'à rendre également possible une interprétation allégorique, de surface, des trois figures féminines du motif. On pourrait dire que ce sont les trois relations inévitables de l'homme à la femme qui sont ici représentées : la génitrice, la compagne et la destructrice. Ou bien les trois formes par lesquelles passe pour lui l'image de la mère au cours de sa vie : la mère elle-même; l'amante qu'il choisit à l'image de la première; et pour terminer, la terre mère, qui l'accueille à nouveau en son sein. Mais c'est en vain que le vieil homme cherche à ressaisir l'amour de la femme, tel qu'il l'a reçu d'abord de la mère; c'est seulement la troisième des femmes du destin, la silencieuse déesse de la mort, qui le prendra dans ses bras.

37

a. Il n'est pas indifférent de rappeler ici que Walkyrie se dit en allemand *Walküre*, et que l'élément *-küre* est en rapport avec le vieux verbe *kiesen, kor, gekoren* qui signifiait « choisir ». La Walkyrie est littéralement celle qui choisit (élit) sur le champ de bataille.

LE MOÏSE DE MICHEL-ANGE

Note liminaire

DER MOSES DES MICHELANGELO [1914*b*]

Éditions allemandes :

1914 *Imago,* tome 3 (1). (Sans nom d'auteur.)
1924 *Gesammelte Schriften,* tome 10.
1924 *Dichtung und Kunst.*
1946 *Gesammelte Werke,* tome 10.
1969 *Studienausgabe,* tome 10.

Traduction anglaise :

1955 « The Moses of Michelangelo », traduit par Alix Strachey, *Standard Edition,* tome 13.

NACHTRAG ZUR ARBEIT ÜBER DEN MOSES DES MICHELANGELO [1927*b*]

Éditions allemandes :

1927 *Imago,* tome 13 (4).
1928 *Gesammelte Schriften,* tome 11.

1948 *Gesammelte Werke,* tome 14.
1969 *Studienausgabe,* tome 10.

Traduction anglaise :

1955 *« Postscript »,* traduit par Alix Strachey, *Standard Edition,* tome 13.

Avant de paraître en allemand, l'« Appendice » (« Nachtrag ») a vu le jour en français, en 1927, dans la *Revue française de psychanalyse,* tome 1 (trad. M. Bonaparte). Il a été ensuite repris, avec le texte principal, dans les *Essais de psychanalyse appliquée.*

Freud vit pour la première fois le Moïse de Michel-Ange en septembre 1901, lors de son premier séjour à Rome. Après cette date, il ne cessa d'aller revoir la statue lorsqu'il se rendit dans la Ville éternelle. Le projet de l'étude qui suit remonte à 1912. Le 25 septembre de la même année, il écrit de Rome à sa femme : « ... je rends visite tous les jours au Moïse de San Pietro in Vincoli, sur lequel j'écrirai peut-être un jour quelque chose. » (1960*a,* p. 317.) Il ne se mit cependant au travail qu'en automne 1913. Bien des années plus tard, il écrivit à Eduardo Weiss, en se référant à cet essai : « Pendant trois semaines de solitude, en septembre 1913 [a], je suis resté debout tous les jours dans l'église, en face de la statue, l'étudiant, la mesurant, la dessinant, jusqu'à ce que s'éveille en moi cette compréhension que, dans mon essai, je n'ai osé présenter que d'une façon anonyme. Ce n'est que beaucoup plus tard que j'ai légitimé cet enfant non analytique. » (1960*a,* p. 452.) L'article parut dans la revue *Imago* comme étant rédigé « par *** ». L'anonymat ne fut levé qu'en 1924.

a. En fait en 1912.

G.W., X, 172

Je précise préalablement qu'en matière d'art, je ne suis pas un connaisseur, mais un profane. J'ai souvent remarqué que le contenu d'une œuvre d'art m'attire plus fortement que ses qualités formelles et techniques, auxquelles pourtant l'artiste accorde une valeur prioritaire. On peut dire que pour bien des moyens et maints effets de l'art, l'intelligence adéquate me fait au fond défaut. Je dois dire cela pour m'assurer un jugement indulgent sur mon essai.

Les œuvres d'art n'en exercent pas moins sur moi un effet puissant, en particulier les créations littéraires et les sculptures, plus rarement les peintures. J'ai été ainsi amené, en chacune des occasions qui se sont présentées, à m'attarder longuement devant elles, et je voulais les appréhender à ma manière, c'est-à-dire me rendre compte de ce par quoi elles font effet. Dans les cas où je ne le peux pas, par exemple pour la musique, je suis presque inapte à la jouissance. Une disposition rationaliste ou peut-être analytique, regimbe alors en moi, refusant que je puisse être pris sans en même temps savoir pourquoi je le suis et ce qui me prend ainsi.

J'ai été, ce faisant, rendu attentif au fait apparemment 173 paradoxal que justement quelques-unes des créations artistiques les plus grandioses et les plus subjuguantes sont restées opaques à notre entendement. On les admire, on se sent dominé par elles, mais l'on ne sait dire ce qu'elles représentent. Je n'ai pas assez lu pour savoir si cette remarque a déjà été faite, ou si un esthéticien n'a pas trouvé qu'une telle perplexité de notre entendement compréhensif serait peut-être une condition nécessaire pour que se produisent les effets les plus élevés qu'une œuvre d'art est censée susciter. Je ne pourrais que difficilement me résoudre à croire à l'existence d'une telle condition.

Non que les connaisseurs ou les enthousiastes de l'art ne trouvent point les mots, quand ils nous vantent une telle œuvre d'art. Ils n'en manquent pas, serais-je tenté de dire. Mais devant un tel chef-d'œuvre de l'artiste, chacun dit en général autre chose, et aucun ne dit ce qui serait susceptible de résoudre l'énigme pour le simple admirateur. Ce qui nous empoigne aussi puissamment ne peut pourtant être, suivant ma conception, que l'intention de l'artiste, pour autant qu'il a réussi à l'exprimer dans l'œuvre et à nous permettre de l'appréhender. Je sais qu'il ne peut s'agir d'une appréhension purement intellectuelle; l'état affectif, la constellation psychique qui ont fourni chez l'artiste la force motrice de la création, doivent être reproduits chez nous. Mais pourquoi l'intention de l'artiste ne serait-elle pas assignable, formulable en mots, comme n'importe quel autre fait de la vie psychique? Peut-être que dans le cas des grandes œuvres d'art, on n'y réussira pas sans application de l'analyse. Mais c'est l'œuvre elle-même qui doit rendre cette analyse possible, si elle est l'expression, qui fait effet sur nous, des intentions et des émotions de l'artiste.

Et pour deviner cette intention, il faut bien que je puisse préalablement dégager le *sens* et le *contenu* de ce qui est représenté dans l'œuvre d'art, que je puisse donc l'*interpréter.* Il est donc possible qu'une telle œuvre d'art nécessite une interprétation, et que ce soit seulement après l'avoir effectuée, que je puisse apprendre pourquoi j'ai été soumis à une impression d'une telle puissance. 174
Je nourris même l'espoir que cette impression ne se trouvera pas affaiblie par le succès d'une telle analyse.

Que l'on songe à présent à *Hamlet,* ce chef-d'œuvre de Shakespeare plus de trois fois centenaire [1]. Ayant suivi le cours des publications psychanalytiques, je me range à l'affirmation que c'est la psychanalyse qui a résolu la première l'énigme de l'effet produit par cette tragédie en rapportant sa matière au thème œdipien [a]. Mais auparavant, quelle surabondance de tentatives d'interprétations divergentes, incompatibles entre elles, quel éventail d'opinions sur le caractère du héros et les intentions du poète! Est-ce que Shakespeare a sollicité notre intérêt pour un malade ou pour un être débile incapable d'agir, ou pour un idéaliste qui est simplement trop bon pour le monde réel? Et combien de ces interprétations nous laissent si froids qu'elles ne fournissent aucun élément pour expliquer l'effet de cette création, et que nous en sommes plutôt réduits à fonder son charme sur la seule impression produite par les pensées et l'éclat de la langue! Et pourtant, ces efforts mêmes n'indiquent-ils pas qu'un besoin se fait sentir : celui de trouver encore une autre source à cet effet?

Une autre de ces œuvres énigmatiques et grandioses

1. Joué peut-être pour la première fois en 1602.
a. Freud songe aux travaux d'Ernst Jones.

est la statue de marbre de Moïse, dressée par Michel-Ange dans l'église de Saint-Pierre-aux-Liens à Rome, et qui n'est, comme on le sait, qu'un fragment du gigantesque monument funéraire que devait ériger l'artiste pour le puissant souverain qu'était le pape Jules II [1]. Je me réjouis chaque fois que je lis à propos de cette figure une déclaration comme celle qui dit par exemple qu'elle est « le couronnement de la sculpture moderne » (Herman Grimm). Car aucune œuvre plastique n'a jamais produit
175 sur moi un effet plus intense. Combien de fois ai-je gravi l'escalier abrupt qui mène du Cours Cavour, si dépourvu de charme, à la place solitaire sur laquelle se dresse l'église abandonnée, essayant toujours de soutenir le regard dédaigneux et courroucé du héros; et parfois, je me suis alors faufilé précautionneusement hors de la pénombre de la nef, comme si je faisais moi aussi partie de la populace sur laquelle se darde son œil, la populace qui ne peut tenir fermement à une conviction, qui ne veut ni attendre ni faire confiance, et jubile dès qu'elle a retrouvé l'illusion que procure l'idole.

Mais pourquoi qualifié-je cette statue d'énigmatique? Il n'y a pas le moindre doute quant au fait qu'elle représente Moïse, le législateur des Juifs, qui tient les tables où sont inscrits les commandements sacrés. Tout cela est certain, mais rien de plus que cela. Ce n'est que tout récemment (1912) qu'un critique d'art (Max Sauerlandt) a pu déclarer : « Il n'est pas d'œuvre d'art au monde sur laquelle ont été portés des jugements aussi contradictoires que sur ce Moïse à tête de Pan. La simple interprétation du personnage se meut déjà dans de pures

1. D'après Henry Thode (1908), la statue a été exécutée entre 1512 et 1516.

contradictions... » À partir d'un essai qui date d'il y a seulement cinq ans, j'exposerai quels doutes s'attachent à la conception de cette figure de Moïse, et il ne sera pas difficile de montrer qu'ils dissimulent l'essentiel et le meilleur de ce qui peut permettre la compréhension de cette œuvre [1].

I

Le Moïse de Michel-Ange est représenté assis, le tronc de face, la tête à la barbe puissante et le regard tournés vers la gauche, le pied droit reposant sur le sol, le pied gauche dressé, de sorte qu'il ne touche le sol qu'avec les orteils, le bras droit en relation avec les tables et une partie de la barbe; le bras gauche est posé sur le ventre. Si je voulais donner une description plus précise, il faudrait que j'anticipe sur ce que je compte exposer plus tard. Les descriptions des auteurs sont parfois curieusement inexactes. Ce qui n'a pas été compris a été également perçu et transcrit de manière inexacte. H. Grimm dit que la main droite « sous le bras de laquelle reposent les tables de la loi, plonge dans la barbe ». De même W. Lübke : « Ébranlé, il plonge la dextre dans les flots magnifiques de la barbe tombante... »; Springer : « Moïse serre l'une des deux mains (la gauche) contre son corps, il plonge l'autre, comme inconsciemment, dans la barbe aux ondulations puissantes. » C. Justi trouve que les doigts de la main (droite) jouent avec la barbe, « comme

176

1. Henry Thode (1908).

l'homme civilisé le fait, en proie à l'excitation, avec la chaîne de sa montre ». Müntz aussi fait ressortir le jeu avec la barbe. H. Thode parle de la « position calme et ferme de la main droite sur les tables dressées ». Même dans la main droite, il ne décèle pas un jeu dû à l'excitation, comme le voudraient Justi et pareillement Boito. « La main se fige dans la position où elle était, plongeant dans la barbe, avant que le titan ne tourne la tête vers le côté. » Jakob Burckhardt déplore « que le célèbre bras gauche n'ait au fond rien d'autre à faire qu'à serrer cette barbe contre le corps ».

Si les descriptions ne concordent pas, nous ne nous étonnerons pas de trouver des divergences dans la conception de traits de détail de la statue. Je suis certes d'avis que nous ne pouvons caractériser l'expression du visage de Moïse mieux que Thode, qui y lisait un « mélange de colère, de douleur et de mépris..., la colère dans les sourcils froncés d'une manière menaçante, la douleur dans le regard que jettent les yeux, le mépris dans la lèvre inférieure qui avance et les coins de la bouche qui s'abaissent ». Mais d'autres admirateurs ont nécessairement vu avec d'autres yeux. Exemple, le jugement de Dupaty : « *ce front auguste semble n'être qu'un voile transparent qui couvre à peine un esprit immense* [1] [a] ». Voici en revanche l'avis de Lübke : « Dans la tête, on chercherait en vain l'expression d'une intelligence supérieure; 177 rien d'autre que l'aptitude à une immense colère, à une énergie qui brise tous les obstacles, ne s'exprime dans le front contracté. » En ce qui concerne l'interprétation de l'expression du visage, on s'éloigne encore plus avec

1. Thode (1908), 197.
a. En français dans le texte.

Guillaume (1875), qui n'y trouvait aucune animation, « rien qu'une simplicité fière, une dignité pleine d'âme, l'énergie de la foi ». Le regard de Moïse plongerait dans l'avenir, prévoyant la durée de sa race, l'immutabilité de sa loi. De même, Müntz fait « planer les regards de Moïse loin au-delà du genre humain »; ils seraient fixés sur les mystères qu'il a été le seul à percevoir. Davantage, pour Steinmann, ce Moïse n'est « plus le législateur rigide, plus l'ennemi terrible du péché empli de la colère de Jéhovah, mais le prêtre royal, que l'âge n'a pas le droit de toucher, qui, bénissant et prophétisant, le reflet de l'éternité sur le front, prend pour la dernière fois congé de son peuple ».

Il y eut d'autres hommes encore auxquels le Moïse de Michel-Ange n'a absolument rien dit, et qui ont été assez honnêtes pour l'avouer. Ainsi un critique de la *Quarterly Review* en 1858 : « *There is an absence of meaning in the general conception, which precludes the idea of a self-sufficing whole* [a]... » Et l'on est étonné d'apprendre que d'autres encore n'aient rien trouvé à admirer dans ce Moïse, mais se soient rebellés contre lui, dénonçant la brutalité de la silhouette et la bestialité de la tête.

Le Maître a-t-il vraiment écrit dans la pierre d'une écriture si peu nette ou ambiguë, pour que des lectures aussi divergentes en aient été rendues possibles?

Mais une autre question se lève, sous laquelle on peut facilement subsumer les incertitudes que nous venons de mentionner. Michel-Ange a-t-il voulu créer dans ce Moïse une « statue de caractère et d'état d'âme intemporels », ou bien a-t-il représenté le héros en un moment déter-

a. « Il y a dans la conception d'ensemble une absence de signification qui écarte l'idée d'un tout qui se suffirait à lui-même... »

miné de sa vie, mais qui revêtirait alors la plus haute
178 importance? Une majorité de critiques se prononce pour
la deuxième hypothèse et se dit également en mesure
d'indiquer quelle est la scène de la vie de Moïse que
l'artiste a ainsi fixée pour l'éternité. Il s'agit ici de la
descente du Sinaï, le lieu même où il a reçu de Dieu
les tables de la loi, et du moment où il s'aperçoit que
les Juifs, pendant ce temps, ont fabriqué un veau d'or,
autour duquel ils dansent en liesse. C'est sur cette statue
qu'est fixé son regard, c'est ce spectacle qui suscite les
sentiments qui s'expriment par sa mimique, et qui vont
bientôt faire passer cette puissante figure à l'action la
plus violente. Michel-Ange a choisi de représenter le
moment de l'ultime hésitation, du calme avant la tempête;
dans le temps suivant, Moïse va bondir – le pied
gauche a déjà quitté le sol –, briser les tables sur le sol
et déverser son courroux sur les renégats.

Quant à certains détails de cette interprétation, ses
tenants varient aussi entre eux.

Jak. Burckhardt : « Il semble que Moïse soit représenté
au moment où il aperçoit l'adoration du Veau d'or et
va bondir. Sa silhouette est animée par la préparation
d'un mouvement puissant, un mouvement tel qu'étant
donné la force physique dont il est doté, on ne peut
l'attendre qu'en tremblant. »

W. Lübke : « De même qu'il semble que les yeux,
qui jettent des éclairs, viennent d'apercevoir l'ignominie
de l'adoration du Veau d'or, de même toute la silhouette
est parcourue des tressaillements violents d'un mouvement
intérieur. Ébranlé, il plonge la dextre dans les flots
magnifiques de la barbe tombante, comme si, l'espace
d'un instant, il voulait encore rester maître de son mou-

vement, pour s'y abandonner ensuite d'une manière d'autant plus fracassante. »

Springer se rallie à ce point de vue, non sans formuler une réserve, qui sollicitera encore par la suite notre attention : « Embrasé par la force et le zèle, le héros ne mate son agitation intérieure qu'à grand-peine... C'est pourquoi on ne peut se défendre de penser à une scène dramatique et de croire que Moïse est représenté au moment où il aperçoit l'adoration du Veau d'or et où, dans sa colère, il s'apprête à bondir. Il est vrai que cette conjecture ne peut que difficilement concorder avec la véritable intention de l'artiste, étant donné en effet que Moïse, comme les cinq autres statues assises de la superstructure [1], était avant tout destiné à produire un effet décoratif; mais elle peut passer pour une attestation éclatante de la vitalité qui s'attache, comme une caractéristique essentielle, au personnage de Moïse. »

179

Quelques auteurs, qui ne penchent pas précisément pour la scène du Veau d'or, n'en rejoignent pas moins cette interprétation sur un point essentiel, à savoir que ce Moïse s'apprêterait à bondir et à passer à l'action.

Herman Grimm : « Elle (cette silhouette) respire la souveraineté, l'assurance, un sentiment qui fait penser que cet homme tient le tonnerre du ciel à sa disposition, mais qu'il se retient avant de le déchaîner, attendant de voir si les ennemis qu'il veut anéantir vont oser l'attaquer. Il est assis là comme s'il s'apprêtait à bondir debout, la tête fièrement dressée hors des épaules, la main, sous le bras de laquelle reposent les tables de la loi, plongée dans la barbe qui retombe sur la poitrine en lourdes ondulations, les narines frémissantes et la bouche dessi-

1. Sous-entendu : du monument funéraire du pape.

nant des lèvres sur lesquelles les paroles semblent hésiter. »

Heath Wilson dit que l'attention de Moïse serait mise en éveil par quelque chose, qu'il serait sur le point de bondir, mais hésiterait encore. Le regard, dans lequel se mêleraient l'indignation et le mépris, pourrait encore passer à la pitié.

Wöfflin parle de « mouvement inhibé ». La raison de l'inhibition réside ici dans la volonté de la personne elle-même, c'est le dernier moment de la rétention avant l'explosion, c'est-à-dire avant le bondissement.

C'est C. Justi qui a fondé de la manière la plus pénétrante l'interprétation qui postule la vue du Veau d'or, et qui a mis en rapport avec cette conception des détails de la statue qui n'avaient pas été relevés jusqu'ici. Il dirige notre regard sur la position effectivement frappante des deux tables de la loi, qui seraient sur le point
180
de glisser à bas sur le siège de pierre : « Ou bien donc il (Moïse) pourrait regarder en direction du bruit en exprimant de sinistres pressentiments, ou bien ce serait le spectacle même de l'abomination qui le frappe en l'étourdissant sous son choc. Défaillant de dégoût et de douleur, il s'est assis [1]. Il est resté sur la montagne quarante jours et quarante nuits, il est donc fatigué. Le démesuré, une grande destinée, un crime, même un bonheur peuvent être perçus, en un instant, mais non pas appréhendés dans leur essence, leur profondeur, leurs conséquences. L'espace d'un instant, son œuvre lui paraît

1. Il faut relever que la soigneuse ordonnance du manteau autour des jambes du personnage assis rend intenable ce premier élément de l'interprétation de Justi. Il faudrait plutôt supposer qu'on a représenté Moïse sursautant par l'effet d'une perception soudaine, à laquelle, tranquillement assis, il ne s'attendait pas.

détruite, il désespère de ce peuple. Dans de tels instants, l'ébullition intérieure se trahit par de petits mouvements involontaires. Il laisse les deux tables, qu'il tenait dans sa dextre, glisser à bas sur le siège de pierre, elles se sont stabilisées sur l'angle, pressées par l'avant-bras sur le côté de la poitrine. Mais la main, elle, se porte vers la poitrine et la barbe; le cou étant tourné vers la droite, elle ne peut que tirer la barbe vers le côté gauche, abolissant ainsi la symétrie de ce large ornement viril; on a l'impression que les doigts jouent avec la barbe, comme l'homme civilisé en proie à l'excitation joue avec sa chaîne de montre. La main gauche s'enfouit dans le vêtement à la hauteur du ventre (dans l'Ancien Testament, les entrailles sont le siège des affects). Mais la jambe gauche est déjà repliée en arrière, tandis que la droite s'avance; l'instant d'après, il va s'élancer, l'énergie psychique va se transmettre de la sensation à la volonté, le bras droit se mettre en mouvement, les tables tomberont à terre et des flots de sang laveront l'opprobre de l'apostasie... » « Ce n'est pas encore ici le moment où l'action se déclenche. La douleur psychique prédomine encore, presque paralysante. »

Fritz Knapp tient des propos tout à fait semblables; à ceci près qu'il soustrait la situation de départ à la réserve exprimée ci-dessus, et aussi qu'il développe d'une manière plus conséquente le mouvement des tables tel qu'il est suggéré : « Lui, qui, il y a encore un instant, était seul avec son Dieu, le voilà distrait par des bruits terrestres. Il entend du vacarme, la clameur des chants qui accompagnent les rondes dansantes l'éveille de son rêve. L'œil, la tête se tournent vers le bruit. L'effroi, la colère, toute la fureur de passions sauvages traversent en cet instant la silhouette colossale. Les tables de la loi

181

commencent à glisser à bas, elles vont tomber par terre et se briser, quand le personnage s'élancera pour jeter dans les masses du peuple renégat les paroles de colère tonitruantes... C'est ce moment de tension culminante qui est choisi... » Knapp insiste donc sur les préparatifs à l'action, et conteste la présentation de l'inhibition initiale comme conséquence d'un excès d'excitation.

Nous ne disconviendrons pas que des tentatives d'interprétation comme les dernières que nous avons mentionnées, celles de Justi et Knapp, ont quelque chose d'extraordinairement séduisant. Elles doivent cette séduction au fait qu'elles n'en restent pas à l'impression globale qui émane du personnage, mais qu'elles prennent en compte des détails caractéristiques de celui-ci, qu'on omet d'habitude, subjugué et en quelque sorte paralysé par l'effet général, de relever. Le détournement de la tête et des yeux dans cette figure, qui par ailleurs est orientée vers l'avant, cadre bien avec l'hypothèse selon laquelle quelque chose est aperçu au loin, quelque chose qui attire soudain l'attention du personnage au repos. Le pied détaché du sol n'autorise guère d'autre interprétation que celle d'une préparation au bond [1], et la position tout à fait singulière des tables, qui sont pourtant quelque chose d'éminemment sacré, et ne peuvent être disposées n'importe comment dans l'espace, au titre d'un accessoire parmi d'autres, trouve un bon éclaircissement dans l'hypothèse qu'elles ont glissé à bas par suite de l'émoi de celui qui les porte, et qu'elles vont ensuite tomber à terre. Nous aurions donc appris que cette statue de Moïse représente un moment déterminé et important de la vie

182

1. Bien que le pied gauche de Julien, assis en toute quiétude, dans la chapelle des Médicis, soit levé d'une manière analogue.

de cet homme, et nous ne courrions pas non plus le risque de méconnaître de quel moment il s'agit.

Il se trouve seulement que deux remarques de Thode nous enlèvent ce que nous croyions déjà posséder. Cet observateur dit qu'il voit les tables non pas glisser, mais « rester fermes ». Il constate « la posture tranquillement ferme de la main droite sur les tables dressées ». Si nous regardons nous-même, nous sommes obligé de donner raison à Thode sans réserve. Les tables sont en position ferme et ne risquent pas de glisser. La main droite les appuie ou s'appuie sur elles. Cela, il est vrai, n'explique pas leur position, mais celle-ci ne concorde plus avec l'interprétation de Justi et des autres.

Une deuxième remarque porte un coup encore plus décisif. Thode rappelle que « cette statue était conçue pour faire partie d'un ensemble de six, et qu'elle est représentée en position assise. Ces deux points contredisent l'hypothèse selon laquelle Michel-Ange aurait voulu fixer un moment historique déterminé. Car, en ce qui concerne le premier, la tâche de produire des personnages assis côte à côte comme types de l'essence de l'homme *(Vita activa, Vita contemplativa)* excluait la représentation d'événements historiques particuliers. Quant au second, la représentation en position assise, qui était conditionnée par la conception artistique d'ensemble du monument, est en contradiction avec le caractère de cet événement, à savoir la descente du mont Sinaï vers le camp ».

Faisons nôtre cette réserve de Thode; je crois que nous pourrons même lui donner encore plus de vigueur. Le Moïse devait décorer, avec cinq (dans une ébauche ultérieure, trois) autres statues, le socle du tombeau. Son pendant immédiat aurait dû être un saint Paul. Deux

des autres, la *Vita activa* et la *Vita contemplativa,* ont été exécutées sous les traits de Léa et Rachel, sur le monument lamentablement délabré que nous pouvons voir aujourd'hui, en position debout il est vrai. L'appartenance de ce Moïse à un ensemble rend impossible
183 l'hypothèse selon laquelle ce personnage devrait susciter chez le spectateur l'attente qu'il va bondir tout de suite de son siège, s'élancer par exemple à l'assaut et, à lui seul, jeter l'alarme. Si les autres personnages n'étaient pas précisément représentés aussi comme s'apprêtant à une action d'une violence égale – ce qui est très peu vraisemblable –, on retirerait l'impression la plus fâcheuse du fait que ce personnage précisément puisse donner l'illusion qu'il va abandonner sa place et ses compagnons, et donc se soustraire à sa fonction dans la structure d'ensemble du monument. Cela aurait pour résultat une incohérence grossière qu'on ne pourrait attribuer à ce grand artiste qu'en cas d'extrême nécessité. Un personnage qui s'élance ainsi avec impétuosité jurerait à l'extrême avec l'atmosphère qui doit se dégager de l'ensemble du monument funéraire.

Donc il est impossible que ce Moïse s'apprête à bondir, il faut qu'il puisse demeurer dans une auguste tranquillité, à l'instar des autres personnages et de la statue projetée (que Michel-Ange n'exécuta finalement pas) du pape lui-même. Mais alors, le Moïse que nous contemplons ne peut être la représentation de l'homme en proie à la colère qui, descendant du Sinaï, trouve son peuple renégat et jette les tables sacrées de sorte qu'elles se fracassent. Et en vérité, je suis à même de me souvenir de ma déception quand, lors de visites antérieures à Saint-Pierre-aux-Liens, je m'asseyais devant la statue, m'attendant à la voir s'élancer sur son pied dressé, jeter les tables à terre et décharger sa colère. Rien de tel ne se produisait ; au lieu de cela, la pierre se figeait de plus en plus, un silence sacré, presque oppressant, émanait d'elle, et je ne pouvais m'empêcher de ressentir qu'était représenté ici quelque chose qui pouvait demeurer ainsi, inchangé, que ce Moïse resterait ainsi, assis là éternellement, dans une colère éternelle.

Mais si nous sommes contraints d'abandonner l'interprétation de la statue qui voit en elle le moment qui précède l'explosion de colère déclenchée par la vue de l'idole, nous n'avons plus guère d'autre recours que d'adopter l'une des conceptions qui veulent voir en ce Moïse une statue de caractère. C'est alors le jugement de Thode qui apparaît comme le plus dépourvu d'arbitraire et le mieux étayé sur l'analyse des motifs qui mettent la silhouette en mouvement : « Ici, comme toujours, ce qu'il lui importe de figurer est un type de caractère. Il crée la statue d'un guide passionné de l'humanité, qui, conscient de sa mission législatrice divine, se heurte à la résistance incompréhensive des hommes. Pour caractériser un tel homme d'action, il n'y avait pas d'autre moyen que de mettre en évidence l'énergie de la volonté, ce qui était possible par la mise en lumière d'un mouvement qui traverse le calme apparent, tel qu'il s'exprime à travers la torsion de la tête, la tension des muscles, la position de la jambe gauche. Ce sont les mêmes phénomènes que ceux qui animent le *vir activus,* le Julien de la chapelle des Médicis. Cette caractérisation générale est encore approfondie par la mise en relief du conflit qui ne peut manquer d'opposer un tel génie, qui façonne l'humanité, à la loi générale : les affects de la colère, du mépris, de la douleur atteignent à l'expression typique. Sans celle-ci, l'essence d'un tel surhomme n'au-

184

rait pu être mise en évidence. Ce n'est pas une image tirée de l'histoire, mais un type de caractère d'une énergie invincible, qui dompte le monde réticent, que Michel-Ange a créé, donnant forme aux traits transmis par la Bible, à ses expériences intérieures personnelles, à des impressions produites par la personnalité de Jules II, et, comme je le crois aussi, à celles qu'avait produites sur lui la combativité de Savonarole. »

De ces développements on peut rapprocher éventuellement la remarque de Knackfuss · l'essentiel du mystère de l'effet produit par Moïse se trouverait dans le contraste artistique entre le feu intérieur et le calme extérieur de l'attitude.

Je ne trouve rien en moi qui regimbe contre l'explication de Thode, mais quelque chose me manque. Peut-être que se manifeste le besoin d'un lien plus étroit entre l'état d'âme du héros et le contraste, exprimé par son attitude, entre « calme apparent » et « agitation intérieure ».

185

II

Longtemps avant que je fusse à même d'entendre parler de la psychanalyse, j'appris qu'un amateur d'art de nationalité russe, Ivan Lermolieff, dont les premiers essais ont été publiés en langue allemande de 1874 à 1876, avait provoqué une révolution dans les galeries européennes en révisant l'attribution de nombreux tableaux à tel ou tel peintre, en enseignant à distinguer avec certitude les copies des originaux et en construisant de nouvelles individualités artistiques à partir des œuvres libérées de leurs assignations antérieures. Il parvint à ce résultat en recommandant de détourner le regard de l'impression d'ensemble ou des grands traits d'un tableau et en mettant en relief l'importance caractéristique de détails secondaires, de vétilles telles que la représentation des ongles des mains, des lobes des oreilles, des auréoles et autres choses qu'on ne remarque pas, que le copiste néglige d'imiter, et que pourtant chaque artiste exécute d'une manière qui le caractérise. Plus tard j'appris avec beaucoup d'intérêt que derrière le pseudonyme russe s'était caché un médecin italien, du nom de Morelli. Il est mort en 1891, comme sénateur du royaume d'Italie. Je crois que son procédé est étroitement apparenté à la technique de la psychanalyse médicale. Celle-ci aussi est habituée à deviner des choses secrètes et cachées à partir de traits sous-estimés ou dont on ne tient pas compte, à partir du rebut – du *« refuse »* – de l'observation.

Or en deux points de la statue de Moïse, il se trouve des détails qui n'ont pas été jusqu'ici pris en compte, qui n'ont même pas encore été à vrai dire correctement décrits. Ils concernent la position de la main droite et la position des deux tables. On peut dire que cette main opère une médiation entre les tables et la... barbe du héros courroucé, et ce d'une manière très particulière, forcée, qui appelle l'explication. Il a été dit qu'avec ses doigts, elle fouille dans la barbe, qu'elle joue avec ses mèches, tandis que par le bord du petit doigt, elle prend appui sur les tables. Mais cela n'est manifestement pas 186 exact. Il vaut la peine d'examiner plus soigneusement ce que font les doigts de cette main droite, et de décrire avec minutie la puissante barbe avec laquelle ils entrent en relation [1].

Voici ce qu'on aperçoit alors en toute netteté : le pouce de cette main est caché, l'index, et lui seul, est en contact effectif avec la barbe. Il s'enfonce si profondément dans les souples masses pileuses qu'au-dessus et au-dessous de lui (en direction de la tête et en direction du ventre, à partir du doigt qui appuie), celles-ci forment des renflements qui le débordent. Les trois doigts restants, repliés au niveau des phalangettes, s'arc-boutent contre la poitrine; ils ne sont qu'effleurés par la touffe qui forme l'extrémité droite de la barbe, laquelle passe par-dessus. Ils se sont en quelque sorte retirés de la barbe. On ne peut donc dire que la main droite joue avec la barbe ou fouille en elle; la seule assertion correcte consiste à dire qu'un des index est posé en travers d'une partie de la barbe, y déterminant une ravine profonde. Appuyer sur sa barbe avec un doigt est à coup sûr un geste singulier et difficile à comprendre.

La barbe si admirée du Moïse descend des joues, de la lèvre supérieure et du menton, en formant un certain nombre de cordons qu'on peut distinguer les uns des autres sur toute leur longueur. L'une des mèches situées à l'extrémité droite part de la joue, descend en direction du bord supérieur de l'index qui s'appesantit, et elle est arrêtée par lui. Nous pouvons supposer qu'elle continue à descendre en se faufilant entre celui-ci et le pouce dissimulé. La mèche qui lui fait pendant à gauche se déroule sans déviation notable jusque très bas sur la poitrine. L'épaisse masse pileuse située vers l'intérieur par rapport à ce dernier cordon, et allant de celui-ci

1. Cf. l'illustration.

jusqu'à la ligne médiane, a subi un destin des plus étonnants. Elle ne peut accompagner le mouvement de la tête vers la gauche; elle est contrainte de décrire un arc qui se déploie mollement, un fragment de guirlande qui vient barrer les masses pileuses internes de droite. En effet, elle est retenue par la pression de l'index droit, 187 bien qu'elle prenne naissance à gauche de la ligne médiane et qu'elle constitue à proprement parler l'essentiel de la moitié gauche de la barbe. La barbe apparaît ainsi, pour l'essentiel de sa masse, déjetée vers la droite, bien que la tête soit vivement tournée vers la gauche. À l'endroit où s'enfonce l'index droit, s'est formée une sorte d'épi; là, des cordons de gauche sont superposés à des cordons de droite, le tout étant comprimé par l'intervention violente du doigt. C'est seulement au-delà de cet endroit que les masses pileuses, déviées de leur direction, ressurgissent librement, pour descendre désormais verticalement, jusqu'à ce que leurs extrémités soient accueillies par la main gauche ouverte, reposant sur les genoux.

Je ne m'abandonne à aucune illusion quant à la clarté de ma description et ne me risque à porter aucun jugement quant à savoir si l'artiste nous a réellement facilité la solution de ce nœud dans la barbe. Mais au-delà de ce doute, le fait reste établi que la pression de l'index de la main *droite* s'exerce principalement sur des faisceaux pileux de la moitié *gauche* de la barbe, et que par cet effet de débordement, la barbe est empêchée de s'associer au mouvement de la tête et du regard vers le côté gauche. On est maintenant autorisé à se demander ce que doit signifier cette disposition et à quels motifs elle doit son existence. Si ce sont vraiment des considérations d'harmonie des lignes et de traitement de l'espace qui ont poussé l'artiste à déplacer vers la droite la masse déferlante de la barbe d'un Moïse qui regarde vers la gauche, la pression d'un seul doigt paraît un moyen singulièrement inapproprié. Et qui, ayant rejeté pour une raison quelconque sa barbe de l'autre côté, en viendrait ensuite à l'idée de fixer, par la pression d'un seul doigt, une moitié de la barbe en travers de l'autre? Mais peut-être que ces traits, qui sont au fond des bagatelles, ne signifient rien, et que nous nous cassons la tête sur des choses qui étaient indifférentes à l'artiste?

188 Mais poursuivons à partir de l'hypothèse que ces détails aussi ont une signification. Il y a alors une solution qui lève ces difficultés et qui nous fait entrevoir un sens nouveau. Si, dans cette figuration de Moïse, les mèches *gauches* de la barbe sont soumises à la pression de l'index *droit,* peut-être cela peut-il s'entendre comme le reste d'une relation entre la main droite et la moitié gauche de la barbe, relation qui, en un moment antérieur, était beaucoup plus intime qu'au moment représenté par l'artiste. Peut-être que la main droite s'était saisie de la barbe beaucoup plus énergiquement, qu'elle s'était avancée jusqu'à la bordure gauche de celle-ci, et que lorsqu'elle s'est retirée dans la position que nous lui voyons actuellement sur la statue, elle a entraîné avec elle une partie de la barbe, laquelle témoigne désormais du mouvement qui a été ainsi décrit. La guirlande de barbe serait la trace du chemin parcouru par cette main.

Nous aurions donc ainsi inféré un mouvement de retrait de la main droite. Cette hypothèse nous en impose inévitablement d'autres. Notre imagination complète le processus dont le mouvement attesté par la barbe est un élément, et nous ramène sans rien forcer à la conception qui veut que Moïse sursaute dans son repos, effrayé par le vacarme du peuple et la vue du Veau d'or. Il était là, assis tranquillement, la tête avec sa barbe ondoyante dirigée vers l'avant, et la main n'ayant sans doute rien à faire avec la barbe. Et voici que la rumeur vient frapper son oreille ; il tourne la tête et le regard dans la direction d'où lui parvient la perturbation ; il aperçoit la scène et la comprend. Il est alors saisi par la colère et l'indignation ; il voudrait bondir, châtier, anéantir les sacrilèges. La fureur, qui se sait encore éloignée de son objet, se retourne cependant sous forme de geste contre le propre corps. La main impatiente, prête à l'action, plonge pardevant dans la barbe qui avait accompagné le mouvement de la tête, l'enserre d'une poigne de fer entre le pouce et la paume, doigts refermés, geste d'une force et d'une violence qui peuvent rappeler d'autres figures de Michel-Ange. [189] Mais voici qu'une modification intervient, nous ne savons pas encore comment ni pourquoi ; la main qui s'était portée en avant, plongée dans la barbe, est retirée prestement, elle lâche la barbe, les doigts s'en détachent ; mais ils étaient si profondément enfouis en elle, qu'en se retirant, ils entraînent du côté gauche vers la droite une puissante torsade de cheveux et que celle-ci, sous la pression du seul doigt supérieur, qui est le plus long, est amenée à se placer en travers des mèches de droite. Et c'est cette nouvelle position, qui n'est intelligible que si on la fait dériver de la précédente, qui est désormais fixée.

Il est temps de faire le point. Nous avons supposé que la main droite se trouvait d'abord hors de la barbe, qu'ensuite, en un moment de forte tension affective, elle s'est tendue vers la gauche pour empoigner la barbe, et qu'elle est finalement revenue en arrière, entraînant avec elle une partie de celle-ci. Nous avons opéré avec cette main droite comme si nous étions autorisé à disposer d'elle en toute liberté. Mais en avons-nous le droit? Cette main est-elle donc libre? N'a-t-elle pas à tenir ou à porter les tables sacrées, est-ce que de telles évolutions mimiques ne lui sont pas interdites par l'importance de sa tâche? Et en outre, qu'est-ce qui peut l'inciter à effectuer un mouvement de retour, si elle avait obéi à un motif puissant pour quitter sa position initiale?

Ce sont réellement là de nouvelles difficultés. Il est vrai que la main droite a sa place auprès des tables. Nous ne pouvons non plus contester à ce propos qu'il nous manque un motif susceptible d'inciter la main droite à la retraite que nous avons inférée. Mais qu'en serait-il si les deux difficultés se laissaient résoudre ensemble, donnant lieu, alors seulement, à un processus qui soit intelligible sans faille? Si justement quelque chose qui concerne les tables élucidait pour nous les mouvements de la main?

À propos de ces tables, il faut relever certaines choses

190 qui n'ont pas été jusqu'ici jugées dignes d'observation [1]. On a dit : la main prend appui sur les tables; ou bien : la main étaye les tables. On voit d'ailleurs, sans chercher plus avant, les deux tables rectangulaires accolées reposer debout sur leur bord. Si l'on regarde de plus près, on s'aperçoit que le bord inférieur des tables est constitué autrement que le bord supérieur qui est incliné de biais vers l'avant. Ce dernier est coupé droit, tandis que le bord inférieur présente dans sa portion antérieure une saillie en forme de corne, et c'est justement par cette saillie que les tables sont en contact avec le siège de pierre. Quelle peut être la signification de ce détail, qui est du reste rendu d'une manière tout à fait inexacte sur

1. Cf. le détail, figure D.

un grand moulage en plâtre, dans la collection de l'Académie viennoise des Arts plastiques? Il ne fait guère de doute que cette corne doit marquer d'après l'Écriture le bord supérieur des tables. C'est seulement le bord supérieur de telles tables rectangulaires qui a coutume d'être arrondi ou incurvé. Les tables se trouvent donc ici la tête en bas. Or c'est là une manière singulière de traiter des objets aussi vénérables. Elles sont posées la tête en bas et presque en équilibre sur une pointe. Quel facteur formel peut être en jeu dans une telle conception? Ou bien faut-il aussi que ce détail ait été indifférent à l'artiste?

On se prend alors à penser que les tables aussi sont parvenues à cette position à la suite d'un mouvement qu'elles ont décrit, que ce mouvement dépendait du déplacement de la main droite que nous avons inféré,

Fig. D Fig. 1

et que c'est lui qui a contraint à son tour cette main à son mouvement ultérieur de retour. Les processus qui affectent la main et les tables se combinent dans l'unité suivante : initialement, lorsque le personnage était assis là, au repos, il portait les tables dressées verticalement sous le bras droit. La main droite empoignait les bords inférieurs [a] de celles-ci, et trouvait, ce faisant, appui contre la saillie extérieure tournée vers l'avant. Le portage s'en trouvait facilité, ce qui explique parfaitement pourquoi les tables étaient tenues renversées. Ensuite est survenu le moment où le repos a été troublé par le bruit. 191 Moïse tourna la tête, et lorsqu'il eut aperçu la scène, le pied s'apprêta à bondir, la main lâcha sa prise sur les tables et se porta à gauche dans la partie supérieure de la barbe, comme pour mettre sa véhémence en acte sur son propre corps. Les tables étaient à présent confiées à la pression du bras, qui devait les serrer contre la poitrine. Mais cette façon de maintenir ne suffit point; elles commencèrent à glisser vers l'avant et vers le bas, le bord supérieur qui était précédemment maintenu horizontal s'inclina vers l'avant, le bord inférieur privé de son appui s'approcha du siège de pierre par sa pointe antérieure. Encore un instant, et les tables auraient dû pivoter autour du nouveau point d'appui ainsi trouvé, atteindre en premier lieu le sol par leur bord précédemment supérieur et s'y fracasser. C'est *pour empêcher cela*

a. Sous peine de ne rien comprendre au présent développement de Freud, force nous est de supposer qu'il utilise les mots « inférieur(s) » et « supérieurs(s) » (appliqués aux « bords » des « tables ») en un sens ambigu : tantôt ils s'appliquent à la position « normale », « de droit » des tables (celle qu'elles doivent par exemple occuper pour être lues); tantôt ils s'appliquent à leur position « de fait », celle qu'elles occupent sur la statue, et qu'elles occupaient également dans la position initiale inférée.

que la main droite revient en arrière, et lâche la barbe dont une partie est entraînée sans intention ; elle a encore le temps d'atteindre le bord des tables et de les étayer à proximité de leur angle postérieur, qui est devenu maintenant le plus élevé. Ainsi, l'ensemble de la barbe, de la main et de la paire de tables posée sur la pointe, qui paraît étrangement forcé, se déduit du seul mouvement passionné de la main et des conséquences bien fondées qui s'ensuivent. Si l'on veut annuler les traces du mouvement impétueusement décrit, il faut relever l'angle antérieur supérieur des tables et le repousser dans le plan d'ensemble de la statue, en même temps éloigner du siège de pierre l'angle inférieur (muni de la saillie), abaisser la main et la placer sous le bord inférieur des tables maintenant disposé horizontalement. 192

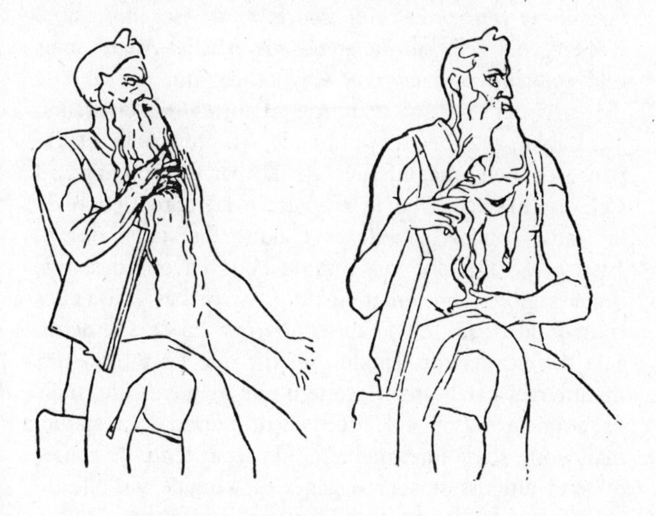

Fig. 2 Fig. 3

Je me suis fait exécuter de la main d'un artiste trois dessins destinés à illustrer ma description. Le troisième d'entre eux reproduit la statue telle que nous la voyons; les deux autres représentent les stades antérieurs que postule mon interprétation : le premier, celui du repos, le deuxième, celui du paroxysme de la tension, du corps qui s'apprête à bondir, de la main qui se détourne
193 des tables, tandis que celles-ci commencent à glisser à bas. Or il est remarquable de voir à quel point les représentations suppléées par mon dessinateur réhabilitent les descriptions inexactes d'auteurs antérieurs. Un contemporain de Michel-Ange, Condivi, disait : « Moïse, le conducteur et le capitaine des Hébreux, est assis dans la position d'un sage qui médite, il *tient sous le bras droit les tables de la loi* et soutient son menton avec la main gauche(!), comme quelqu'un qui est fatigué et en proie aux soucis. » Il est impossible d'apercevoir cela sur la statue de Michel-Ange, mais cela coïncide presque avec l'hypothèse qui est la base du premier dessin. Comme d'autres observateurs, W. Lübke avait écrit : « Ébranlé, il plonge la dextre dans les flots magnifiques de la barbe tombante... » Cela est inexact si on le rapporte à la reproduction de la statue, mais concorde avec notre deuxième dessin. Justi et Knapp ont vu, comme nous l'avons déjà dit, que les tables sont en train de glisser à bas et qu'elles courent le risque de se briser. Ils ont dû se soumettre à la rectification de Thode, qui dit que les tables sont maintenues par la main droite d'une manière sûre, mais ils auraient raison s'ils décrivaient non pas la statue, mais notre stade intermédiaire. On serait tenté de penser que ces auteurs se sont dégagés de l'image visuelle de la statue et qu'ils ont, sans le savoir, amorcé une analyse

des motifs du mouvement, qui les a amenés aux mêmes postulats que ceux que nous avons établis d'une manière plus consciente et explicite.

III

Si je ne me trompe, il nous sera maintenant permis de recueillir les fruits de nos efforts. Nous avons vu qu'à beaucoup de ceux qui se trouvaient sous le coup de l'impression produite par la statue, une interprétation s'est imposée : que la statue représentait Moïse en proie à l'effet du spectacle de son peuple apostat et dansant autour d'une idole. Mais cette interprétation a dû être abandonnée, car elle trouvait sa suite logique dans l'attente que Moïse allait, dans l'instant qui suivait, bondir, briser les tables et accomplir l'œuvre de la vengeance. 194 Mais cela aurait été en contradiction avec la destination de la statue qui devait faire partie du monument funéraire de Jules II, à côté de trois ou cinq autres personnages assis. Nous pouvons maintenant reprendre cette interprétation abandonnée, car notre Moïse ne bondira pas de son siège et ne jettera pas les tables loin de lui. Ce que nous voyons sur sa personne, n'est pas le prélude à une action violente, mais le reste d'un mouvement qui a déjà eu lieu. Bondir, tirer vengeance, oublier les tables : tout cela, il voulait le faire dans un accès de colère; mais il a surmonté la tentation, il va désormais rester assis ainsi, en proie à une fureur domptée, à une douleur mêlée de mépris. Il ne jettera pas non plus les tables, afin qu'elles se fracassent contre la pierre, car c'est justement à cause d'elles qu'il a étouffé sa colère, c'est pour les sauver qu'il a maîtrisé sa passion. Quand il s'était abandonné à son indignation passionnée, il avait dû négliger les tables, retirer d'elles la main qui les portait. Alors, elles avaient commencé à glisser en bas, courant le danger de se briser. Cela l'a mis en garde. Il s'est souvenu de sa mission et pour elle, il a renoncé à satisfaire son affect. Sa main s'est portée en arrière et a sauvé les tables en train de basculer, avant qu'elles ne pussent encore tomber. C'est dans cette position qu'il s'est figé dans l'attente, et Michel-Ange l'a ainsi représenté comme gardien du tombeau [a].

Une stratification à trois niveaux s'exprime dans cette figure prise dans sa dimension verticale. Dans les mimiques du visage se reflètent les affects qui sont devenus dominants, dans le milieu du personnage apparaissent les signes du mouvement réprimé, le pied présente encore la position de l'action envisagée, comme si la maîtrise s'était propagée du haut vers le bas. Le bras gauche, dont nous n'avons pas encore parlé, semble réclamer sa part dans notre interprétation. Sa main est posée sur les genoux en un geste alangui et enveloppe comme en une caresse les extrémités de la barbe retombante. Cela donne l'impression qu'elle veut compenser la violence avec

a. Ernst Jones a suggéré que Freud a pu être incité en partie à faire cette analyse des sentiments exprimés par la statue de Michel-Ange, par sa propre attitude vis-à-vis des mouvements de dissidence d'Adler et de Jung, qui l'avaient tellement préoccupé dans la période précédant immédiatement la rédaction de cet article. – L'intérêt de Freud pour le personnage *historique* de Moïse s'est évidemment manifesté dans sa dernière œuvre, *L'homme Moïse et la religion monothéiste* (1939*a*).

laquelle, un instant auparavant, l'autre main avait mis la barbe à mal. 195

Mais voici ce qu'on va maintenant nous objecter : ce n'est donc pas le Moïse de la Bible, qui s'est effectivement mis en colère et a jeté les tables, si bien qu'elles se brisèrent. Ce serait un tout autre Moïse, répondant au sentiment de l'artiste, qui aurait pris en l'occurrence la liberté de corriger le texte sacré et de falsifier le caractère de l'homme divin. Sommes-nous autorisé à imputer à Michel-Ange cette licence, qui n'est peut-être pas éloignée du sacrilège?

Le passage de l'Écriture sainte dans lequel est évoqué le comportement de Moïse lors de la scène du Veau d'or, dit littéralement ceci (qu'on me pardonne de me servir ici, d'une manière anachronique, de la traduction de Luther) [a] :

> (Exode, chap. 32 : 7) Or le Seigneur dit à Moïse : Va, descends; car ton peuple, que tu as conduit hors d'Égypte, a tout gâché. 8) Ils se sont promptement écartés du chemin que je leur ai ordonné. Ils se sont coulé un Veau et l'ont adoré, lui faisant des sacrifices et disant : Voici tes dieux, Israël, qui t'ont conduit hors d'Égypte. 9) Et le Seigneur dit à Moïse : Je vois que c'est un peuple à la nuque raide. 10) Et maintenant laisse-moi, que ma colère au-dessus d'eux s'enflamme, et les extermine; c'est ainsi que je veux faire de toi un grand peuple. 11) Mais Moïse implora le Seigneur, son Dieu, et dit : Hélas, Seigneur, pourquoi ta colère veut-elle s'enflammer au-dessus de ton peuple, qu'avec une grande force et une main puissante tu as conduit hors du pays d'Égypte?...
>
> ... 14) Ainsi le Seigneur se repentit du mal qu'il avait

a. Plutôt que de reproduire une traduction ancienne de la Bible en français, nous avons pris le parti de traduire le plus littéralement possible le texte de Luther en français, restant ainsi au plus près du texte de référence de Freud.

menacé d'infliger à son peuple. 15) Moïse se détourna, et descendit de la montagne, et il avait en sa main deux tables du témoignage, qui étaient écrites des deux côtés. 16) Et Dieu lui-même les avait faites, et y avait gravé lui-même l'écriture. 17) Et Josué, entendant maintenant les clameurs du peuple, qui exultait, dit à Moïse : Il y a des clameurs dans le camp, comme d'un combat. 18) Il répondit : Ce n'est point la clameur que poussent à l'encontre les uns des autres ceux qui vainquent et ceux qui succombent, mais j'entends la clameur d'une danse de victoire. 19) Mais lorsqu'il approcha du camp, et qu'il vit le Veau et la ronde, il s'enflamma de colère, et jeta les tables hors de sa main, et les brisa au pied de la montagne; 20) et il prit le Veau qu'ils avaient fabriqué, et il le fondit par le feu, et il le broya avec de la poudre, et il le répandit sur l'eau, et il le donna à boire aux enfants d'Israël...

196

... 30) Le matin, Moïse dit au peuple : Vous avez commis un grand péché; or, je veux monter vers le Seigneur, afin d'essayer d'expier votre péché. 31) Lors donc que Moïse retourna vers le Seigneur, il dit : Hélas, le peuple a commis un grand péché, et ils se sont fabriqué des dieux en or. 32) Or, pardonne-leur leur péché; sinon, efface-moi aussi de ton livre que tu as écrit. 33) Le Seigneur dit à Moïse : Quoi? J'effacerai de mon livre celui qui pèche contre moi. 34) Aussi, va maintenant, et conduis le peuple où je t'ai dit. Vois, mon ange te précédera. Je châtierai certes leur péché, quand le temps sera venu pour moi de châtier. 35) Ainsi le Seigneur punit le peuple pour ce qu'ils avaient fabriqué le Veau qu'Aaron avait fabriqué.

Soumis que nous sommes à l'influence de la critique moderne de la Bible, il est pour nous devenu impossible de lire ce passage sans y reconnaître les signes de la compilation maladroite de plusieurs récits qui servent de sources. Dans le verset 8, c'est le Seigneur lui-même qui annonce à Moïse que le peuple a abjuré et qu'il s'est fabriqué une idole. Moïse intercède pour les pécheurs. Pourtant, au verset 18, il se comporte à l'encontre de

Josué comme s'il ne le savait pas, et il s'emporte en un accès de colère subite (verset 19), dès qu'il aperçoit la scène de l'idolâtrie. Au verset 14, il a déjà obtenu le pardon de Dieu pour son peuple pécheur, mais il ne s'en rend pas moins aux versets 31 sqq. à nouveau sur la montagne pour implorer ce pardon; il rapporte au Seigneur l'apostasie du peuple et obtient l'assurance d'un ajournement de la punition. Le verset 35 se réfère à un châtiment du peuple par Dieu dont rien ne nous est communiqué, tandis qu'aux versets 20 à 30, nous a été décrite l'expédition punitive qui a été accomplie par Moïse lui-même. On sait que les parties historiques du livre qui traite de l'Exode sont truffées d'incohérences et de contradictions encore plus frappantes.

197

Pour les hommes de la Renaissance, une attitude critique de ce genre à l'endroit du texte biblique n'existait évidemment pas, ils étaient tenus de concevoir le récit comme un tout cohérent, et ils trouvèrent sans doute alors qu'il ne fournissait pas un bon point d'appui à l'art figuratif. Le Moïse du passage de la Bible avait déjà été informé de l'idolâtrie du peuple, avait pris parti pour la clémence et le pardon; mais ensuite, il n'en avait pas moins succombé à un brusque accès de fureur, lorsque le Veau d'or et la foule dansante avaient frappé ses yeux. Il ne serait donc pas étonnant que l'artiste, voulant représenter la réaction du héros à cette douloureuse surprise, se fût, pour des raisons intérieures, affranchi du texte biblique. Du reste, un tel écart par rapport à la lettre de l'Écriture sainte n'était pas du tout, même pour des motifs de moindre importance, inhabituel ou interdit à l'artiste. Un tableau célèbre du Parmesan, qu'on peut voir dans sa ville natale, nous montre Moïse assis au sommet d'une montagne et jetant les tables à terre, bien que le verset biblique dise expressément : il les brisa au pied de la montagne. Déjà par elle-même, la représentation d'un Moïse assis ne trouve aucun point d'appui dans le texte biblique et semble plutôt donner raison à ceux des critiques qui supposaient que la statue de Michel-Ange ne visait pas à fixer un moment particulier de la vie du héros.

Le remaniement auquel, selon notre interprétation, a procédé Michel-Ange en ce qui concerne le caractère de Moïse est sans doute plus important que l'infidélité à l'égard du texte sacré. L'homme Moïse était, d'après les témoignages de la tradition, colérique et sujet à des 198 emportements passionnels. C'est dans un tel accès de colère sacrée qu'il avait abattu l'Égyptien qui maltraitait un Israélite, et c'est pour cette raison qu'il avait dû quitter le pays et fuir au désert. C'est au cours d'une explosion affective analogue qu'il fracasse les deux tables que Dieu lui-même avait écrites. Quand la tradition rapporte de tels traits de caractère, elle n'est sans doute pas tendancieuse : elle a simplement conservé l'impression produite par une grande personnalité qui a vécu en un temps donné. Mais Michel-Ange a placé sur le monument funéraire du pape un autre Moïse, qui est supérieur au Moïse historique ou traditionnel. Il a remanié le motif des tables de la loi brisées, il ne les laisse pas briser par la colère de Moïse, mais il fait en sorte que cette colère soit apaisée par la menace qu'elles pourraient se briser, ou tout au moins, qu'elle soit inhibée sur la voie de l'action. Ce faisant, il a introduit dans la figure de Moïse quelque chose de neuf, de surhumain, et la puissante masse corporelle, la musculature débordante de vigueur du personnage ne sont utilisées que comme moyen d'expression physique de la plus haute prouesse psychique qui soit à la portée d'un humain : l'étouffement de sa propre passion au profit et au nom d'une mission à laquelle on s'est consacré.

L'interprétation de la statue de Michel-Ange peut prendre fin ici. On peut soulever encore la question de savoir quels motifs ont animé l'artiste lorsqu'il a destiné ce Moïse, et un Moïse si profondément transformé, au monument funéraire du pape Jules II. De beaucoup de côtés, on s'est accordé à relever qu'il fallait chercher ces motifs dans le caractère du pape et dans la relation que l'artiste entretenait avec lui. Jules II était apparenté à Michel-Ange, en ceci qu'il cherchait à réaliser des choses grandes et puissantes, surtout grandes par leur dimension. C'était un homme d'action, son objectif était clair : il avait en vue l'unification de l'Italie sous la domination de la papauté. Ce qui n'a été, plusieurs siècles plus tard, que le fruit du concours d'autres forces, il voulait y parvenir tout seul, lui, un individu, dans le bref laps de 199 temps et de règne qui lui était imparti, avec impatience et par des moyens violents. Il sut apprécier Michel-Ange comme un égal, mais il le fit souvent souffrir par son irascibilité et sa brutalité. L'artiste avait conscience d'une égale violence de l'ambition en lui-même, mais il se peut que, sa tendance à la méditation lui donnant une vue plus profonde des choses, il ait pressenti l'insuccès auquel tous les deux étaient voués. C'est ainsi qu'il a placé son Moïse sur le monument du pape, non sans un reproche à l'égard du défunt, en guise d'admonition adressée à lui-même, s'élevant par cette critique au-dessus de sa propre nature.

IV

En l'an 1863, un Anglais, W. Watkiss Lloyd, a consacré au Moïse de Michel-Ange un petit ouvrage. Lorsque j'eus réussi à mettre la main sur cet écrit de 46 pages, je pris connaissance de son contenu avec des sentiments mêlés. Ce fut l'occasion de faire une nouvelle fois sur ma propre personne l'expérience de l'indignité et de l'infantilisme des motifs qui ont coutume de nous inciter au travail dans le cadre du service d'une grande cause. Je regrettai que Lloyd eût anticipé tant de points qui m'étaient précieux au titre de résultats de mes propres efforts, et c'est seulement en deuxième instance que je pus me réjouir de cette confirmation inattendue. Toutefois, nos chemins se séparent sur un point décisif.

Lloyd a commencé par remarquer que les descriptions habituelles de la statue sont inexactes, que Moïse ne s'apprête pas à se lever [1], que la main droite ne plonge pas dans la barbe, que c'est seulement son index qui repose encore sur la barbe [2]. Il a aussi aperçu, ce qui est

200

1. *But he is not rising or preparing to rise; the bust is fully upright, not thrown forward for the alteration of balance preparatory for such a movement...* (p. 10). (Mais il n'est pas en train de se lever, pas plus qu'il ne s'y prépare; le buste est parfaitement dressé, et non projeté en avant, dans ce changement d'équilibre préparatoire à un tel mouvement...)

2. *Such a description is altogether erroneous; the fillets of the beard are detained by the right hand, but they are not held, nor grasped, enclosed or taken hold of. They are even detained but momentarily – momentarily engaged, they are on the point of being free for disengagement* (p. 11).

d'une tout autre portée, que l'attitude du personnage qui est représentée ne peut être élucidée que par référence à un moment antérieur non représenté, et que le déportement à droite des cordons de barbe de gauche devrait suggérer que la main droite et la moitié gauche de la barbe ont été auparavant en une relation étroite et exprimée de manière naturelle. Mais il s'engage dans une autre voie pour reconstituer ce voisinage inféré par nécessité, il ne veut pas que la main se soit portée dans la barbe, mais que ce soit la barbe qui ait été auprès de la main. Il explique qu'il faut imaginer qu'« un moment avant la brusque perturbation, la tête de la statue s'est trouvée complètement tournée vers la droite, au-dessus de la main qui tenait alors les tables comme elle les tient maintenant ». La pression exercée (par les tables) sur le creux de la main a pour effet que les doigts de celle-ci s'ouvrent tout naturellement sous la cascade des boucles tombantes, et le fait que la tête se tourne brusquement de l'autre côté a pour conséquence qu'une partie des cordons de cheveux est retenue l'espace d'un instant par la main qui reste immobile, formant cette guirlande de cheveux qui doit être comprise comme un sillage (*« wake »*).

Ce qui détourne Lloyd de l'autre éventualité d'un rapprochement antérieur entre la main droite et la moitié gauche de la barbe, c'est une considération qui montre à quel point il est passé tout près de notre interprétation. Il ne serait pas possible que le prophète, même sans être

(Une telle description est tout à fait erronée; les filets de la barbe sont retenus par la main droite, mais ils ne sont pas tenus, ni saisis, enserrés ou empoignés. Ils ne sont même que momentanément retenus – momentanément engagés, ils sont sur le point d'être lâchés et de se dégager.)

au comble de l'excitation, ait avancé la main au point qu'elle puisse tirer ainsi la barbe de côté. Dans ce cas, la position des doigts serait devenue tout autre, et en outre, par suite de ce mouvement, les tables, qui ne sont maintenues que par la pression de la main droite, auraient dû tomber, à moins qu'on ne prête à la figure, pour qu'elle retienne encore les tables malgré tout, un mouvement très maladroit dont la représentation comporterait à vrai dire une atteinte à la dignité. (« *Unless clutched by a gesture so awkward, that to imagine it is profanation.* »)

201 Il est facile de voir où gît l'inattention de l'auteur. Il a correctement interprété les particularités de la barbe comme indices d'un mouvement précédemment décrit, mais il a ensuite omis d'appliquer le même raisonnement aux détails non moins forcés qu'on relève dans la position des tables. Il ne tire parti que des indices afférents à la barbe, mais non pareillement de ceux afférents aux tables, dont il admet la position comme originaire. Il se barre ainsi la route qui aurait pu le mener à une conception semblable à la nôtre, qui, par la mise à profit de certains détails inapparents, mène à une interprétation surprenante de la figure dans son ensemble et de ses intentions.

Mais qu'en serait-il si nous faisions tous les deux fausse route? Si nous accordions du poids et de la signification à des détails qui étaient indifférents à l'artiste, qu'il n'aurait modelés tels qu'ils sont que par pur arbitraire et à l'instigation de certains motifs formels, sans y mettre rien de mystérieux? Si nous avions succombé au sort de tant d'interprètes, qui croient voir clairement quelque chose que l'artiste n'a voulu créer ni consciemment ni inconsciemment? Je ne peux en décider. Je ne saurais dire s'il convient d'imputer à un artiste comme Michel-Ange, dans les œuvres duquel tant de contenu de pensée lutte pour s'exprimer, une indétermination aussi naïve, ni si un tel point de vue est précisément admissible pour les traits frappants et singuliers de la statue de Moïse. Qu'il nous soit encore permis, pour finir, d'ajouter avec la timidité qui convient, que l'artiste s'est mis en position de partager avec l'interprète la responsabilité de cette incertitude. Bien souvent, dans ses créations, Michel-Ange est allé jusqu'à l'extrême limite de ce que l'art peut exprimer; peut-être, dans le cas de Moïse aussi, n'a-t-il pas pleinement réussi, si son intention était de faire deviner une tempête d'excitation violente à travers les indices qui, celle-ci une fois passée, sont demeurés dans le calme revenu.

SUPPLÉMENT À L'ESSAI SUR LE MOÏSE DE MICHEL-ANGE

G. W., XIV, 321

Plusieurs années après la parution de mon essai sur le Moïse de Michel-Ange, qui avait été reproduit en 1914 dans la revue *Imago* – sans mention de mon nom –, est tombé entre mes mains, grâce à la bonté d'E. Jones, un numéro du *Burlington Magazine for Connoisseurs* (nº CCXVII, vol. XXXVIII, avril 1921), par lequel mon intérêt ne pouvait manquer d'être à nouveau dirigé sur l'interprétation que j'avais proposée de la statue. Dans ce numéro se trouve un bref article de H. P. Mitchell sur deux bronzes du XIIe siècle, actuellement au Ashmolean Museum d'Oxford, qui sont attribués à un éminent artiste de cette époque, Nicolas de Verdun. D'autres œuvres de cet homme sont encore conservées à Tournay, Arras et Klosterneuburg près de Vienne; la châsse des rois mages à Cologne passe pour être son chef-d'œuvre.

Or l'une des deux statuettes analysées par Mitchell est un Moïse (haut d'un peu plus de 23 centimètres), caractérisé comme tel sans aucun doute possible par les tables de la loi dont il est flanqué. Ce Moïse aussi est représenté assis, enveloppé dans un manteau à larges plis; son visage présente une expression animée par la passion, peut-être soucieuse, et sa main droite empoigne la longue barbe et en comprime les mèches entre la paume et le pouce comme en une pince; elle accomplit donc le mouvement qui est supposé, dans la figure 2 de mon exposé, comme stade préalable à la position dans laquelle nous voyons actuellement figé le Moïse de Michel-Ange.

Un regard sur la reproduction ci-jointe permet de distinguer la différence principale entre ces deux représentations qui sont séparées par plus de trois siècles. Le Moïse de l'artiste lorrain tient les tables avec sa main gauche par leur bord supérieur et les appuie sur ses genoux; si l'on transfère les tables de l'autre côté et qu'on les confie au bras droit, on a ainsi reconstitué la situation de départ pour le Moïse de Michel-Ange. Si ma conception du geste par lequel la main plonge dans la barbe est recevable, alors le Moïse de 1180 nous restitue un moment de la tempête des passions, tandis que la statue de Saint-Pierre-aux-Liens représenterait le calme après la tempête.

Je crois que la découverte dont je fais part ici augmente la plausibilité de l'interprétation que j'ai tentée dans mon essai de 1914. Peut-être sera-t-il possible à un connaisseur d'art de combler le fossé temporel qui sépare le Moïse de Nicolas de Verdun de celui du maître de la Renaissance italienne, en établissant l'existence de types de Moïse pour la période intermédiaire.

PARALLÈLE MYTHOLOGIQUE À UNE REPRÉSENTATION OBSESSIONNELLE PLASTIQUE

Note liminaire

MYTHOLOGISCHE PARALLELE ZU EINER PLASTISCHEN ZWANGSVORSTELLUNG [1916*b*]

Éditions allemandes :

1916 *Internationale Zeitschrift für ärztliche Psychoanalyse*, tome 4 (2).
1918 *Sammlung kleiner Schriften zur Neurosenlehre*, tome 4 (seconde édition, 1922).
1924 *Gesammelte Schriften*, tome 10.
1946 *Gesammelte Werke*, tome 10.
1973 *Studienausgabe*, tome 7.

Traduction anglaise :

1957 « *A Mythological Parallel to a Visual Obsession* », traduit par James Strachey, *Standard Edition*, tome 14.

Freud écrivit ce court article à l'époque où il prononçait, à l'université de Vienne, ses premières *Conférences d'introduction à la psychanalyse*.

G.W., X, 398

Chez un malade d'environ vingt et un ans, les produits du travail intellectuel inconscient deviennent conscients non seulement sous la forme de pensées obsessionnelles, mais aussi d'*images obsessionnelles*. Les deux choses peuvent être concomitantes ou surgir indépendamment l'une de l'autre. A un certain moment surgissaient chez lui, intimement liés, un mot obsessionnel et une image obsessionnelle, lorsqu'il voyait son père arriver dans sa chambre. Le mot était : *« Vaterarsch »* [a], l'image concomitante représentait le père sous la forme d'un abdomen nu muni de bras et de jambes, et dépourvu de tête et de thorax. Les parties génitales n'étaient pas indiquées, les traits du visage étaient peints sur le ventre.

Pour élucider cette formation symptomatique plus folle que de coutume, il faut remarquer que cet homme, à l'intelligence très développée et aux aspirations éthiques élevées, avait mis en œuvre jusqu'au-delà de sa dixième année un érotisme anal actif sous les formes les plus diverses. Une fois celui-ci surmonté, sa vie sexuelle fut reléguée au préstade anal par sa lutte ultérieure contre

a. Mot composé signifiant « cul de père », « cul paternel ».

l'érotisme génital. Quant à son père, il l'aimait et le
399 respectait, il le craignait aussi beaucoup; mais du haut de ses exigences touchant la répression des pulsions et l'ascèse, le père lui apparaissait comme le prototype de la « goinfrerie », de la passion jouisseuse tournée vers les choses matérielles.

« Vaterarsch » s'avéra bientôt être une germanisation amusante du titre honorifique de « patriarche ». L'image obsessionnelle est une caricature manifeste. Elle rappelle d'autres représentations qui, dans une intention de rabaissement, substituent à la personne entière un organe unique, par exemple ses parties génitales, des fantasmes inconscients qui conduisent à identifier les parties génitales avec l'être humain entier, ainsi que des locutions plaisantes du genre : « Je suis tout oreilles. »

Quant au fait de disposer les traits du visage sur le ventre du personnage grotesque, il m'apparut d'abord très singulier. Mais je me souvins bientôt d'avoir vu des choses semblables sur des caricatures françaises [1]. Le hasard m'a fait rencontrer ensuite une représentation antique qui offre une concordance parfaite avec l'image obsessionnelle de mon patient.

Selon la légende grecque, Déméter, à la recherche de sa fille enlevée, était venue à Éleusis; elle y fut accueillie chez Dysaulès et sa femme Baubô, mais refusa, dans le profond deuil où elle était, de toucher aux aliments et à la boisson. Alors, Baubô, son hôtesse, la fit rire en retroussant soudain sa robe et en dévoilant son bas-ventre. La discussion de cette anecdote, qui est sans doute destinée à expliquer un cérémonial magique qui n'était

1. Cf. *L'impudique Albion,* caricature de l'Angleterre faite par Jean Veber en 1901, *in* Eduard Fuchs : *Das erotische Element in der Karikatur,* 1904.

plus compris, se trouve dans le quatrième tome de l'ouvrage *Cultes, mythes et religions,* 1912, de Salomon Reinach. On y signale également que lors des fouilles effectuées à Priène, en Asie Mineure, on a trouvé des terres cuites qui représentent cette Baubô. Elles montrent  un torse de femme sans tête ni poitrine, sur le ventre duquel est dessiné un visage; la robe retroussée encadre ce visage comme une couronne de cheveux. (Cf. Reinach, l.c., p. 117.)

QUELQUES TYPES DE CARACTÈRE DÉGAGÉS PAR LE TRAVAIL PSYCHANALYTIQUE

Note liminaire

EINIGE CHARAKTERTYPEN AUS DER PSYCHOANALYTISCHEN ARBEIT [1916*d*]

Éditions allemandes :

1916 *Imago,* tome 4 (6).
1918 *Sammlung kleiner Schriften zur Neurosenlehre,* tome 4 (seconde édition, 1922).
1924 *Gesammelte Schriften,* tome 10.
1924 *Dichtung und Kunst.*
1925 *Almanach der Psychoanalyse 1926* (seulement section 1).
1935 *Psychoanalytische Pädagogik,* tome 9 (seulement section 3).
1946 *Gesammelte Werke,* tome 10.
1969 *Studienausgabe,* tome 10.

Traduction anglaise :

1957 *« Some Character-Types Met with in Psycho-Analytic Work »,* traduit par James Strachey, *Standard Edition,* tome 14.

Paru dans la traduction Bonaparte-Marty sous le titre de « Quelques types de caractère dégagés par la psychanalyse ».

G.W., X, 364

Quand le médecin conduit le traitement psychanalytique d'un malade nerveux, l'intérêt qu'il porte au caractère de celui-ci n'est aucunement au premier plan. Il voudrait bien plutôt savoir ce que signifient ses symptômes, quelles motions pulsionnelles se cachent derrière eux et se satisfont par eux, et quelles sont les étapes du chemin mystérieux qui a conduit de ces désirs pulsionnels à ces symptômes. Mais la technique que le médecin est obligé de suivre le contraint rapidement à orienter son désir de savoir avant tout vers d'autres objets. Il remarque que son investigation est menacée par des résistances que le malade lui oppose, et il est en droit d'imputer ces résistances au caractère du malade. C'est ainsi que ce caractère requiert en premier son intérêt.

Ce qui va à l'encontre des efforts du médecin, ce ne sont pas toujours les traits de caractère que se reconnaît le malade et qui lui sont attribués par son entourage. Souvent apparaissent, portés jusqu'à des intensités insoupçonnées, des particularités du patient dont il ne semblait que modérément pourvu, ou bien se manifestent chez lui des attitudes qui ne s'étaient pas révélées dans 365 d'autres relations de la vie. Décrire quelques-uns de ces surprenants traits de caractère et les ramener à leur origine sera l'objet des lignes qui suivent.

I

Les exceptions

Le travail psychanalytique ne cesse de se voir placé devant cette tâche : amener le malade à renoncer à un gain de plaisir proche et immédiat. Ce n'est pas au plaisir en général qu'il doit renoncer; cela on ne peut l'exiger peut-être d'aucun homme et la religion elle-même est forcée de fonder son exigence de renoncement au plaisir terrestre sur la promesse d'accorder en compensation, dans un au-delà, un plaisir plus précieux, à un degré incomparablement plus haut. Non, le malade doit renoncer seulement aux satisfactions qui sont immanquablement suivies d'un dommage, il doit se priver pour un temps seulement, il doit seulement apprendre à échanger le gain de plaisir immédiat contre un autre mieux assuré, même s'il est différé. Ou bien, en d'autres termes, il doit, sous la conduite du médecin, accomplir *cette progression du principe de plaisir au principe de réalité,* par laquelle l'homme mûr se distingue de l'enfant. Dans cette œuvre d'éducation, la perspicacité du médecin, si grande soit-elle, ne joue guère un rôle déterminant; c'est qu'en général il ne sait rien dire d'autre au malade que ce que peut dire à ce dernier sa propre raison. Mais il y a une différence entre savoir quelque chose par soi-même et l'entendre d'un autre côté; le médecin assume le rôle de cet autre efficient; il se sert de l'influence qu'un homme exerce sur un autre. Ou bien encore : souvenons-nous qu'il est habituel en psychanalyse d'introduire ce qui est à l'origine et à la racine, à la place de ce qui a été dérivé et tempéré, et disons que le médecin se sert dans son œuvre d'éducation d'une quelconque composante de l'*amour.* Il ne fait vraisemblablement que répéter lors d'une telle postéducation le pro- 366 cessus qui a somme toute rendu possible la première éducation. À côté des nécessités de la vie [*Lebensnot*], l'amour est le grand éducateur, et l'homme inachevé est amené par l'amour de ceux qui lui sont le plus proches à respecter les commandements de la nécessité et à s'épargner les punitions que lui vaudrait leur transgression.

Si l'on exige ainsi des malades un renoncement temporaire à quelque satisfaction de désir, un sacrifice, une disposition à prendre sur soi une souffrance momentanée en vue d'une fin meilleure, ou même seulement la résolution de se soumettre à une nécessité valable pour tous, on se heurte à certaines personnes qui par une argumentation particulière s'insurgent contre une telle prétention. Elles disent qu'elles ont subi assez de souffrances et de privations, qu'elles ont le droit d'être exemptées de nouvelles exigences, qu'elles ne se soumettront plus à aucune nécessité déplaisante, car elles sont des *exceptions* et entendent le demeurer. Chez un malade de cette sorte, cette prétention était allée jusqu'à la conviction qu'une providence particulière veillait sur lui, qui le garderait de sacrifices douloureux de ce genre. Contre des certitudes intérieures qui s'expriment avec une telle force, les arguments du médecin ne servent de rien, même son influence échoue de prime abord, et il se trouve conduit à rechercher les sources auxquelles s'alimente le préjugé néfaste.

Certes, il est hors de doute que chacun voudrait se faire passer pour une « exception » et prétendre à des privilèges sur les autres. C'est justement pourquoi se proclamer et se comporter vraiment comme une exception nécessite une motivation particulière, qu'on ne rencontre pas dans tous les cas. Il peut bien y avoir plus d'une motivation de cet ordre; dans les cas que j'ai examinés, on parvint à mettre en évidence une particularité commune à tous les malades, dans les *destins antérieurs de leurs* 367 *vies* : leur névrose se rattachait à une expérience ou à une souffrance qui les avait touchés dans les premiers temps de leur enfance, dont ils se savaient innocents et qu'ils pouvaient estimer être une injustice, un préjudice porté à leur personne. Les privilèges qu'ils firent dériver de cette injustice, et l'insubordination qui en résulta, n'avaient pas peu contribué à aiguiser des conflits qui conduisirent plus tard à l'éruption de la névrose. L'attitude à l'égard de la vie dont nous venons de parler s'installa chez l'une de ces patientes lorsqu'elle apprit qu'un douloureux mal organique, qui l'avait empêchée d'atteindre les buts de son existence, était d'origine congénitale. Aussi longtemps qu'elle tint ce mal pour une acquisition occasionnelle et tardive, elle le supporta patiemment; du jour où elle se l'expliqua comme étant une part de son patrimoine héréditaire, elle se révolta. Le jeune homme qui se croyait sous la garde d'une providence particulière avait été, nourrisson, victime d'une infection occasionnelle, du fait de sa nourrice, et avait tout le reste de son existence vécu de ses prétentions à un dédommagement comme d'une rente d'invalidité, sans soupçonner sur quoi il fondait ses prétentions. Dans ce cas, l'analyse, qui reconstruisit ce processus à partir d'obscurs restes de souvenirs et d'interprétations de symptômes, fut confirmée objectivement par des informations fournies par la famille.

Pour des raisons faciles à comprendre, je ne puis en communiquer davantage sur telle ou telle de ces histoires de malades. Je ne veux pas non plus traiter de l'évidente analogie entre la déformation du caractère consécutive à un état maladif prolongé au cours de l'enfance et le comportement de peuples entiers au passé chargé de souffrances. Par contre, je ne me priverai pas de renvoyer à une figure, créée par le plus grand des poètes, dans le caractère de laquelle la prétention à l'exception est intimement liée au facteur constitué par le préjudice congénital et motivée par celui-ci.

Dans le monologue qui ouvre le *Richard III* de Shakespeare, Glocester, le futur roi, déclare :

> Mais moi, qui ne suis pas formé pour les galants ébats ni fait pour courtiser la luxure au miroir, moi le mal équarri, à qui la majesté de l'amour fait défaut pour m'aller pavaner devant une nymphe aux entrechats lubriques, moi qui suis amputé de charmes corporels et floué d'attraits par la cachottière Nature, difforme, inachevé, dépêché avant terme en ce monde où l'on respire, à peine mi-bâti et de si boiteuse et déplaisante manière que les chiens aboient quand je claudique près d'eux; 368
>
> ....
>
> Eh bien, dès lors que je ne puis m'avérer un galant pour filer ces beaux jours bonimenteurs, je suis résolu de m'avérer un scélérat et d'exécrer leurs vaines amusettes.
>
> [Trad. Pierre Leyris.]

La première impression que nous laisse ce discours-programme sera peut-être le regret qu'il soit sans rapport avec notre thème. Richard ne semble rien dire d'autre que : « Je m'ennuie en ce temps d'oisiveté et je veux m'amuser. Mais ne pouvant, à cause de ma difformité, connaître les distractions d'un amant, je vais jouer au scélérat, intriguer, assassiner et faire tout ce qui me plaira d'autre. » Une argumentation aussi frivole ne manquerait pas d'étouffer chez le spectateur toute trace de participation si quelque chose de plus sérieux ne se dissimulait pas derrière elle. Et, du même coup, la pièce serait psychologiquement impossible, car il faut que le poète s'entende à créer chez nous un secret arrière-fond de sympathie pour son héros si nous devons, sans protester intérieurement, éprouver de l'admiration pour sa hardiesse et son adresse, et une telle sympathie ne peut se fonder que sur la compréhension, sur le sentiment que nous pourrions avoir en nous quelque chose de commun avec lui.

C'est pourquoi je pense que le monologue de Richard ne dit pas tout; il ne fournit que des indications et nous laisse le soin de les compléter. Or quand nous entreprenons cette œuvre d'achèvement, toute apparence de frivolité disparaît; l'amertume et l'exactitude avec lesquelles Richard a décrit sa difformité prennent alors toute leur importance; conscience nous est donnée de ce que nous avons de commun avec lui et qui force notre sympathie, même pour le scélérat. Alors cela signifie : La nature a commis une grave injustice à mon égard en me frustrant de la forme harmonieuse qui conquiert l'amour des humains. La vie pour cela me doit un dédommagement que je vais m'octroyer. Je revendique le droit d'être une exception, de passer sur les scrupules par lesquels d'autres se laissent arrêter. Il m'est permis de commettre même l'injustice car j'ai été victime de l'injustice, – et nous sentons alors que nous pourrions nous aussi devenir comme Richard, et même que nous le sommes déjà à une petite échelle. Richard est un agrandissement gigantesque de ce côté que nous trouvons également en nous. Nous nous croyons tous fondés à nous plaindre de la nature et du destin en raison de préjudices congénitaux et infantiles; nous exigeons tous un dédommagement pour des blessures précoces de notre narcissisme, de notre amour de nous-mêmes. Pourquoi la nature ne nous a-t-elle pas fait don des boucles dorées de Baldur ou de la force de Siegfried ou du front élevé du génie, du noble profil de l'aristocrate? Pourquoi sommes-nous nés dans la chambre d'un bourgeois et non dans le château d'un roi? Nous aurions eu autant de chances d'être beaux et distingués que tous ceux qu'aujourd'hui nous devons envier pour cette raison.

Mais la fine économie de l'art du poète réside en ce qu'il ne laisse pas son héros exprimer à voix haute et intégralement tous les secrets de sa motivation. Par là il nous force à les compléter, il mobilise notre activité mentale, la détourne de la pensée critique et nous enferme dans l'identification avec le héros. À sa place, un méchant auteur exprimerait de façon consciente tout ce qu'il veut nous communiquer et se trouverait alors face à notre intelligence qui, froide et libre dans ses mouvements, rend impossible un approfondissement de l'illusion.

Mais nous ne voulons pas quitter les « exceptions » sans observer que la prétention des femmes aux privilèges et à la libération de tant de contraintes dues à la vie, 370 repose sur le même fondement. Comme nous l'apprenons par le travail psychanalytique, les femmes se considèrent comme lésées dès l'enfance, raccourcies d'un morceau et tenues à l'écart sans qu'il en soit de leur faute, et l'amertume de tant de filles à l'égard de leur mère prend finalement racine dans le reproche que celle-ci les a fait naître femme au lieu de les faire naître homme.

II

Ceux qui échouent du fait du succès

Le travail psychanalytique nous a fait don de cette thèse : les êtres humains deviennent névrosés par suite de la *frustration* [*Versagung*]. C'est de la frustration de la satisfaction de leurs désirs libidinaux qu'il s'agit et un assez long détour est nécessaire pour comprendre cette thèse. Car, pour que se constitue la névrose, il faut un conflit entre les désirs libidinaux d'un homme et cette partie de son être, que nous appelons son moi, qui est l'expression de ses pulsions d'autoconservation et englobe les idéaux qu'il a de son être propre. Un tel conflit pathogène n'apparaît que si la libido veut se lancer sur des voies et vers des buts qui sont depuis longtemps dépassés et proscrits par le moi, et qu'il a donc interdits aussi pour toujours, et la libido ne fait cela que si lui est retirée la possibilité d'une satisfaction idéale faisant droit au moi. Ainsi la privation, la frustration d'une satisfaction réelle, devient la première condition de la constitution de la névrose, bien que n'étant pas la seule à beaucoup près.

Aussi est-on forcément d'autant plus surpris, voire désorienté, quand on fait comme médecin l'expérience qu'il arrive à des hommes de tomber malades au moment où un désir, intimement fondé et longuement nourri, est parvenu à son accomplissement. Il semble alors qu'ils ne supporteraient pas leur bonheur, car on ne peut douter du rapport causal entre le succès et l'entrée dans la [371] maladie. C'est ainsi que j'eus l'occasion de comprendre le destin d'une femme, que je vais décrire comme un exemple de ces tragiques revirements.

De bonne famille et bien élevée, elle ne put, toute jeune fille, refréner son appétit de vivre, rompit avec la maison familiale, courut le monde en quête d'aventures jusqu'à ce qu'elle fît la connaissance d'un artiste qui sut apprécier son charme féminin mais aussi pressentir la nature, au fond délicate, de cette femme déchue. Il la prit chez lui et trouva en elle une fidèle compagne à laquelle il ne semblait manquer, pour être pleinement heureuse, que la réhabilitation bourgeoise. Après de longues années de vie commune, il réussit à lui gagner l'amitié de sa famille [à lui] et il était alors prêt à en faire sa femme devant la loi. C'est à ce moment-là qu'elle commença à être défaillante [*versagen*]. Elle négligea la maison dont elle devait devenir la maîtresse légitime, se tint pour persécutée par les parents qui voulaient l'accueillir dans la famille, fit obstacle par une jalousie insensée à toutes les relations de l'homme, entrava celui-ci dans son travail artistique et sombra bientôt dans une incurable affection psychique.

Une autre observation me fit voir un homme hautement respectable qui, membre lui-même de l'enseignement supérieur, avait des années durant nourri le désir compréhensible de devenir le successeur de son maître, lequel l'avait lui-même initié à la science. Lorsque à la retraite de cet aîné, les collègues lui firent savoir que nul autre que lui n'était choisi comme successeur, il commença à devenir hésitant, diminua ses mérites, se déclara indigne d'occuper la place qu'on lui destinait, et sombra dans une mélancolie qui l'écarta pour les années suivantes de toute activité.

Aussi différents que soient par ailleurs ces deux cas, ils se rejoignent pourtant en ceci que la maladie apparaît avec l'accomplissement du désir et en anéantit la jouissance.

372 La contradiction entre de telles expériences et la thèse selon laquelle l'homme devient malade du fait de la frustration, n'est pas insoluble. La distinction entre une frustration *externe* et une frustration *interne* lève la contradiction. Si, dans la réalité, l'objet par lequel la libido peut trouver sa satisfaction disparaît, il y a alors une frustration externe. Elle est en soi sans effet, elle reste non pathogène aussi longtemps qu'une frustration interne ne s'y associe pas. Cette dernière doit nécessairement émaner du moi et contester à la libido d'autres objets dont celle-ci veut à présent s'emparer. C'est alors seulement que naît un conflit avec la possibilité d'une affection névrotique, c'est-à-dire d'une satisfaction substitutive par la voie détournée qui passe par l'inconscient refoulé. Ainsi, la frustration interne entre en ligne de compte dans tous les cas, seulement elle n'entre pas en action avant que la frustration externe réelle lui ait préparé la place. Dans les cas d'exception où les hommes tombent malades du fait du succès, la frustration interne a agi isolément, bien plus elle ne s'est manifestée qu'après que la frustration externe a laissé la place à l'accomplissement du désir. Cela comporte quelque chose de surprenant à première vue, mais en y regardant de plus près nous nous souvenons qu'il n'est nullement inhabituel que le moi tolère un désir comme inoffensif, aussi

longtemps que celui-ci mène une existence de fantasme et semble loin de l'accomplissement, tandis qu'il se défend âprement de lui dès qu'il se rapproche de l'accomplissement et menace de devenir réalité. La différence avec des situations bien connues de formation des névroses réside uniquement en ceci que d'ordinaire ce sont des accroissements internes de l'investissement libidinal qui transforment en adversaire redouté le fantasme jusqu'alors accepté et peu considéré, tandis que dans nos cas le signal qui déclenche le conflit est donné par une transformation externe réelle.

Le travail analytique nous montre aisément que ce sont des *forces de la conscience morale,* qui interdisent à la personne de retirer d'une modification réelle heureuse 373 le profit longtemps espéré. Mais c'est une tâche difficile d'apprendre à reconnaître la nature et l'origine de ces tendances justicières et punitives que nous sommes souvent surpris de voir exister là où nous ne nous attendions pas à les trouver. De ce que nous savons ou supposons à ce sujet je ne veux pas, pour des raisons bien connues, discuter à partir de cas tirés de l'observation médicale, mais à partir de figures que de grands poètes ont fait naître de la richesse de leur connaissance de l'âme.

Un personnage qui s'effondre après avoir atteint le succès pour lequel il avait lutté avec une énergie imperturbable, c'est la lady Macbeth de Shakespeare. Il n'y a tout d'abord en elle aucune hésitation, aucun signe de combat intérieur, aucune autre aspiration que celle de vaincre les scrupules de son époux ambitieux et pourtant compatissant. Au projet de meurtre elle veut sacrifier même sa féminité, sans apprécier le rôle décisif qui devra échoir à cette féminité quand il s'agira de consolider ce

qui était le but de son ambition et avait été atteint par le crime.
(Acte, scène 5 :) [a]

Ah venez, vous esprits
Qui veillez aux pensées mortelles, faites-moi sans mon sexe.
. . . . Venez à mes seins de femme
Prendre mon lait comme fiel, vous instruments meurtriers!

(Acte I, scène 7 :)

J'ai allaité et sais
Combien tendre est d'aimer le petit qui me trait.
J'aurais, tandis qu'il souriait à mon visage,
Arraché le mamelon à sa gencive édentée
Et fait éclater son cerveau, si j'avais juré comme vous avez juré.

Un seul léger mouvement de résistance la saisit avant l'action. (Acte II, scène 2 :)

S'il n'avait ressemblé
À mon père quand il dormait, je l'aurais fait.

374 Mais, au moment où elle est devenue reine par le meurtre de Duncan, s'annonce, de façon fugitive, quelque chose comme une désillusion, comme un dégoût. Nous ne savons pas d'où cela vient. (Acte III, scène 2 :)

On n'a plus rien, tout dépensé,
Quand le désir est assouvi sans satisfaire,
Plus sûr est d'être ce que nous détruisons
Que, de destruction, tirer la joie douteuse.

a. La traduction des citations de *Macbeth* est celle de Pierre-Jean Jouve. Club français du Livre, Paris, 1959.

Pourtant elle résiste. Dans la scène du banquet, qui fait suite à ces paroles, elle seule reste maîtresse d'elle-même, couvre la confusion de son époux, trouve un prétexte pour congédier les hôtes. Et alors elle disparaît à nos yeux. Nous la revoyons somnambule (dans la première scène du cinquième acte), fixée aux impressions de cette nuit du meurtre. Elle redonne courage à son époux comme autrefois :

> Fi! mon seigneur, fi! un soldat et avoir peur?
> Qu'est-ce que nous avons à craindre, quand personne
> Ne peut forcer notre pouvoir à rendre compte?...

Elle entend frapper à la porte le coup qui, après le meurtre, effraya son mari. Mais en même temps elle s'efforce « de défaire ce qui ne peut être défait ». Elle lave ses mains qui ont des taches de sang et une odeur de sang et elle prend conscience de la vanité de ses efforts. Le repentir semble l'avoir terrassée, elle qui semblait tellement sans repentir. Lorsqu'elle meurt, Macbeth, qui entre-temps est devenu aussi inexorable qu'elle avait pu l'être au début, ne trouve pour elle que cet unique et bref adieu. (Acte V, scène 5 :)

> Elle aurait dû mourir plus tard,
> Il y aurait eu le temps pour un tel mot.

Et l'on se demande alors : qu'est-ce qui a brisé ce caractère qui semblait forgé du plus dur des métaux? 375 N'est-ce que la désillusion, l'autre visage que montre l'action une fois accomplie [a], devons-nous en déduire qu'en lady Macbeth elle-même une vie psychique ori-

a. Allusion aux vers 2 006-2 007 de *La fiancée de Messine* de Schiller (acte III, scène 5).

ginairement tendre et fémininement douce était parvenue, au prix de grands efforts, à une concentration, à une tension élevée, auxquelles aucune durée ne pouvait être assurée, ou bien sommes-nous autorisés à rechercher des indices qui, en raison d'une motivation plus profonde, nous rendent plus proche, sur le plan humain, cet effondrement?

Je tiens qu'il est ici impossible de trancher. Le *Macbeth* de Shakespeare est une pièce de circonstance, composée à l'occasion de l'accession au trône de Jacques Ier, jusqu'alors roi d'Écosse. La matière était donnée et en même temps elle avait été traitée par d'autres auteurs dont Shakespeare avait vraisemblablement utilisé le travail selon la manière habituelle. Le sujet permettait de singulières allusions à la situation présente. Élisabeth, la « reine vierge », dont des bruits prétendaient qu'elle n'aurait jamais été en état de mettre un enfant au monde, qui, jadis à la nouvelle de la naissance de Jacques, se serait, dans un cri de douleur, définie comme « un tronc desséché » [1], avait justement été forcée, faute d'enfant, de laisser le roi d'Écosse devenir son successeur. Mais il était le fils de cette Marie dont elle avait ordonné, même si c'était à contrecœur, l'exécution capitale, et qui, malgré tout le trouble apporté à leurs relations par des considérations politiques, n'en pouvait pas moins être nommée sa parente par le sang, et son hôte.

L'accession au trône de Jacques Ier était comme une démonstration de la malédiction frappant la stérilité et

1. Cf. *Macbeth* (acte III, scène 1) :
Elles mettaient sur ma tête une couronne sans fruit,
Elles plaçaient dans mon poing un sceptre de stérilité.
Que pourrait arracher la main d'une autre lignée, étrangère,
Aucun fils ne me suivant...

des bénédictions attachées à la génération ininterrompue. Et le déroulement du *Macbeth* de Shakespeare repose sur ce même contraste. Les sœurs fatales ont annoncé à Macbeth qu'il deviendrait roi lui-même, mais à Banquo que ses enfants recevraient la couronne. Macbeth s'emporte contre cette sentence du destin, il ne se contente pas de la satisfaction de son ambition personnelle, il veut être le fondateur d'une dynastie et ne pas avoir été meurtrier au profit d'étrangers. On laisse ce point dans l'ombre si l'on ne veut voir dans la pièce de Shakespeare que la tragédie de l'ambition. Il est clair que, Macbeth ne pouvant vivre lui-même éternellement, il n'y a pour lui qu'une voie pour infirmer la partie de la prophétie qui lui est contraire : avoir lui-même des enfants qui puissent lui succéder. Aussi bien semble-t-il en attendre de sa robuste femme. (Acte I, scène 7 :) 376

> N'engendre que des enfants hommes!
> Car ton esprit indompté ne doit composer jamais
> Rien que des mâles!. . . . .

Il est non moins clair qu'une fois déçu dans cette attente, il doit se soumettre au destin ou bien alors ses actes manquent leur but et perdent leur sens, et se transforment en la rage aveugle de celui qui est condamné à disparaître, mais veut encore auparavant anéantir ce qu'il peut atteindre. Nous voyons Macbeth suivre cette évolution et au sommet de la tragédie nous trouvons la bouleversante exclamation, déjà souvent considérée comme susceptible de nombreuses interprétations et qui pourrait donner la clé de la transformation de Macbeth, l'exclamation de Macduff. (Acte IV, scène 3 :)

Il n'a pas d'enfants.

Cela a certainement pour sens : « C'est seulement parce qu'il est lui-même sans enfants qu'il a pu assassiner mes enfants », mais cela peut également impliquer davantage et pourrait avant tout mettre à nu le mobile le plus profond qui tout à la fois pousse Macbeth à sortir de sa nature et touche au seul point faible du 377 caractère de cette femme dure. Si du point culminant que constituent ces paroles de Macduff on porte son regard à la ronde, on voit que la pièce tout entière est traversée de relations ayant trait au rapport père-enfants. Le meurtre du bon Duncan diffère peu d'un parricide; dans le cas de Banquo, Macbeth a tué le père, tandis que le fils lui échappe; pour ce qui est de Macduff, Macbeth tue les enfants parce que le père a pris la fuite. C'est un enfant sanglant et couronné que les sœurs fatales font apparaître à ses yeux dans la scène de l'évocation; la tête armée qui précède c'est sans doute Macbeth lui-même. Mais à l'arrière-plan se dresse la sombre silhouette de Macduff le vengeur, qui lui-même fait exception aux lois de la génération, puisqu'il n'a pas été enfanté par sa mère, mais séparé de son corps par une incision.

Il serait parfaitement conforme à l'esprit de la justice poétique fondée sur le talion que le fait pour Macbeth d'être sans enfants et pour sa femme d'être stérile soit la punition de leurs crimes envers la sainteté de la génération, que Macbeth ne puisse devenir père parce qu'il a ravi aux enfants leur père et au père ses enfants et que lady Macbeth se trouve ainsi privée de son sexe, ce dont elle avait adjuré les esprits du meurtre. Je crois qu'on comprendrait, sans chercher plus loin, la maladie de lady Macbeth, la transformation de son audace impie en remords, en y voyant une réaction à la stérilité, qui la convainc de son impuissance face aux décrets de la nature et lui rappelle en même temps que c'est par sa propre faute que son crime perd la meilleure partie du bénéfice qu'elle en attend.

Dans la chronique de Holinshed (1577), dans laquelle Shakespeare a puisé la matière de *Macbeth,* il n'est fait qu'une fois mention de lady Macbeth comme d'une ambitieuse qui excite son mari au meurtre pour devenir reine elle-même. Il n'est pas question de ses destinées ultérieures et d'une évolution de son caractère. Il semble par contre que la transformation du caractère de Macbeth en celui d'un enragé sanguinaire doive y être motivée comme nous venons d'essayer de le faire. Car chez 378 Holinshed, il s'écoule entre le meurtre de Duncan, qui fait de Macbeth un roi, et ses autres crimes, *dix années* durant lesquelles il se montre un souverain sévère mais juste. Ce n'est qu'après ce laps de temps qu'il se transforme, sous l'influence de la crainte torturante que la prophétie faite à Banquo puisse se réaliser aussi bien que celle concernant son propre destin. C'est alors seulement qu'il fait tuer Banquo et se trouve, comme chez Shakespeare, entraîné de crime en crime. Chez Holinshed il n'est pas non plus expressément dit que c'est de n'avoir pas d'enfants qui le pousse sur cette voie, mais cette motivation toute naturelle s'inscrit bien dans le temps et l'espace. Il en va autrement pour Shakespeare. Les événements de la tragédie défilent devant nous dans une hâte si fébrile que, d'après les indications fournies par les personnages de la pièce, on peut estimer que leur déroulement dure à peu près *une semaine* [1]. Cette pré-

1. J. Darmstetter (1881), LXXV.

cipitation prive de leur fondement toutes nos constructions quant à la motivation du retournement chez Macbeth et sa femme. Le temps manque dans les limites duquel une espérance d'enfants constamment déçue pourrait user la femme et entraîner l'homme à un défi furieux, et la contradiction demeure : quantité de subtils rapports à l'intérieur de la pièce, aussi bien qu'entre celle-ci et l'occasion qui l'a fait naître, tendent à converger dans le motif de l'absence d'enfants, tandis que l'économie temporelle de la tragédie exclut expressément une évolution des caractères à partir d'autres motifs que les motifs les plus internes.

Mais quels peuvent être ces motifs qui, en un temps si court, font de l'ambitieux craintif un forcené sans inhibition et de l'instigatrice à la trempe d'acier une malade écrasée de remords? Voilà ce qui, à mon avis, ne se laisse pas deviner. Je pense qu'il nous faut renoncer à percer la triple couche d'obscurité dans laquelle se condensent ici la mauvaise conservation du texte, l'in-
379 tention inconnue du poète, et le sens caché de la légende. Je ne saurais pas davantage admettre que l'on objecte que de telles recherches sont superflues au regard de l'effet grandiose de la tragédie sur le spectateur. Le poète peut certes nous subjuguer par son art au cours de la représentation, et paralyser ainsi notre pensée, mais il ne peut nous empêcher de nous efforcer après coup de comprendre cet effet à partir de son mécanisme psychologique. Me paraît également déplacée la remarque selon laquelle le poète aurait toute liberté de raccourcir à son gré le temps réel du déroulement des événements qu'il représente, s'il peut, en sacrifiant l'ordinaire vraisemblance, obtenir un renforcement de l'effet dramatique. Car après tout un tel sacrifice n'est justifié que là où il

ne trouble que la vraisemblance [1], mais non quand il supprime l'enchaînement causal, et l'effet dramatique n'aurait guère subi de dommage si l'écoulement du temps était resté indéterminé, au lieu d'être, par suite de déclarations explicites, réduit à peu de jours.

Il en coûte tant de laisser un problème comme celui de *Macbeth,* faute de pouvoir le résoudre, que je me risque encore à ajouter une remarque qui indique une nouvelle issue. Dans une étude récente sur Shakespeare [a], Ludwig Jekels a cru deviner une partie de la technique du poète, qui pourrait s'appliquer également à Macbeth. Il pense que Shakespeare scinde fréquemment un caractère en deux personnages dont chacun paraît imparfaitement compréhensible aussi longtemps qu'on ne l'a pas réuni à l'autre pour reconstituer l'unité. Il pourrait en être ainsi de Macbeth et de lady Macbeth, et en ce cas cela ne conduirait naturellement à rien de vouloir considérer celle-ci comme un personnage autonome et de rechercher les mobiles de sa transformation, sans tenir compte de Macbeth, son complément. Je ne m'engagerai pas davantage sur cette piste, mais je veux pourtant indiquer quelque chose qui appuie cette thèse de façon très frappante : les germes d'angoisse qui commencent à poindre en Macbeth la nuit du meurtre parviennent à leur développement, non pas en lui, mais en sa femme [2]. C'est lui qui, avant l'action, a eu l'hallucination du

380

1. Comme quand Richard III demande Anne en mariage, devant le cercueil découvert du roi qu'il a assassiné.

2. Voir Darmstetter à l'endroit cité (p. LXXV).

a. Elle ne semble pas avoir été publiée. Dans un article ultérieur sur Macbeth, Jekels (1917) se réfère à peine à cette théorie, mis à part la citation du présent paragraphe. Dans un article encore plus tardif sur « La psychologie de la comédie », Jekels (1926) revient sur le sujet, mais de nouveau très brièvement.

poignard, mais c'est elle qui plus tard succombe à la maladie mentale; après le meurtre il a entendu crier dans la maison : « Ne dormez plus, Macbeth assassine le sommeil et donc Macbeth ne doit plus dormir », mais nous n'entendons absolument pas dire que le roi Macbeth ne dorme plus, alors que nous voyons la reine se lever dans son sommeil et, somnambule, trahir sa faute; il était là désemparé, les mains pleines de sang et se plaignait que toutes les eaux du dieu des mers ne puissent laver sa main de sa souillure; elle le consolait alors : « Un peu d'eau nous lavera de cette action », mais c'est elle maintenant qui se lave les mains un quart d'heure durant et ne peut faire disparaître la tache de sang : « Tous les parfums de l'Arabie n'adouciraient pas cette petite main » (acte V, scène 1). Ainsi se réalise en elle ce qu'il avait redouté dans l'angoisse de sa conscience : elle devient le remords après l'acte, il devient le défi; ils épuisent à eux deux les possibilités de réaction au crime, comme deux parties distinctes d'une seule et unique individualité psychique, copie peut-être d'un seul et unique modèle.

Si en présence de la figure de lady Macbeth nous n'avons pu répondre à la question de savoir pourquoi elle s'effondre, malade, après le succès, la chance nous sourira peut-être davantage avec la création d'un autre grand dramaturge qui se plaît à poursuivre, avec une rigueur inflexible, son travail de justification psychologique.

Rébecca Gamvik, fille d'une sage-femme, a été élevée par son père adoptif, le docteur West, en libre-penseuse et en contemptrice des chaînes que voudrait imposer aux 381 désirs de vie une morale fondée sur la croyance religieuse. Après la mort du docteur elle obtient d'être admise à

Rosmersholm, résidence de famille d'une antique race dont les membres ne connaissent pas le rire et ont sacrifié la joie à l'accomplissement rigide du devoir. À Rosmersholm, demeurent le pasteur Johannes Rosmer et sa femme Beate, maladive et sans enfant. Saisie « du désir sauvage et insurmontable[a] » de gagner l'amour de ce noble, Rébecca décide d'évincer la femme qui lui barre la route, et se sert à cet effet de sa volonté « libre, fière et hardie », qu'aucun scrupule n'entrave. Elle glisse dans les mains de l'épouse un livre de médecine dans lequel la procréation est présentée comme le but du mariage, si bien que la malheureuse doute de la justification de son propre mariage; elle laisse entendre que Rosmer, dont elle partage les lectures et les pensées, est sur le point de se libérer de l'ancienne croyance et de prendre le parti des lumières, et après avoir ainsi ébranlé la confiance de la femme en l'intégrité morale de son mari, elle finit par lui donner à comprendre qu'elle-même, Rébecca, quittera bientôt la maison pour dissimuler les suites d'un commerce illicite avec Rosmer. Le plan criminel réussit. La pauvre femme, déjà considérée comme mélancolique et irresponsable, se jette à l'eau de la passerelle d'un moulin, persuadée de sa propre indignité et désireuse de ne pas faire obstacle au bonheur de l'homme qu'elle aime.

Ainsi, depuis des années, Rébecca et Rosmer vivent seuls à Rosmersholm dans une relation que, lui, veut considérer comme une amitié purement spirituelle et idéale. Mais lorsque du dehors les premières ombres de la médisance tombent sur cette relation, et qu'en même

a. Les citations de *Rosmersholm* sont empruntées à la traduction du comte Prozor (Librairie académique Perrin).

temps s'éveillent chez Rosmer des doutes torturants quant aux motifs pour lesquels sa femme s'est donné la mort, il demande à Rébecca de devenir sa deuxième femme pour pouvoir opposer au triste passé une réalité nouvelle et vivante. (Acte II.) Un instant, elle jubile à cette proposition, mais aussitôt après elle déclare que c'est impos- 382 sible et que s'il la pressait davantage elle prendrait « le même chemin que Beate ». Rosmer prend acte de ce refus sans le comprendre, mais il est encore plus incompréhensible pour nous qui en savons davantage sur les agissements et les intentions de Rébecca. Tout ce que nous pouvons faire c'est de ne pas douter que son non soit sérieux.

Comment a-t-il pu se faire que l'aventurière à la volonté « libre, fière et hardie », qui sans aucun scrupule s'est frayé un chemin vers la réalisation de ses désirs, ne veuille plus maintenant saisir ce qui lui est offert, cueillir le fruit du succès? Elle nous donne elle-même l'explication au quatrième acte : « Ce qu'il y a d'horrible c'est que le bonheur est là, la vie m'offre toutes ses joies, et moi, telle que je suis maintenant, je me sens arrêtée par mon propre passé. » Elle est donc entretemps devenue une autre, sa conscience morale s'est éveillée, elle a acquis une conscience de culpabilité, qui la frustre de la jouissance.

Et par quoi sa conscience a-t-elle été éveillée? Entendons-la elle-même et demandons-nous si nous pouvons pleinement la croire : « C'est l'esprit des Rosmer, le tien en tout cas, qui a été contagieux pour ma volonté... Et qui l'a rendue malade. Elle a été pliée sous des lois qui lui étaient étrangères. Comprends-tu? La vie à tes côtés a ennobli mon être. »

Cette influence, il faut le supposer, n'a commencé à

se faire sentir que lorsqu'il lui a été donné de vivre seule avec Rosmer : « Dans le calme, dans la solitude, confidente absolue de toutes tes pensées, de toutes tes impressions, telles que tu les ressentais, délicates et fines, alors s'est accomplie la grande transformation. »

Peu avant elle avait déploré l'autre aspect de cette transformation : « Parce que Rosmersholm m'a énervée. Il a mutilé ma force et ma volonté. Il m'a abîmée! Le temps est passé où j'aurais pu oser n'importe quoi. J'ai perdu la faculté d'agir, entends-tu, Rosmer. »

Rébecca donne cette explication après s'être révélée criminelle par sa confession volontaire à Rosmer et au recteur Kroll, frère de la femme qu'elle a évincée. Par petits traits d'une finesse magistrale, Ibsen a établi que cette Rébecca ne ment pas mais qu'elle n'est jamais non plus tout à fait sincère. De même que, malgré son indépendance face aux préjugés, elle s'est rajeunie d'un an, de même la confession qu'elle fait aux deux hommes présente des lacunes et n'est complétée sur quelques points importants que sous la pression de Kroll. Nous aussi restons libres d'admettre que l'explication de son renoncement ne révèle une chose que pour en taire une autre. 383

Certes, nous n'avons aucune raison de mettre en doute son témoignage quand elle déclare que l'air de Rosmersholm et ses relations avec ce noble Rosmer ont eu sur elle une action ennoblissante et... paralysante. Par là, elle dit ce qu'elle sait et ce qu'elle a éprouvé. Mais ce n'est pas forcément tout ce qui s'est passé en elle; elle ne s'est pas non plus nécessairement rendu compte de tout. L'influence de Rosmer pourrait aussi n'être qu'un paravent, derrière lequel se dissimulent d'autres causes, et c'est dans cette autre direction que nous oriente un trait remarquable.

Même après sa confession, dans le dernier entretien qui clôt la pièce, Rosmer lui demande une fois encore d'être sa femme. Il lui pardonne le mal qu'elle a fait par amour pour lui. Et elle ne répond pas alors, comme elle le devrait, qu'aucun pardon ne saurait la délivrer du sentiment de culpabilité qu'elle s'est acquis en trompant perfidement la pauvre Beate, mais au contraire elle se charge d'un autre reproche qui ne manque pas de nous dérouter de la part de cette libre-penseuse et qui ne mérite aucunement la place que lui accorde Rébecca : « Oh, mon ami, ne m'en parle plus! C'est impossible! C'est que..., il faut que tu le saches, Rosmer, j'ai un passé derrière moi. » Elle veut naturellement faire entendre qu'elle a eu des rapports sexuels avec un autre homme, 384 et nous remarquerons que ces rapports, survenus en un temps où elle était libre et n'était responsable envers personne, lui paraissent un obstacle plus sérieux à une union avec Rosmer que sa conduite vraiment criminelle envers la femme de celui-ci.

Rosmer refuse d'entendre parler de ce passé. Nous pouvons, nous, le deviner, bien que tout ce qui s'y rapporte reste dans la pièce comme souterrain et doive être trouvé par déduction, dans des allusions – allusions introduites, à vrai dire, avec un tel art qu'il est impossible de ne pas les comprendre.

Entre le premier refus de Rébecca et sa confession, il se passe quelque chose d'une importance déterminante pour sa destinée ultérieure. Le recteur Kroll vient la voir pour l'humilier, en lui révélant qu'il sait qu'elle est une enfant illégitime, la fille justement de ce docteur West qui l'a adoptée après la mort de sa mère. La haine a aiguisé son flair, mais il ne pense pas lui apprendre par là rien de nouveau. « Je croyais vraiment que vous étiez au fait. Il serait étrange, sans cela, que vous vous fussiez laissé adopter par le docteur West... Aussitôt après la mort de votre mère, il vous accueille; il vous traite durement, et malgré cela vous restez auprès de lui. Vous savez qu'il ne vous laissera pas un sou. Pour tout héritage, vous avez eu, je crois, une caisse remplie de livres. Et cependant vous restez chez lui, vous supportez tout et vous le soignez jusqu'à la fin... Tout ce que vous avez fait pour lui, je l'attribue à un instinct filial inconscient : j'estime, au surplus, que, pour expliquer toute votre conduite, il faut remonter jusqu'à votre origine. »

Mais Kroll était dans l'erreur. Rébecca ignorait totalement qu'elle pût être la fille du docteur West. Lorsque Kroll a commencé à faire d'obscures allusions à son passé, elle supposait nécessairement qu'il pensait à autre chose. Après avoir compris à quoi il se réfère, elle peut conserver son sang-froid, un moment encore, car elle est en droit de croire que son ennemi fonde ses calculs sur [385] son âge, cet âge qu'elle a falsifié lors d'une précédente visite. Mais après que Kroll a réfuté victorieusement cette objection : « C'est bien possible. Mais le calcul pourrait bien se trouver juste tout de même; c'est que le docteur West a fait une courte visite dans ces parages, l'année qui a précédé sa nomination », après cette déclaration elle perd tout contrôle. « Ce n'est pas vrai!... » Elle va et vient en se tordant les mains : « C'est impossible. Vous voulez m'en imposer. Ce n'est pas vrai! C'est faux! Cela ne se peut pas! Jamais, jamais!... » Son saisissement est si grand que Kroll ne parvient pas à la ramener à ce qu'il vient de déclarer.

KROLL : Voyons, ma chère amie, pourquoi le prendre ainsi, grand Dieu! Vous m'effrayez, vraiment! Que dois-je croire? Que dois-je penser?

RÉBECCA : Rien. Vous n'avez rien à croire, rien à penser.

KROLL : Expliquez-moi alors comment il se fait que vous preniez cette chose, cette possibilité tellement à cœur.

RÉBECCA, *reprenant contenance* : C'est assez clair, me semble-t-il, monsieur le recteur. Je n'ai pourtant pas envie de passer ici pour une enfant illégitime.

L'énigme du comportement de Rébecca ne laisse la place qu'à une solution. La révélation que le docteur West peut être son père est le coup le plus dur qui puisse lui être porté, car elle n'était pas seulement la fille adoptive, mais aussi la maîtresse de cet homme. Lorsque Kroll a commencé à parler, elle pensait qu'il voulait faire allusion à ces rapports qu'elle aurait certainement avoués, en s'autorisant de sa liberté de pensée. Mais le recteur était loin de penser à cela; il ne savait rien de cette relation amoureuse avec le docteur West, tout comme elle ne savait rien de la paternité de celui-ci. Elle ne peut rien avoir d'autre en tête que cette relation amoureuse quand elle prend pour prétexte du dernier refus qu'elle oppose à Rosmer qu'elle aurait un passé la rendant indigne de devenir sa femme. Sans doute si Rosmer avait voulu qu'elle parle, elle ne lui aurait alors révélé que la moitié de son secret dont elle aurait tu la part la plus lourde.

386 Mais nous comprenons certes maintenant que ce passé lui semble le plus grand obstacle à la conclusion de son mariage, le plus grand... crime.

Après avoir appris qu'elle a été la maîtresse de son propre père, elle s'abandonne au sentiment de culpabilité tout-puissant qui l'envahit. Elle fait à Rosmer et à Kroll l'aveu par lequel elle s'authentifie comme meurtrière, elle renonce définitivement au bonheur dont elle s'était frayé la voie par le crime, et se prépare à partir. Mais le véritable motif de sa conscience de culpabilité qui la fait échouer en raison du succès, reste secret. Nous avons vu que c'est encore tout autre chose que l'atmosphère de Rosmersholm et l'influence moralisante de Rosmer.

Celui qui nous aura suivi jusqu'ici ne manquera pas maintenant de soulever une objection qui justifiera alors plus d'un doute. Le premier refus que Rébecca oppose à Rosmer n'a-t-il pas lieu avant la deuxième visite de Kroll, donc avant la révélation de sa naissance illégitime et à un moment où elle ne sait rien de son inceste – si nous avons bien compris l'écrivain. Et pourtant ce refus est énergique et sincère. La conscience de culpabilité qui la fait renoncer au bénéfice de ses actes est donc déjà opérante avant qu'elle ait connaissance de son crime capital et si nous allons aussi loin dans la concession, il nous faut peut-être renoncer purement et simplement à l'inceste en tant que source de la conscience de culpabilité.

Nous avons jusqu'ici traité Rébecca West comme si elle était une personne vivante et non une création de l'imagination de l'écrivain Ibsen, imagination dirigée par la raison la plus critique. C'est en nous en tenant à ce point de vue que nous voudrions tenter de répondre à l'objection. L'objection est juste, une part de la conscience de Rébecca s'était éveillée avant même qu'elle ait connaissance de l'inceste. Rien n'empêche de rendre responsable de ce changement l'influence que Rébecca, elle-même, 387 reconnaît et accuse. Mais cela ne nous dispense pas de reconnaître le deuxième motif. Le comportement de Rébecca lors de la révélation du recteur, la réaction qui suit immédiatement, sous la forme de son aveu, ne permettent pas de douter que c'est maintenant seulement qu'intervient le motif de renoncement le plus fort, celui qui est déterminant. Il s'agit précisément d'un cas de motivation multiple, dans lequel, derrière le motif superficiel, en apparaît un autre plus profond. Des impératifs d'économie poétique imposèrent de représenter le cas sous cette forme, car ce motif plus profond ne pouvait être discuté ouvertement, il fallait qu'il restât caché, soustrait à la perception confortable de l'auditeur de théâtre ou du lecteur, sinon se seraient produites chez celui-ci de fortes résistances fondées sur les sentiments les plus pénibles, et susceptibles de compromettre l'effet du drame.

Mais nous sommes en droit d'exiger que le motif mis en avant ne soit pas sans lien intime avec celui qu'il recouvre et se révèle au contraire être une atténuation et une dérivation de ce dernier. Et s'il nous est permis de faire confiance au créateur dont la construction poétique consciente est née de données inconscientes, nous pouvons aussi essayer de montrer qu'il a satisfait à cette exigence. La conscience de culpabilité de Rébecca tire sa source du reproche d'inceste, avant même que le recteur, avec une acuité analytique, lui en ait fait prendre conscience. Si nous reconstruisons en détail et complétons le passé de Rébecca, allusivement évoqué par l'auteur, nous dirons qu'elle ne peut pas ne pas s'être doutée des rapports intimes entre sa mère et le docteur West. Cela ne manqua pas de lui faire une forte impression quand elle succéda à sa mère auprès de cet homme, et elle se trouva sous la domination du complexe d'Œdipe, même sans savoir que ce fantasme universel était, dans son cas, devenu réalité. Lorsqu'elle arriva à Rosmersholm, la force interne 388 de cette première expérience la poussa à susciter, par une action énergique, la même situation que celle qui s'était réalisée la première fois sans qu'elle y fût pour rien : écarter la femme et mère pour prendre sa place auprès de l'homme et père. Elle décrit avec une insistance convaincante comment elle fut contrainte malgré elle, pas à pas, d'écarter Beate.

> « Mais vous croyez donc que j'agissais avec une préméditation froide et raisonnée! Ah! Je n'étais pas alors telle que vous me voyez en ce moment où je vous raconte tout. Et puis, n'y a-t-il donc pas dans tout être deux sortes de volontés? Je voulais écarter Beate, l'écarter d'une façon ou d'une autre. Et pourtant je ne pouvais croire que les choses en viendraient là. À chaque pas que je tentais, que je hasardais en avant, j'entendais une voix intérieure qui me criait : Tu n'iras pas plus loin! Pas un pas de plus! Et néanmoins je ne *pouvais* pas m'arrêter. Je *devais* continuer encore, quelques pas seulement. Rien qu'un pas, un seul. Et puis encore un et encore un. Et tout a été consommé! C'est ainsi que ces choses-là se passent. »

Elle n'embellit pas les faits, elle en rend compte exactement. Tout ce qui lui arrive à Rosmersholm, son amour pour Rosmer et son hostilité envers sa femme étaient la conséquence du complexe d'Œdipe, la reproduction imposée de sa relation à sa mère et au docteur West.

Et c'est pourquoi le sentiment de culpabilité qui lui fait repousser d'abord la demande de Rosmer n'est au fond pas différent de celui plus fort qui la contraint à l'aveu après la révélation de Kroll. Mais, de même que sous l'influence du docteur West elle était devenue une libre-penseuse et une contemptrice de la morale religieuse, de même son amour pour Rosmer l'a transformée en un être épris de conscience et de noblesse. Sa connaissance de ses processus internes va jusque-là, aussi peut-elle avec raison désigner l'influence de Rosmer comme le motif, devenu accessible à sa conscience, de son changement.

Le médecin faisant un travail psychanalytique sait avec quelle fréquence ou avec quelle constance la jeune fille qui entre dans une maison, comme servante, dame de 389 compagnie, éducatrice, y élabore au fil des jours, consciemment ou inconsciemment, le rêve diurne dont le contenu est emprunté au complexe d'Œdipe et au terme duquel la maîtresse de maison doit, d'une façon ou d'une autre, disparaître et le maître de maison la prendre pour femme à sa place [a]. *Rosmersholm* est le chef-d'œuvre du genre qui traite de ce fantasme quotidien des jeunes filles. C'est une grande œuvre tragique du fait qu'en outre, dans la préhistoire de l'héroïne, le rêve diurne est précédé d'une réalité exactement correspondante [1].

Après ce long séjour dans la création littéraire, revenons maintenant à l'expérience des médecins. Mais seulement pour constater en peu de mots leur concordance totale. Le travail psychanalytique apprend que les forces de la conscience morale par lesquelles nous devenons malades du fait du succès, comme on le devient ordinairement du fait de la frustration, dépendent intimement, comme peut-être toute notre conscience de culpabilité, du complexe d'Œdipe, du rapport au père et à la mère [b].

1. La présence du thème de l'inceste dans *Rosmersholm* a déjà été démontrée par les mêmes moyens que moi, dans le travail infiniment riche d'O. Rank, *Le motif de l'inceste dans la poésie et la légende,* 1912.

a. Cf. le cas de Lucy R. dans les *Études sur l'hystérie* (1895*d*).

b. Quelque vingt ans plus tard, décrivant dans sa « Lettre ouverte à Romain Rolland » sa première visite de l'Acropole d'Athènes (1936*a*), Freud rapproche le sentiment de ce qui est « trop beau pour être vrai » de la situation analysée dans le présent essai.

III

Les criminels par conscience de culpabilité

En me parlant après coup de leur jeunesse et en particulier des années de leur prépuberté, des personnes très honorables m'ont souvent rapporté qu'elles s'étaient alors rendues coupables d'actions illicites, vols, tromperies, voire incendies volontaires. J'avais coutume de ne pas m'attarder à ces déclarations, sachant que la faiblesse des inhibitions morales à cette époque de la vie est bien connue, et je n'essayais pas de les faire rentrer dans un ensemble plus significatif. Mais finalement, des cas aveuglants et plus favorables dans lesquels de tels délits s'étaient produits, les malades étant en traitement avec moi et s'agissant de personnes ayant ces jeunes années derrière elles, m'ont conduit à une étude plus approfondie 390 de semblables incidents. Le travail psychanalytique aboutit alors à ce résultat surprenant que de tels actes avaient été commis avant tout parce qu'ils étaient interdits et parce que leur accomplissement était, pour leur auteur, lié à un soulagement psychique. Il souffrait d'une oppressante conscience de culpabilité d'origine inconnue et après l'accomplissement du délit la pression était diminuée. La conscience de culpabilité était tout au moins, d'une façon ou d'une autre, localisée.

Aussi paradoxal que cela soit, il me faut affirmer que la conscience de culpabilité était là avant le délit, qu'elle n'a pas résulté de celui-ci, mais au contraire que c'est le délit qui a résulté de la conscience de culpabilité. Nous pouvions à bon droit désigner ces personnes comme criminels par conscience de culpabilité. La préexistence du sentiment de culpabilité avait naturellement pu être démontrée par toute une série d'autres manifestations et effets.

Mais la constatation d'un fait curieux n'est pas le but du travail scientifique. Il reste à répondre à deux questions : d'où provient l'obscur sentiment de culpabilité antérieur à l'acte? est-il vraisemblable qu'un tel type de détermination joue un rôle notable dans les crimes des hommes?

En s'attachant à la première question, on espérait être renseigné sur la source du sentiment de culpabilité des êtres humains en général. Au terme du travail psychanalytique, il s'avérait régulièrement que cet obscur sentiment de culpabilité provient du complexe d'Œdipe, est une réaction aux deux grands desseins criminels, tuer son père et avoir des rapports sexuels avec sa mère. Comparés à ces deux desseins, les crimes commis pour obtenir une fixation du sentiment de culpabilité étaient assurément des soulagements pour l'homme tourmenté. Il faut ici se rappeler que le meurtre du père et l'inceste maternel sont les deux grands crimes des hommes, les seuls qui dans les sociétés primitives aient été poursuivis et exécrés comme tels. Il faut également se rappeler comment, du fait d'autres recherches, nous avons été près d'admettre que la conscience morale, qui se présente maintenant comme une force psychique héréditaire, a été acquise par l'humanité grâce au *complexe d'Œdipe*.

391

La réponse à la seconde question sort du travail psychanalytique. Chez les enfants on peut, sans aller plus loin, observer qu'ils deviennent « méchants » pour provoquer la punition et sont après le châtiment calmés et satisfaits. Une recherche analytique ultérieure met souvent sur la trace du sentiment de culpabilité qui leur a fait rechercher la punition. Des criminels adultes, il faut certes retrancher tous ceux qui commettent des crimes sans éprouver de sentiment de culpabilité, ceux qui ou bien n'ont développé aucune inhibition morale ou bien se croient autorisés à agir comme ils le font dans leur lutte contre la société. Mais chez la plupart des autres criminels, ceux, proprement, pour lesquels sont faites les lois pénales, une telle motivation du crime pourrait très bien être prise en considération, éclairer plus d'un point obscur de la psychologie du criminel et donner à la peine un nouveau fondement psychologique.

Un ami m'a fait ultérieurement remarquer que le « criminel par sentiment de culpabilité » était également connu de Nietzsche. La préexistence du sentiment de culpabilité et sa rationalisation par le recours à l'acte, transparaissent dans les discours [a] de *Zarathoustra* « Du pâle criminel ». Remettons-nous-en à la recherche future du soin de décider combien de criminels sont à compter parmi ces « pâles » criminels.

a. Dans les éditions antérieures à 1924 : « discours obscurs ». – Une allusion à la conception de la conscience de culpabilité comme motif de crimes peut déjà être trouvée dans l'histoire de cas du « Petit Hans » (1909*b*), tout comme dans celle de l'« Homme aux loups » (1918*b*), qui, bien que publiée après le présent article, était en fait presque entièrement écrite l'année précédente. Dans ce dernier passage, le masochisme est introduit comme facteur de complication.

UNE DIFFICULTÉ DE LA PSYCHANALYSE

Note liminaire

EINE SCHWIERIGKEIT DER PSYCHOANALYSE [1917*a*]

Édition hongroise

1917 *Nyugat,* Budapest, 10 (1). Traduit de l'allemand.

Éditions allemandes

1917 *Imago,* 5 (1).
1918 *Sammlung kleiner Schriften zur Neurosenlehre,* tome 4 (seconde édition, 1922).
1924 *Gesammelte Schriften,* tome 10.
1947 *Gesammelte Werke,* tome 12.

Traduction anglaise :

1955 *« A Difficulty in the Path of Psycho-Analysis »,* traduit par James Strachey, *Standard Edition,* tome 17.

Un homme de lettres hongrois, H. Ignotus, invita Freud à donner un article au périodique *Nyugat* dont il était l'éditeur. Freud lui adressa le texte qui suit.

L'article, écrit à la fin de 1916, fut d'abord publié dans une traduction hongroise, sous le titre de *« A pszihoanalizis egy nehézségéröl »*, dans les premiers jours de 1917. *Imago* publia le texte original deux ou trois mois plus tard.

Freud revint au même sujet des « trois atteintes portées au narcissisme humain » à la fin de la XVIIIe des *Conférences d'introduction à la psychanalyse* (1916-1917).

G.W., XII, 3

Je tiens à dire d'emblée que je ne pense pas à une difficulté intellectuelle, quelque chose qui rendrait la psychanalyse inaccessible à la compréhension de son destinataire (qu'il soit auditeur ou lecteur), mais à une difficulté affective : quelque chose par quoi la psychanalyse s'aliène les sentiments de son destinataire, de sorte que celui-ci est moins enclin à lui accorder son intérêt ou sa foi. Comme on le voit, les deux sortes de difficultés conduisent au même résultat. Quiconque n'a pas suffisamment de sympathie en réserve pour une chose aura également du mal à la comprendre.

Par égard pour le lecteur, dont j'imagine pour l'instant qu'il n'a rien à faire avec la psychanalyse, il faut que je remonte un peu plus loin. À partir d'un grand nombre d'observations fragmentaires et d'impressions, il a fini par se constituer en psychanalyse quelque chose comme une théorie, qui est connue sous le nom de théorie de la libido. Il est connu que la psychanalyse s'occupe d'élucider et d'éliminer ce qu'on appelle les troubles nerveux. Pour aborder ce problème, il a fallu trouver un point d'application, et l'on s'est décidé à le chercher dans la vie pulsionnelle de l'âme. Ce sont donc des

4

hypothèses sur la vie pulsionnelle de l'homme qui ont constitué le fondement de notre conception de la nervosité.

La psychologie qui est enseignée dans nos écoles ne nous fournit que des réponses très peu satisfaisantes quand nous l'interrogeons sur les problèmes de la vie psychique. Mais il n'est pas de domaine où ses informations soient plus indigentes que celui des pulsions.

La voie par laquelle nous pourrions sur ce point mettre en place une première orientation est laissée à notre discrétion. La conception populaire distingue la faim et l'amour comme représentants [*Vertreter*] des pulsions qui tendent à conserver l'individu et de celles qui tendent à le reproduire. Nous ralliant à cette distinction qui tombe sous le sens, nous distinguons également en psychanalyse les pulsions d'autoconservation ou pulsions du moi des pulsions sexuelles, et nous appelons la force par laquelle la pulsion sexuelle se manifeste dans la vie psychique, *libido* – demande sexuelle –, où nous voyons quelque chose d'analogue à la faim, à la volonté de puissance, etc., du côté des pulsions du moi.

Sur le terrain de cette hypothèse, nous faisons alors la première découverte importante. Nous apprenons que les pulsions sexuelles sont le facteur de loin le plus important pour la compréhension des affections névrotiques, que les névroses sont pour ainsi dire les affections spécifiques de la fonction sexuelle. Que le fait qu'un homme soit atteint ou non d'une névrose dépend de la quantité de la libido et de la possibilité de la satisfaire et de la décharger par la satisfaction. Que la forme de l'affection est déterminée par la manière dont l'individu a parcouru le chemin de l'évolution de la fonction sexuelle, ou, comme nous disons, par les fixations que sa libido a subies au cours de son évolution. Et que nous avons, en une certaine technique d'influence psychique, technique qui n'est pas très simple, un moyen tout à la fois d'élucider et d'annuler un bon nombre de groupes de névroses. Notre effort thérapeutique donne les meilleurs résultats pour une certaine classe de névroses, qui proviennent du conflit entre les pulsions du moi et les pulsions sexuelles. Il arrive en effet chez l'homme que les exigences des pulsions sexuelles, qui débordent de fait largement l'individu, apparaissent au moi comme un danger qui menace son autoconservation ou l'estime qu'il a de soi. Alors le moi se met sur la défensive, il refuse aux pulsions sexuelles la satisfaction souhaitée, et les contraint aux détours d'une satisfaction substitutive qui viennent au jour comme symptômes nerveux.

La thérapie psychanalytique parvient alors à soumettre à révision le processus du refoulement et à diriger le conflit vers un dénouement meilleur et compatible avec la santé. Des adversaires peu avisés nous reprochent alors de prendre en compte les pulsions sexuelles de manière unilatérale : l'homme aurait tout de même d'autres intérêts que sexuels. Mais cela, nous ne l'avons pas oublié ni dénié un seul instant. L'unilatéralité de notre position est semblable à celle du chimiste qui ramène toutes les combinaisons à la force de l'attraction chimique. Il ne nie pas pour autant la force de la pesanteur, il laisse au physicien le soin de l'évaluer.

Au cours du travail thérapeutique, nous devons nous préoccuper de la répartition de la libido chez le malade, nous recherchons à quelles représentations d'objets sa libido est liée, et nous la libérons pour la mettre à la disposition du moi. Ce faisant, nous en sommes arrivés à nous faire de la répartition initiale, originaire de la libido chez l'homme une image très singulière. Il nous a fallu faire l'hypothèse qu'au début de l'évolution individuelle, toute la libido (toutes les aspirations érotiques, toute la capacité d'amour) est attachée à la personne propre, qu'elle investit, comme nous disons, le moi propre. C'est seulement plus tard, par étayage sur la satisfaction des grands besoins vitaux, qu'il arrive que la libido s'épanche du moi vers les objets extérieurs, à partir de quoi seulement nous sommes en mesure de reconnaître les pulsions libidinales en tant que telles et de les distinguer des pulsions du moi. La libido peut à nouveau se détacher de ces objets et se retirer dans le moi.

6 L'état dans lequel le moi garde la libido auprès de lui-même, nous l'appelons *narcissisme,* en souvenir de la légende grecque de l'adolescent Narcisse, resté amoureux de sa propre image en miroir.

Nous attribuons donc à l'individu un progrès qui le fait passer du narcissisme à l'amour d'objet. Mais nous ne croyons pas que la libido du moi soit jamais transférée aux objets dans sa totalité. Une certaine quantité de libido demeure toujours auprès du moi, une certaine dose de narcissisme se perpétue en dépit d'un amour d'objet hautement développé. Le moi est un grand réservoir à partir duquel la libido destinée aux objets se répand, et vers lequel elle reflue à partir des objets. La libido d'objet a commencé par être libido du moi et elle peut se transmuer à nouveau en libido du moi. Il est essentiel à la plénitude de la santé d'un individu que sa libido ne perde pas la plénitude de sa mobilité. Pour concrétiser ce rapport, pensons à un animalcule protoplasmique dont la substance liquide consistante émet des pseudopodes, des excroissances dans lesquelles la substance corporelle se prolonge, mais qui peuvent être résorbées à tout moment, de sorte que la forme de la petite masse protoplasmique se reconstitue.

Ce que j'ai cherché à décrire par ces indications est la *théorie libidinale* des névroses, sur laquelle se fondent toutes nos conceptions de l'essence de ces états pathologiques et notre méthode thérapeutique à leur encontre. Il va de soi que nous étendons la validité des présupposés de la théorie de la libido également au comportement normal. Nous parlons du narcissisme du petit enfant et nous attribuons au narcissisme excessif de l'homme primitif le fait qu'il croit à la toute-puissance de ses pensées et veut de ce fait influencer le cours des événements dans le monde extérieur par la technique de la magie.

Après cette introduction, je voudrais exposer que le narcissisme universel, l'amour-propre de l'humanité, a subi jusqu'à ce jour trois grandes vexations de la part de la recherche scientifique. 7

a) L'homme croyait au début de ses recherches, que son lieu de résidence, la Terre, se trouvait immobile au centre de l'univers, tandis que le Soleil, la Lune et les planètes se mouvaient autour de la Terre suivant des trajectoires circulaires. Ce faisant, il suivait sur un mode naïf l'impression de ses perceptions sensorielles, car il ne sent pas que la Terre se meut, et, où qu'il puisse promener librement son regard autour de lui, il se trouve au centre d'un cercle qui circonscrit le monde extérieur. La position centrale de la Terre lui garantissait d'ailleurs qu'elle avait dans l'univers un rôle dominant, et cela lui paraissait bien s'accorder avec son penchant à se ressentir comme le maître de ce monde.

La destruction de cette illusion narcissique se rattache pour nous au nom et à l'œuvre de Nicolas Copernic au

XVIe siècle. Longtemps avant lui, les Pythagoriciens avaient douté de la position privilégiée de la Terre, et Aristarque de Samos avait énoncé au IIIe siècle avant Jésus-Christ que la Terre était bien plus petite que le Soleil et qu'elle se mouvait autour de ce corps céleste. Même la grande découverte de Copernic avait donc déjà été faite avant lui. Mais lorsqu'elle fut reconnue de manière universelle, l'amour-propre humain avait subi là sa première vexation, la vexation *cosmologique*.

b) Au cours de son évolution culturelle, l'homme s'érigea en maître de ses co-créatures animales. Mais non content de cette hégémonie, il se mit à creuser un fossé entre leur essence et la sienne. Il leur dénia la raison et s'attribua une âme immortelle, allégua une origine divine élevée, qui permit de rompre le lien de communauté avec le monde animal. Il est remarquable que cette outrecuidance soit encore étrangère au petit enfant de même qu'à l'homme primitif et préhistorique. Elle est le résultat d'une évolution ultérieure prétentieuse. Au stade du totémisme, le primitif ne trouvait pas choquant de faire descendre sa lignée d'un ancêtre animal. Le mythe, qui renferme la cristallisation de cet antique mode de pensée, fait endosser aux dieux la forme d'animaux, et l'art des premiers temps façonne les dieux avec des têtes d'animaux. L'enfant ne ressent pas de différence entre sa propre essence et celle de l'animal ; dans le conte, il fait penser et parler les animaux sans s'étonner ; il déplace un affect d'angoisse qui vise le père humain sur un chien ou sur un cheval, sans intention de rabaisser par là son père. C'est seulement lorsqu'il sera devenu adulte qu'il se sentira si étranger à l'animal qu'il pourra injurier l'homme en invoquant le nom de l'animal.

Nous savons tous que les recherches de Charles Darwin, de ses collaborateurs et de ses précurseurs, ont mis fin il y a un peu plus d'un demi-siècle à cette présomption de l'homme. L'homme n'est rien d'autre ni rien de mieux que les animaux, il est lui-même issu de la série animale, apparenté de près à certaines espèces, de plus loin à d'autres. Ses acquisitions ultérieures ne sont pas parvenues à effacer les témoignages de cette équivalence, présents tant dans son anatomie que dans ses dispositions psychiques. Or c'est là la deuxième vexation pour le narcissisme humain, la vexation *biologique*.

c) Mais l'atteinte la plus douloureuse vient sans doute de la troisième vexation, qui est de nature psychologique.

L'homme, même s'il est ravalé à l'extérieur, se sent souverain dans son âme propre. Quelque part dans le noyau de son moi, il s'est créé un organe de surveillance, qui contrôle ses motions et actions propres, pour voir si elles concordent avec ses exigences. Si tel n'est pas le cas, elles sont impitoyablement inhibées et retirées. Sa perception interne, la conscience, tient le moi au courant de tous les processus importants qui se passent dans les rouages psychiques, et la volonté, guidée par ces informations, exécute ce que le moi ordonne, modifie ce qui voudrait s'accomplir de manière autonome. Car cette [9] âme n'est rien de simple, elle est plutôt une hiérarchie d'instances supérieures et subordonnées, un pêle-mêle d'impulsions qui poussent à l'action indépendamment les unes des autres, selon la multiplicité des pulsions et des relations au monde extérieur, dont beaucoup s'opposent les unes aux autres et sont incompatibles les unes avec les autres. Il est nécessaire au bon fonctionnement que l'instance suprême soit informée de tout ce qui se prépare, et que sa volonté puisse pénétrer partout pour exercer son influence. Or le moi se sent certain que ces informations sont complètes et sûres aussi bien que de la bonne transmission de ses ordres.

Dans certaines maladies, et justement, il est vrai, dans le cas des névroses que nous étudions, il en va autrement. Le moi se sent mal à l'aise, il rencontre des limites à son pouvoir à l'intérieur de sa propre maison, l'âme. Des pensées surgissent soudain dont on ne sait d'où elles viennent; et l'on ne peut rien faire pour les chasser. Ces hôtes étrangers semblent avoir eux-mêmes plus de pouvoir que ceux qui sont soumis au moi; ils résistent à tous les moyens par ailleurs éprouvés, par lesquels la volonté exerce son pouvoir, ne se laissent pas démonter par la réfutation logique, restent imperméables aux énoncés contraires de la réalité. Ou bien surviennent des impulsions qui ressemblent à celles d'un étranger, si bien que le moi les dénie, mais il ne peut s'empêcher de les redouter et de prendre à leur encontre des mesures préventives. Le moi se dit que c'est une maladie, une invasion étrangère, il accroît sa vigilance, mais il ne peut comprendre pourquoi il se sent si étrangement paralysé.

Il est vrai que la psychiatrie, dans de telles occurrences, conteste que des esprits malins étrangers aient pénétré dans la vie psychique; mais par ailleurs, elle se contente de hausser les épaules en disant : dégénérescence, disposition héréditaire, infériorité constitutionnelle! La psychanalyse, elle, entreprend d'élucider ces cas de maladie étranges [*unheimlich*], elle se lance dans des investigations minutieuses et de longue haleine, élabore des concepts auxiliaires et des constructions scientifiques, et elle peut
10 finalement dire au moi : « Rien d'étranger n'est entré en toi; c'est une partie de ta propre vie psychique qui s'est dérobée à ta connaissance et à la domination de ta volonté. C'est pourquoi d'ailleurs tu es si faible pour te

défendre; tu combats avec une partie de tes forces contre l'autre partie; tu ne peux pas mobiliser toutes tes forces comme contre un ennemi extérieur. Et ce n'est même pas la part la plus mauvaise ou la plus insignifiante de tes forces psychiques qui s'est ainsi opposée à toi et est devenue indépendante de toi. La responsabilité, je dois le dire, t'en incombe entièrement. Tu as surestimé tes forces quand tu as cru que tu pouvais faire de tes pulsions sexuelles ce que tu voulais, et que tu n'avais pas besoin de faire le moindre cas de leurs intentions. Alors elles se sont révoltées, et ont suivi leurs propres voies obscures pour échapper à la répression, elles se sont fait droit d'une manière qui ne peut plus te convenir. Comment elles y ont réussi, et par quelles routes elles ont cheminé, cela, tu ne l'as pas appris; c'est seulement le résultat de ce travail, le symptôme, que tu ressens comme souffrance, qui est parvenu à ta connaissance. Tu ne le reconnais pas alors comme un rejeton de tes propres pulsions réprouvées, et tu ne sais pas qu'il s'agit là de leur satisfaction substitutive.

« Mais ce qui rend tout ce processus possible, c'est seulement le fait que tu es également dans l'erreur sur un autre point important. Tu es assuré d'apprendre tout ce qui se passe dans ton âme, pourvu que ce soit assez important, parce que, alors, ta conscience te le signale. Et quand dans ton âme tu n'as reçu aucune nouvelle de quelque chose, tu admets en toute confiance que cela n'est pas contenu en elle. Davantage, tu vas jusqu'à tenir " psychique " pour identique à " conscient ", c'est-à-dire connu de toi, malgré les preuves les plus patentes que dans ta vie psychique, il doit en permanence se passer beaucoup plus de choses qu'il n'en peut accéder à ta conscience. Accepte donc sur ce point de te laisser ins-

truire! Le psychique en toi ne coïncide pas avec ce dont
11 tu es conscient; ce sont deux choses différentes, que quelque chose se passe dans ton âme, et que tu en sois par ailleurs informé. Je veux bien concéder qu'à l'ordinaire, le service de renseignements qui dessert ta conscience suffit à tes besoins. Tu peux te bercer de l'illusion que tu apprends tout ce qui revêt une certaine importance. Mais dans bien des cas, par exemple dans celui d'un conflit pulsionnel de ce genre, il est en panne, et alors, ta volonté ne va pas plus loin que ton savoir. Mais dans tous les cas, ces renseignements de ta conscience sont incomplets et souvent peu sûrs; par ailleurs, il arrive assez souvent que tu ne sois informé des événements que quand ils se sont déjà accomplis et que tu ne peux plus rien y changer. Qui saurait évaluer, même si tu n'es pas malade, tout ce qui s'agite dans ton âme et dont tu n'apprends rien, ou dont tu es mal informé? Tu te comportes comme un souverain absolu, qui se contente des renseignements que lui apportent les hauts fonctionnaires de sa cour, et qui ne descend pas dans la rue pour écouter la voix du peuple. Entre en toi-même, dans tes profondeurs, et apprends d'abord à te connaître, alors tu comprendras pourquoi tu dois devenir malade, et tu éviteras peut-être de le devenir. »

C'est ainsi que la psychanalyse a voulu instruire le moi. Mais ces deux élucidations, à savoir que la vie pulsionnelle de la sexualité en nous ne peut être domptée entièrement, et que les processus psychiques sont en eux-mêmes inconscients, ne sont accessibles au moi et ne sont soumis à celui-ci que par le biais d'une perception incomplète et peu sûre, reviennent à affirmer que le *moi n'est pas maître dans sa propre maison.* Elles représentent ensemble la troisième vexation infligée à l'amour-propre, celle que j'aimerais appeler la vexation *psychologique*. Rien d'étonnant de ce fait à ce que le moi n'accorde pas sa faveur à la psychanalyse et lui refuse obstinément tout crédit.

Très rares sont sans doute les hommes qui ont aperçu clairement les conséquences considérables du pas que constituerait pour la science et la vie l'hypothèse de processus psychiques inconscients. Mais hâtons-nous 12 d'ajouter que ce n'est pas la psychanalyse qui a été la première à faire ce pas. On peut citer comme précurseurs des philosophes de renom, au premier chef le grand penseur Schopenhauer, dont la « volonté » inconsciente peut être considérée comme l'équivalent des pulsions psychiques de la psychanalyse. C'est le même penseur du reste, qui, en des termes d'une vigueur inoubliable, a rappelé aux hommes l'importance encore sous-estimée de leurs aspirations sexuelles. La psychanalyse a pour seul privilège de ne pas se contenter d'affirmer abstraitement les deux thèses si pénibles pour le narcissisme de l'importance de la sexualité dans le psychisme et du caractère inconscient de la vie psychique, mais de les démontrer en s'appuyant sur un matériel qui concerne chaque individu personnellement, et qui le contraint à prendre position sur ces problèmes. Mais c'est justement pour cette raison qu'elle attire sur elle l'aversion et les résistances qui s'écartent encore avec effroi devant le grand nom du philosophe.

UN SOUVENIR D'ENFANCE
DE « POÉSIE ET VÉRITÉ »

Note liminaire

EINE KINDHEITSERINNERUNG
AUS *DICHTUNG UND WAHRHEIT* [1917*b*]

Éditions allemandes :

1917 *Imago,* tome 5 (2).
1918 *Sammlung kleiner Schriften zur Neurosenlehre,* tome 4 (seconde édition 1922).
1924 *Gesammelte Schriften,* tome 10.
1924 *Dichtung und Kunst.*
1947 *Gesammelte Werke,* tome 12.
1969 *Studienausgabe,* tome 10.

Traduction anglaise :

1955 « *A Childhood Recollection from* Dichtung und Wahrheit », traduit par James Strachey, *Standard Edition,* tome 17.

Paru dans la traduction Bonaparte-Marty sous le titre de « Un souvenir d'enfance dans *Fiction et Vérité,* de Goethe ».

Cette étude procède de deux communications faites par Freud devant la Société psychanalytique de Vienne, la première le 13 décembre 1916, la seconde le 18 avril 1917. Aucun compte rendu ne semble en avoir été rédigé; il manque en tout cas dans les *Minutes* de la Société.

L'article fut écrit en septembre 1917, dans le train qui ramenait Freud des Tatras, où il venait de passer ses vacances d'été, à son domicile viennois.

G.W., XII, 15

« Quand on veut se souvenir de ce qui nous est arrivé à l'époque la plus ancienne de notre enfance, on en vient souvent à confondre ce que nous avons entendu dire par des tiers avec ce qui est réellement acquis de par notre propre expérience visuelle. » Cette remarque est faite par Goethe dans l'une des premières pages de l'autobiographie qu'il a commencé à rédiger à l'âge de soixante ans. Elle n'est précédée que par quelques indications sur sa naissance qui a eu lieu « le 28 août 1749 sur le coup de midi ». La conjonction des astres lui était favorable, et fut sans doute cause qu'il soit resté en vie, car lorsqu'il vint au monde, on le donna « pour mort », et ce n'est que par de multiples efforts qu'on parvint à lui faire voir le jour. Cette remarque est suivie d'une brève évocation de la maison et de la pièce qui était le lieu de séjour préféré des enfants – lui et sa sœur cadette. Mais ensuite Goethe ne raconte à vrai dire qu'*un seul* événement qu'on puisse situer à l'« époque la plus ancienne de l'enfance » (avant quatre ans?), et dont il semble avoir conservé un souvenir personnel.

16

Voici ce qu'il en dit : « ...et trois frères von Ochsenstein, qui habitaient en face et qui étaient les fils du défunt bourgmestre, se prirent d'affection pour moi, et se mirent à s'occuper de moi, à me taquiner de mainte façon.

« Les membres de ma famille aimaient à raconter toutes sortes de facéties auxquelles m'avaient incité ces hommes par ailleurs graves et solitaires. Je ne cite que l'un de ces tours. Le marché de la poterie se tenait justement, et l'on ne s'était pas contenté d'approvisionner la cuisine en objets de cette sorte pour le proche avenir; à nous aussi, enfants, on avait acheté de la vaisselle en miniature, pour notre amusement. Par un bel après-midi, alors que tout était calme dans la maison et que je jouais dans le vestibule » (lieu déjà mentionné, qui se trouvait orienté vers la rue) « avec mes plats et mes pots, sans en tirer autrement du plaisir, je jetai une pièce de vaisselle dans la rue et me réjouis de la voir se briser d'une manière qui me parut très drôle. Les frères von Ochsenstein, témoins de mon amusement et de la joie qui faisait battre mes petites mains, crièrent : Encore! Aussitôt je lançai un pot sur le pavé, et aux cris répétés de : Encore! encore! les petits plats, les petites écuelles, les petits pots ne tardèrent pas à prendre le même chemin. Mes voisins continuaient à me manifester leur approbation, et je me réjouissais grandement de leur faire plaisir. Mes provisions épuisées, ils me criaient toujours : Encore! Je m'en fus donc à la cuisine pour y prendre des assiettes de faïence, qui donnèrent en se brisant un spectacle encore plus drôle; j'allais et venais ainsi en courant, apportant une assiette après l'autre, dans l'ordre où je pouvais saisir chaque pièce sur l'égouttoir, et comme les autres n'étaient toujours pas satisfaits, je précipitai tout ce que je pus transporter de vaisselle dans la même ruine. Plus tard seulement, quelqu'un survint pour mettre le holà. Le mal était fait, et en contrepartie de tant de vaisselle cassée, on eut au moins une histoire drôle à raconter, une histoire qui réjouit en particulier ses malicieux auteurs jusqu'à la fin de leurs jours. »

En des temps pré-analytiques, on pouvait lire un tel récit sans avoir de raison de s'y arrêter et sans tiquer; mais ensuite la conscience analytique s'éveilla. On s'était en effet formé, à propos des souvenirs des premières années d'enfance, des opinions et des attentes précises, pour lesquelles on aimait à revendiquer une validité universelle. Il ne devait pas être indifférent ou insignifiant de savoir quel détail de la vie de l'enfance avait été soustrait à l'oubli général de celle-ci. On devait bien plutôt présumer que cette chose conservée dans la mémoire était du même coup l'élément le plus significatif de toute cette tranche de la vie, et ce de telle sorte que, ou bien elle avait revêtu une telle importance dès son époque, ou bien elle l'avait acquise après coup sous l'influence d'expériences ultérieures. 17

Il est vrai que la haute valeur de tels souvenirs d'enfance n'est manifeste que dans de rares cas. La plupart du temps, ils apparaissaient indifférents, voire nuls, et d'abord on ne comprit pas que ce fussent justement eux qui aient réussi à défier l'amnésie; par ailleurs, celui qui les avait conservés depuis de longues années comme son propre bien mnésique était aussi peu à même d'en tirer quelque chose que celui auquel il les racontait. Pour en reconnaître toute la signification, il fallait un certain travail d'interprétation, qui ou bien démontrait qu'il fallait remplacer leur contenu par un autre, ou bien révélait leur relation à d'autres expériences dont l'importance ne faisait pas de doute, et pour lesquelles ils étaient intervenus au titre de ce que nous appelons *souvenirs-écrans* [a].

Chaque fois que la psychanalyse travaille sur une biographie, elle parvient à élucider de cette façon la signification des plus anciens souvenirs d'enfance. Davantage : on constate en règle générale que c'est le souvenir que l'analysé met en avant, qu'il raconte en premier, par lequel il introduit la confession de sa vie, qui s'avère être le plus important, celui qui recèle les clés des tiroirs secrets de sa vie psychique [b]. Mais dans le cas de ce petit événement de l'enfance narré dans *Poésie et Vérité,* il y a trop peu d'éléments qui viennent au-devant de nos attentes. Les voies et les moyens qui conduisent chez nos patients à l'interprétation nous sont ici, bien sûr, inaccessibles; l'incident en lui-même ne semble pas se prêter à une relation décelable avec des impressions importantes de la vie ultérieure. Une polissonnerie perpétrée aux dépens de l'économie domestique sous une influence étrangère n'est certainement pas une vignette appropriée pour tout ce que Goethe a à communiquer de la riche matière de sa vie. L'impression d'une totale innocence ainsi que d'une totale absence de relations semble devoir s'imposer à propos de ce souvenir d'enfance, et nous devrions ne pas nous départir du principe qui recommande de ne pas exagérer les prétentions de la psychanalyse et de ne pas les invoquer hors de propos.

C'est ainsi que j'avais depuis longtemps cessé de penser à ce petit problème, lorsque le hasard m'amena un patient chez lequel un souvenir d'enfance analogue se présenta dans un contexte plus transparent. C'était un

a. Voir chap. IV de la *Psychopathologie de la vie quotidienne* (1901*b*).
b. Cf. une note de Freud près du début de sa relation du cas de l'« Homme aux rats » (1909*d*).

homme de vingt-sept ans, d'une grande culture et d'un grand talent, dont le présent était rempli par un conflit avec sa mère, conflit qui s'étendait presque à tous les intérêts de son existence, et sous l'effet duquel le développement de sa capacité d'amour et de la conduite autonome de son existence avait beaucoup pâti. Ce conflit remontait loin dans son enfance; on peut bien dire jusqu'à sa quatrième année. Auparavant, il avait été un enfant très fragile, toujours égrotant, et pourtant, ses souvenirs avaient transfiguré cette mauvaise période en un paradis, car il possédait à cette époque la tendresse illimitée de sa mère, sans avoir à la partager avec personne. Alors qu'il n'avait pas encore quatre ans, un frère – qui vit encore aujourd'hui – naquit, et par réaction à ce dérangement, il se mua en un garçon entêté et indocile, qui n'arrêtait pas de provoquer la sévérité de sa mère. Il ne revint d'ailleurs plus jamais dans le droit chemin.

Lorsqu'il entra en traitement avec moi – le fait qu'il avait une mère bigote, détestant la psychanalyse, n'en était pas la moindre raison –, la jalousie à l'endroit de son frère puîné, qui était allée à l'époque jusqu'à se [19] manifester par un attentat sur la personne du nourrisson dans son berceau, était depuis longtemps oubliée. Il traitait maintenant son frère cadet avec beaucoup d'égards, mais d'étranges actes fortuits, par lesquels il infligeait soudain un préjudice grave à des animaux qu'il aimait par ailleurs, tel son chien de chasse, ou à des oiseaux dont il prenait grand soin, étaient sans doute à interpréter comme des échos des impulsions hostiles qu'il avait eues à l'égard de son petit frère.

Or ce patient se mit à relater qu'un jour, à l'époque de l'attentat contre l'enfant qu'il haïssait, il avait jeté dans la rue par la fenêtre d'une maison de campagne, toute la vaisselle qui lui était tombée sous la main. Donc la même chose que ce que Goethe raconte dans *Poésie et Vérité* à propos de son enfance! Je fais remarquer que mon patient était de nationalité étrangère et n'avait pas été élevé dans la culture allemande; il n'avait jamais lu la biographie de Goethe.

Cette indication ne pouvait que m'inviter à tenter d'interpréter le souvenir d'enfance de Goethe dans le sens qui, de par l'histoire de mon patient, était devenu irrécusable. Mais pouvait-on faire état, dans l'enfance de l'écrivain, des circonstances indispensables à une telle conception? Il est vrai que Goethe lui-même rend l'incitation de messieurs von Ochsenstein responsable de son mauvais tour. Mais sa narration elle-même permet de reconnaître que ses voisins adultes n'avaient fait que l'encourager à poursuivre son action. Il en avait pris l'initiative spontanément, et la motivation qu'il donne pour ce commencement : « Comme je n'arrivais pas à en (c'est-à-dire du jeu) tirer quoi que ce soit », peut sans doute s'interpréter, sans forcer les choses, comme l'aveu qu'à l'époque de la rédaction et sans doute aussi pendant de longues années auparavant, un motif efficient de son action lui était inconnu.

On sait que Johann Wolfgang et sa sœur Cornelia étaient les deux aînés survivants d'une assez importante série d'enfants peu aptes à vivre. Le Dr Hanns Sachs a été assez aimable pour me fournir les données qui se rapportent à ces frères et sœurs de Goethe tôt décédés.

20 Frères et sœurs de Goethe :

a) Hermann Jakob, baptisé le lundi 27 novembre 1752, ne parvint qu'à l'âge de six ans et six semaines, enterré le 13 janvier 1759.

b) Katharina Elisabetha, baptisée le lundi 9 septembre

1754, enterrée le jeudi 22 décembre 1755 (à l'âge d'un an et quatre mois).

c) Johanna Maria, baptisée le mardi 29 mars 1757 et enterrée le samedi 11 août 1759 (à l'âge de deux ans et quatre mois). (C'était là en tout état de cause la petite fille très belle et très agréable vantée par son frère.)

d) Georg Adolph, baptisé le dimanche 15 juin 1760; enterré à l'âge de huit mois, le mercredi 18 février 1761.

La sœur la plus proche de Goethe, par son âge, Cornelia Friederica Christiana, était née le 7 décembre 1750, alors qu'il avait quinze mois. Étant donné cette différence d'âge minime, elle est à peu près exclue comme objet de jalousie. On sait que les enfants ne développent jamais des réactions aussi violentes à l'endroit des frères et sœurs qu'ils trouvent déjà là au moment où leurs passions s'éveillent, mais qu'ils dirigent leur aversion contre les nouveaux arrivants. De plus, la scène que nous nous efforçons d'interpréter est incompatible avec l'âge très tendre qu'avait Goethe au moment ou peu après la naissance de Cornelia.

Lors de la naissance de son premier petit frère, Hermann Jakob, Johann Wolfgang avait trois ans et trois mois. C'est environ deux ans après, alors qu'il avait à peu près cinq ans, que naquit sa deuxième sœur. Ces deux niveaux d'âge peuvent être envisagés pour la datation de l'éjection de la vaisselle; c'est peut-être le premier qui mérite d'être retenu, c'est également lui qui serait le mieux en accord avec le cas de mon patient, qui comptait à peu près trois ans et neuf mois lors de la naissance de son frère.

D'autre part, le frère Hermann Jakob, vers lequel est ainsi orientée notre tentative d'interprétation, ne fut pas, dans la chambre d'enfants du foyer Goethe, un hôte

21 aussi fugitif que les frères et sœurs ultérieurs. On pourrait s'étonner que la biographie de son grand frère ne renferme pas le moindre mot dédié à sa mémoire [1]. Il dépassa l'âge de six ans, et Johann Wolfgang n'avait pas loin de dix ans lorsqu'il mourut. Voici le sentiment du Dr Ed. Hitschmann, qui a bien voulu mettre à ma disposition ses notes à ce sujet :

« *Le petit Goethe, lui aussi, n'a pas été fâché de voir mourir un petit frère.* Voici tout au moins ce qu'en a rapporté sa mère d'après le compte rendu de Bettina Brentano : " Sa mère fut bizarrement frappée de ce que, lors de la mort de son frère cadet Jakob, qui était son camarade de jeu, il ne versât pas une larme; il semblait plutôt éprouver une sorte d'agacement devant les lamentations de ses parents et de ses frères et sœurs; sa mère demandant alors ensuite au récalcitrant s'il n'avait pas eu de l'affection pour son frère, il courut dans sa chambre, sortit de sous son lit un amas de papiers qui étaient couverts de leçons et d'historiettes, il lui dit qu'il avait fait tout cela pour l'enseigner à son frère. " Le frère aîné aurait donc à tout le moins aimé jouer au père avec le cadet en lui montrant sa supériorité. »

Nous pourrions donc nous forger l'opinion que l'éjection de la vaisselle est un acte symbolique, ou disons plus correctement : *magique,* par lequel l'enfant (Goethe aussi bien que mon patient) exprime vigoureusement

1. *Addition 1924 :* Je profite de cette occasion pour retirer une affirmation inexacte qui n'aurait pas dû être avancée. En effet, dans un passage ultérieur de ce premier livre, le frère cadet est mentionné et dépeint. Cela se produit au moment où sont rappelées les fâcheuses maladies infantiles dont ce frère également « ne souffrit pas peu ». « Il était d'une nature délicate, silencieux et entêté, et il n'y eut jamais de véritable relation entre nous. Il dépassa d'ailleurs à peine les années d'enfance. »

son vœu d'éliminer l'intrus gênant. Nous n'avons pas besoin de contester le contentement que procure à l'enfant le tintamarre des objets; quand une action est déjà par elle-même dispensatrice de plaisir, cela ne porte pas à l'abstention, mais incite plutôt à la répéter également au service d'autres intentions. Mais nous ne croyons pas que ce fut le plaisir pris au fracas et au bris qui a pu assurer à de telles facéties une place durable dans le souvenir de l'adulte. Nous n'hésitons pas non plus à compliquer la motivation de l'acte par l'addition d'un nouvel élément. L'enfant qui casse la vaisselle sait bien qu'il fait quelque chose de mal, pour quoi les adultes le réprimanderont, et s'il ne se laisse pas retenir par ce savoir, c'est sans doute qu'il a une rancœur à assouvir à l'endroit des parents; il veut se montrer odieux. 22

Le plaisir pris à l'acte de briser et aux objets brisés serait également assouvi si l'enfant se contentait de jeter par terre les objets cassables. Le fait qu'il les expédie dans la rue par la fenêtre resterait alors inexpliqué. Or ce *dehors* semble être une composante essentielle de l'acte magique et émaner du sens caché de celui-ci. Il faut que le nouvel enfant soit *emporté,* si possible par la fenêtre, parce que c'est par là qu'il est venu. La totalité de l'acte serait alors équivalente à cette réaction verbale, qui nous a été rapportée, d'un enfant apprenant que la cigogne lui avait apporté un petit frère. « Eh bien, qu'elle le remporte », fut sa réponse [a].

Cependant, nous ne nous dissimulons pas combien il demeure périlleux – toutes incertitudes internes mises à part – de fonder l'interprétation de l'acte d'un enfant sur une seule analogie. C'est pourquoi, d'ailleurs, j'avais

a. Cf. *L'interprétation du rêve* (1900*a*), chap. V (D), p. 219.

gardé pour moi pendant des années ma conception de la petite scène de *Poésie et Vérité*. Je reçus sur ces entrefaites un patient qui introduisit son analyse par les phrases suivantes que j'ai fixées mot à mot :

« Je suis l'aîné de huit ou neuf enfants [1]. L'un de mes premiers souvenirs est que mon père, assis sur son lit en costume de nuit, me raconte en riant que je viens d'avoir un petit frère. J'avais alors trois ans et neuf mois; c'est là la différence d'âge entre moi et le frère qui me suit. Ensuite je sais qu'un jour, peu de temps après (ou était-ce un an avant?) [2], j'ai jeté divers objets, brosses – ou n'était-ce qu'une brosse? –, souliers et autres choses, dans la rue par la fenêtre. J'ai également encore un souvenir plus ancien. Alors que j'avais deux ans, je passai la nuit avec mes parents dans une chambre d'hôtel à Linz, au cours d'un voyage dans le Salzkammergut. Je fus alors si agité pendant la nuit, et je poussai de tels cris, que mon père fut obligé de me battre. »

Devant cette déclaration, je laissai tomber tous mes doutes. Quand, dans une situation analytique, deux choses sont rapportées immédiatement l'une après l'autre, comme d'une haleine, il nous faut interpréter cette proximité comme une corrélation. Donc, c'était comme si le patient avait dit : *parce que* j'ai appris que je venais d'avoir un frère, j'ai quelque temps après jeté ces objets dans la rue. L'éjection des brosses, souliers, etc., se donne à reconnaître comme réaction à la naissance du frère. Il n'est pas non plus pour nous déplaire que cette fois-ci, les objets expulsés ne furent pas de la vaisselle, mais d'autres

1. Erreur fugitive assez frappante. On ne peut récuser le fait qu'elle est déjà induite par la tendance à éliminer le frère. (Cf. Ferenczi, 1912.)
2. Ce doute, corrodant au titre de la résistance le point essentiel de la communication, fut retiré spontanément par le patient peu après.

choses, sans doute de celles qui se trouvaient à portée de la main de l'enfant... Cette expulsion (dans la rue, par la fenêtre) s'avère ainsi être l'essentiel de l'acte, tandis que le plaisir pris au bris, au fracas, et la sorte des choses sur lesquelles « l'exécution est perpétrée », s'avèrent être non constants et inessentiels.

Bien sûr, l'exigence de corrélation vaut également pour le troisième souvenir d'enfance du patient, qui, bien que le plus ancien, est placé à la fin de la petite série. Il est facile d'y satisfaire. Nous comprenons que l'enfant de [24] deux ans était si agité parce qu'il ne pouvait souffrir que son père et sa mère fussent au lit ensemble. Pendant le voyage, on ne pouvait sans doute pas faire autrement que de laisser l'enfant devenir le témoin de cette communauté. Des sentiments qui se sont alors éveillés chez le petit jaloux, il lui est resté l'amertume à l'encontre de la femme, et celle-ci a entraîné une perturbation durable de son évolution amoureuse.

Lorsque, à la suite de ces deux expériences, j'émis, au sein de la Société psychanalytique, l'hypothèse que des événements de cette sorte, chez de petits enfants, ne devaient pas être rares, Madame le Dr von Hug-Hellmuth me soumit deux autres observations que je mentionne ici :

I

À l'âge d'environ trois ans et demi, le petit Erich avait « brusquement » pris l'habitude de jeter par la fenêtre tout ce qui ne lui convenait pas. Mais il le faisait aussi avec des objets qui ne le gênaient pas et qui ne le concernaient pas. Justement le jour de l'anniversaire de son père – il comptait alors trois ans et quatre mois et demi –, il jeta dans la rue un lourd rouleau à pâtisserie qu'il avait traîné directement de la cuisine dans la chambre, par une fenêtre de l'appartement situé au troisième étage. Quelques jours plus tard, il le fit suivre d'un pilon à mortier, puis d'une paire de lourdes chaussures de montagne de son père, qu'il lui avait fallu d'abord retirer de l'armoire [1].

À cette époque, sa mère fit au septième ou huitième mois de sa grossesse une *fausse couche* [a], à la suite de laquelle l'enfant fut « sage et tendrement tranquille, comme transformé ». Au cours du cinquième ou sixième mois, il dit à plusieurs reprises à sa mère : « Maman, je vais te sauter sur le ventre » ou bien « Maman, je vais t'enfoncer le ventre ». Et peu avant la *fausse couche* [a], en octobre : « Si je dois vraiment avoir un frère, alors que ce soit au moins après le petit Jésus [b]. »

II

Une jeune femme de dix-neuf ans donne spontanément comme son souvenir d'enfance le plus ancien ce qui suit :

« Je me vois terriblement mal élevée, assise sous la table de la salle à manger, prête à en sortir à quatre pattes. Sur la table se trouve mon bol à café – j'ai encore

1. Il choisissait toujours des objets lourds.
a. En français dans le texte.
b. C'est-à-dire après Noël.

nettement devant les yeux les dessins de la porcelaine, que j'avais l'intention de jeter par la fenêtre au moment où grand-maman entra. 25

« En effet personne ne s'était occupé de moi, et entre-temps s'était formée sur le café une " peau ", que j'ai toujours eu en horreur et que j'ai en horreur encore aujourd'hui.

« C'était le jour de la naissance de mon frère qui est mon cadet de deux ans et demi, c'est pourquoi personne n'avait de temps pour moi.

« On me raconte encore que ce jour-là je fus insupportable; à midi j'avais jeté à bas de la table le verre préféré de papa, je n'avais pas arrêté de salir ma petite robe toute la journée, et j'avais été du soir au matin de la pire humeur. J'avais aussi détruit une poupée de bain dans ma colère. »

Ces deux cas se passent pratiquement de commentaire. Ils confirment sans qu'il soit besoin de plus amples efforts analytiques, que l'amertume de l'enfant provoquée par l'attente ou l'arrivée d'un concurrent s'exprime par l'expulsion d'objets à travers la fenêtre ainsi que par d'autres actes de méchanceté ou de destructivité. Dans la première observation, les « objets lourds » symbolisent sans doute la mère elle-même, que vise la colère de l'enfant, aussi longtemps que le nouvel enfant n'est pas encore là. Le garçon de trois ans et demi est au courant de la grossesse de sa mère et ne nourrit aucun doute quant au fait que celle-ci héberge l'enfant dans son sein. Il faut à ce sujet se souvenir du « petit Hans » [1] et de sa peur particulière

1. « Analyse d'une phobie d'un petit garçon de cinq ans » (Freud, 1909*b*).

des voitures lourdement chargées [1]. Ce qui est remarquable dans la deuxième observation, c'est le jeune âge de l'enfant : deux ans et demi.

26 Si nous revenons maintenant au souvenir d'enfance de Goethe, et insérons à l'endroit où il se situe dans *Poésie et Vérité* ce que nous croyons avoir deviné par l'observation d'autres enfants, nous voyons se constituer une cohérence sans défaut que nous n'aurions pas découverte autrement. On y lit alors : « J'ai été un enfant chanceux; le destin m'a maintenu en vie bien que je fusse donné pour mort lorsque je vins au monde. Mais il a éliminé mon frère, de sorte que je n'ai pas eu à partager avec lui l'amour de ma mère. » Et ensuite le cheminement de la pensée se poursuit jusqu'à une autre défunte de ce temps ancien, la grand-mère, qui demeurait comme un esprit aimable et silencieux dans une autre pièce d'habitation.

Or je l'ai déjà exprimé à un autre endroit [a] : quand on a été le favori incontesté de sa mère, on en garde pour la vie ce sentiment conquérant, cette assurance du

1. De cette symbolique de la grossesse, une femme de plus de cinquante ans m'a apporté il y a quelque temps une confirmation supplémentaire. On lui avait raconté à plusieurs reprises qu'alors qu'elle était un petit enfant qui pouvait à peine parler, elle avait coutume d'attirer son père à la fenêtre, en proie à l'excitation, quand une lourde voiture transportant des meubles passait dans la rue. Compte tenu de ses souvenirs des lieux qu'elle a habités, on peut établir qu'elle avait alors moins de deux ans et neuf mois. A cette époque naquit son frère puîné, et par suite de cet accroissement de la famille, on dut déménager. À peu près à la même époque, elle éprouvait souvent avant de s'endormir la sensation angoissée de quelque chose d'extraordinairement grand [*unheimlich Grossem*] qui se dirigeait vers elle, et alors « elle avait les mains tout enflées ».

a. Dans une note ajoutée en 1911 au chapitre VI (E) de ***L'interprétation du rêve*** (1900*a*), p. 342.

succès, dont il n'est pas rare qu'elle entraîne effectivement après soi le succès. Et une remarque du genre : ma force s'enracine dans ma relation à ma mère, aurait pu être mise à juste titre par Goethe en exergue à sa biographie.

L'INQUIÉTANTE ÉTRANGETÉ

Note liminaire

DAS UNHEIMLICHE [1919*h*]

Éditions allemandes :

1919 *Imago,* tome 5 (5-6).
1922 *Sammlung kleiner Schriften zur Neurosenlehre,* tome 5
1924 *Gesammelte Schriften,* tome 10.
1924 *Dichtung und Kunst.*
1947 *Gesammelte Werke,* tome 12.
1970 *Studienausgabe,* tome 4.

Traduction anglaise :

1955 *« The " Uncanny " »,* traduit par James Strachey, *Standard Edition,* tome 17.

Freud mentionne cet article, paru en 1919, dans une lettre à Ferenczi datée du 12 mai de la même année. Il y déclare qu'il a exhumé un ancien travail oublié dans un tiroir et qu'il est en train de le récrire. On ne connaît pas la date de la première version; on ne sait pas non plus ce qui en a été modifié. La note de la page 245 qui cite *Totem et tabou* montre que le sujet de « l'inquiétante étrangeté » occupait déjà Freud au moment où il rédigeait cet ouvrage (1912-1913). Les passages qui parlent de la « contrainte de répétition » (p. 236 et suiv.) appartiennent à coup sûr à la nouvelle version. Ils annoncent les thèses d'*Au-delà du principe de plaisir* que Freud publiera l'année suivante.

Le titre allemand est *Das Unheimliche,* adjectif substantivé formé sur la racine *Heim* (anglais *home,* « chez soi »), précédée du préfixe privatif *un.* Nous confessons la même impuissance que Marie Bonaparte à trouver un terme français qui serait l'équivalent du terme allemand. Comme nous n'avons rien de meilleur à proposer, nous conservons sa traduction « L'inquiétante étrangeté », qui a au moins le mérite de s'être établie.

Cette traduction présente plusieurs défauts, que nous exposons brièvement ici : 1° elle est une glose bien plus qu'une traduction, de ce fait elle anticipe d'emblée sur le raisonnement de Freud; 2° elle élimine complètement le *Heim* de la maison, de la familiarité; 3° elle supprime le *un* de la censure.

D'autres traductions seraient également possibles : « Le non-familier », « L'étrange familier » (François Roustang), ou même « Le (familier) pas comme chez soi ».

Quand Freud se borne à définir le mot, en particulier dans toute la première section de l'article, nous citons simplement le mot allemand en italique, pareillement pour son antonyme *heimlich.*

Observons pour terminer que l'idée même de cet essai ainsi que sa problématique spécifique n'auraient sans doute jamais pu germer dans la tête d'un non-germanophone, tant la matière elle-même se trouve ici éminemment déterminée par un signifiant. La traduction ne pourra donc qu'y introduire, de l'extérieur.

I

G.W., XII, 229

Le psychanalyste n'éprouve que rarement l'impulsion de se livrer à des investigations esthétiques, et ce même lorsqu'on ne limite pas l'esthétique à la théorie du beau, mais qu'on la décrit comme la théorie des qualités de notre sensibilité. Il travaille sur d'autres couches de la vie psychique et a peu affaire aux émotions inhibées quant au but, assourdies, dépendantes d'un si grand nombre de constellations concomitantes, qui font pour l'essentiel la matière de l'esthétique. Il peut cependant se faire ici et là qu'il ait à s'intéresser à un domaine particulier de l'esthétique, et dans ce cas, il s'agit habituellement d'un domaine situé à l'écart et négligé par la littérature esthétique spécialisée.

Tel est le domaine de l'« inquiétante étrangeté ». Il ne fait pas de doute qu'il ressortit à l'effrayant, à ce qui suscite l'angoisse et l'épouvante, et il n'est pas moins certain que ce mot n'est pas toujours employé dans un sens dont on puisse donner une définition précise, de sorte que, la plupart du temps, il coïncide tout bonnement avec ce qui suscite l'angoisse en général. Mais on est quand même en droit d'attendre qu'il recèle un noyau spécifique qui justifie l'usage d'un terme conceptuel spécifique. On aimerait savoir quel est ce noyau commun susceptible d'autoriser, au sein de l'angoissant, la distinction d'un « étrangement inquiétant ».

230

Or, sur ce sujet, on ne trouve pour ainsi dire rien dans les exposés détaillés de l'esthétique, qui préfèrent en général s'occuper des types de sentiments beaux, grandioses, attirants, c'est-à-dire positifs, ainsi que de leurs conditions [d'émergence] et des objets qui les provoquent, plutôt que de ceux, antagonistes, qui sont repoussants, pénibles. Du côté des écrits traitant de psychologie médicale, je ne connais qu'une étude : celle, substantielle, mais non exhaustive, de E. Jentsch [1]. Cependant je dois avouer que, pour des raisons faciles à deviner et liées à l'époque présente [a], la bibliographie concernant la présente petite contribution, en particulier celle de langue étrangère, n'a pu être méthodiquement explorée, ce pourquoi, aussi bien, elle se présente au lecteur sans aucunement prétendre à la priorité.

Jentsch souligne à juste titre, comme faisant difficulté dans l'étude de l'étrangement inquiétant, le fait que la réceptivité à cette qualité de sentiment se rencontre à des degrés très différents chez des personnes différentes. Davantage, l'auteur de cette nouvelle tentative doit confesser une particulière insensibilité en la matière, alors que serait plutôt de mise une sensibilité aiguë. Il y a longtemps qu'il n'a rien vécu ni rencontré qui eût suscité en lui une impression d'inquiétante étrangeté ; il faut

1. « Zur Psychologie des Unheimlichen » (1906).
a. Allusion à la Première Guerre mondiale, qui venait de se terminer.

qu'il se mette préalablement en condition, qu'il éveille en lui la possibilité de l'émergence de ce sentiment. Certes, des difficultés de ce genre pèsent aussi sur bien d'autres domaines de l'esthétique; ce n'est pas une raison pour abandonner l'espoir que pourront se dégager les cas dans lesquels le caractère en question sera reconnu sans contredit par la plupart des gens.

On peut maintenant s'engager dans deux voies : rechercher quelle signification l'évolution de la langue a déposé dans le mot *unheimlich,* ou bien compiler tout ce qui, dans les personnes et les choses, dans les impressions sensorielles, les expériences vécues et les situations, éveille en nous le sentiment de l'inquiétante étrangeté, et inférer le caractère voilé de celui-ci à partir d'un élément commun à tous les cas. Je tiens à révéler tout de suite que les deux voies conduisent au même résultat, à savoir que l'inquiétante étrangeté est cette variété particulière de l'effrayant qui remonte au depuis longtemps connu, depuis longtemps familier. Comment cela est possible, à quelles conditions le familier peut devenir étrangement inquiétant, effrayant, c'est ce qui ressortira de la suite. Je remarque en outre qu'en réalité, cette investigation a suivi la voie d'une collecte de cas particuliers et n'a été confirmée qu'ensuite par ce qu'énonce l'usage linguistique. Mais dans le présent exposé, je parcourrai le chemin inverse.

231

Le mot allemand *unheimlich* est manifestement l'antonyme de *heimlich, heimisch* (du pays), *vertraut* (familier), et l'on est tenté d'en conclure qu'une chose est effrayante justement pour la raison qu'elle *n*'est *pas* connue ni familière. Mais il est évident que n'est pas effrayant tout ce qui est nouveau et non familier; la relation *n*'est *pas* réversible. On peut seulement dire que ce qui a un caractère de nouveauté peut facilement devenir effrayant et étrangement inquiétant; parmi les choses revêtant un caractère de nouveauté, quelques-unes sont effrayantes, mais certainement pas toutes. Au nouveau, au non-familier doit d'abord s'ajouter quelque chose, pour qu'il devienne étrangement inquiétant.

Dans l'ensemble, Jentsch s'en est tenu à cette relation de l'étrangement inquiétant au nouveau, au non-familier. Il trouve la condition essentielle de l'émergence d'un sentiment d'inquiétante étrangeté dans l'incertitude intellectuelle. À proprement parler, l'étrangement inquiétant serait toujours quelque chose dans quoi, pour ainsi dire, on se trouve tout désorienté. Mieux un homme se repère dans son environnement, moins il sera sujet à recevoir des choses ou des événements qui s'y produisent une impression d'inquiétante étrangeté.

Il nous est facile de constater que cette caractérisation n'est pas exhaustive, et c'est pourquoi nous allons essayer d'aller au-delà de l'équation étrangement inquiétant = non-familier. Nous nous tournerons d'abord vers d'autres
232 langues. Mais les dictionnaires que nous compulsons ne nous apprennent rien de nouveau, peut-être pour la simple raison que ce sont là pour nous des langues étrangères. Nous avons même l'impression que dans beaucoup de langues, le mot qui désignerait cette nuance particulière de l'effrayant fait défaut [1].

Latin (d'après K. E. Georges, *Kleines Deutschlateinisches Wörterbuch* 1898) : un lieu « unheimlich » – *locus suspectus*; à une heure de la nuit « unheimlich » – *intempesta nocte*.

Grec (dictionnaires de Rost et de Schenkl) : ξένος– donc étranger, d'allure étrangère.

1. Je dois les extraits qui suivent à l'obligeance du Dr Theodor Reik.

Anglais (extraits des dictionnaires de Lucas, Bellow, Flügel, Muret-Sanders) : *uncomfortable, uneasy, gloomy, dismal, uncanny, ghastly;* en parlant d'une maison : *haunted*; en parlant d'un être humain : *a repulsive fellow.*

Français (Sachs-Villatte) : *inquiétant, sinistre, lugubre, mal à son aise.*

Espagnol (Tollhausen 1889) : *sospechoso, de mal aguëro, lúgubre, siniestro.*

L'italien et le portugais semblent se contenter de mots que nous qualifierons de périphrases. En arabe et en hébreu, *unheimlich* coïncide avec le démonique, ce qui donne des frissons.

Revenons donc à la langue allemande.

Dans le *Wörterbuch der Deutschen Sprache* (1860) de Daniel Sanders, on trouve à l'article *heimlich* les indications suivantes, que je vais reproduire ici *in extenso,* et dont je ferai ressortir tel ou tel passage en le soulignant (t. I, p. 729) :

Heimlich, adj. (*-keit,* f. *-en*)

1. également *heimelich, heimelig,* qui fait partie de la maison, non étranger, familier, apprivoisé, cher et intime, engageant [*anheimelnd*], etc.

a) (vieilli) faisant partie de la maison, de la famille, ou : considéré comme en faisant partie, cf. lat. *familiaris,* familier. *Die Heimlichen,* ceux qui habitent sous le même toit; *Der heimliche Rat* (conseiller secret). Gen. 41, 45; II Sam. 23, 23; I Chr. 12, 25; Sag. 8, 4, auquel est préféré actuellement : *Geheimer Rat* (voir. *d.* 1), voir *Heimlicher.* 233

b) en parlant d'animaux, apprivoisé, qui s'attache intimement à l'homme. Ant. sauvage, par exemple, animaux qui ne sont ni sauvages ni *heimlich,* etc. Eppendorf. 88; Les animaux sauvages... quand on les élève à l'entour des gens de manière *heimlich* et en les habituant à eux (*gewohnsam*). 92. Quand ces petits animaux sont élevés dès leur jeunesse auprès des hommes, ils deviennent tout à fait *heimlich,* aimables, etc., Stumpf 608 a, etc. – Et encore : (l'agneau) est si *heimlich* qu'il mange dans ma main. Hölty; La cigogne reste, quoi qu'il en soit, un bel oiseau *heimelich* (voir *c*). Linck. Schl. 146. Voir *Häuslich* 1 [domestique], etc.

c) cher, intime, engageant [*anheimelnd*]; suscitant le sentiment agréable d'une satisfaction tranquille, etc., d'un calme confortable et d'une protection sûre, comme l'enceinte de la maison qu'on habite (cf. *Geheuer*) : Te sens-tu encore *heimlich* dans ce pays où les étrangers défrichent tes forêts? Alexis H. 1, 1, 289. Elle ne se sentait pas tellement *heimlich* auprès de lui. Brentano Wehm. 92; Sur un sentier élevé, ombragé et *heimlich*..., le long d'un ruisseau de forêt dont l'eau, en s'écoulant, bruissait et clapotait. Forster B. 1, 417. Détruire la *Heimlichkeit* du pays natal [*Heimath*]. Gervinus Lit. 5, 375. J'aurais difficilement trouvé un petit coin plus intime et plus *heimlich*. G. 14, 14; Nous l'imaginions si commode, si charmant, si douillet et *heimlich*. 15, 9; Dans une *Heimlichkeit* tranquille, entourée de barrières étroites. Haller; Une ménagère avisée, qui s'entend à créer avec des riens une *Heimlichkeit* (*Häuslichkeit*)[a] plaisante. Hartmann Unst. 1, 188; Il trouvait maintenant des traits d'autant plus *heimlich* à cet homme qui, encore peu de temps auparavant, lui avait paru si étranger. Kerner 540; Les propriétaires protestants ne se sentent pas... *heimlich* parmi leurs sujets catholiques. Kohl. Irl. 1, 172; Quand tout devient *heimlich* et qu'en silence seul le calme du soir épie ta cellule, Tiedge 2, 39; Tranquille, charmant et *heimlich*, tel qu'ils ne pouvaient souhaiter un lieu plus propice au repos; W. 11; 144; Il ne se sentait pas du tout *heimlich* en la circonstance 27, 170, etc. – Également : Le lieu était si tranquille, si solitaire, si *schatten-heimlich* [*Schatten* = ombre]. Scherr Pilg. 1, 170; Les flots de la marée descendante et montante, rêveurs et *wiegenlied-heimlich*[b]. Körner, Sch. 3, 320, etc. – Cf. notamment *Un-heimlich*. – Notamment chez les écrivains souabes et suisses, souvent trisyllabique : Quel sentiment *heimelich* éprouvait à nouveau Ivo le soir, quand il était couché chez

a. *Häuslichkeit* : substantif dérivé de *Haus* (« maison »).

b. Le premier élément, *wiegenlied*, de cet adjectif composé ayant pour base *heimlich*, signifie « berceuse ».

lui. Auerbach, D. 1, 249; Dans cette maison, je me suis senti tellement *heimelig*. 4, 307; La salle chaude, l'après-midi *heimelig*. Gotthelf, Sch. 127, 148; Ceci est le vrai *Heimelig*, quand l'homme sent du fond de son cœur combien il est peu de chose et combien grand est le Seigneur. 147; On devenait peu à peu tout à fait intime et *heimelig* les uns avec les autres, U. 1, 297; La *Heimeligkeit* cordiale. 380, 2, 86; Je ne me sentirai sans doute nulle part plus *heimelich* qu'ici. 327; Pestalozzi 4, 240; Cependant, ce qui vient de loin,... ne vit pas en général dans des rapports tout à fait *heimelig* (*heimatlich* [= du pays natal], de voisinage amical) avec les gens. 325; Le chalet où / jadis, *heimelig* et joyeux / ... il était souvent assis au milieu des siens. Reithard 20; Voici que retentit du haut de la tour le son si *heimelig* du cor du guetteur – voici que me convie sa voix hospitalière, 49; Il fait si doux, si chaud, si *wunderheim'lig* [a]/de s'endormir là. 23, etc. – *Cette orthographe mériterait d'être généralisée, afin de préserver ce mot précieux d'un vieillissement dû à la confusion trop tentante avec 2. Cf.* « Les Zeck [b] *sont tous* heimlich (2) [c] – Heimlich? *Qu'entendez-vous par* heimlich? *– Eh bien... j'ai la même impression avec eux qu'avec un puits enseveli ou un étang asséché. On ne peut jamais passer dessus sans avoir le sentiment que de l'eau pourrait en resurgir un jour.* » *C'est ce que nous appelons* un-heimlich; *vous, vous l'appelez* heimlich. *En quoi trouvez-vous donc que cette famille a quelque chose de caché et de peu sûr? etc. Gutzkow R. 2, 61* [1].

234

d) voir *c)* notamment en Silésie : gai, serein, également en parlant du temps, voir Adelung et Weinhold.

2. caché, dissimulé, de telle sorte qu'on ne veut pas que d'autres en soient informés, soient au courant, qu'on veut le soustraire à leur savoir, cf. *Geheim* (2) [= secret, adj.],

1. Ici, comme dans ce qui suit, c'est le citateur qui souligne.

a. *Wunderheim'lig* : adjectif composé dont le premier élément, *wunder*, signifie « merveille ».

b. « Zeck » est un nom de famille.

c. Dans son sens « 2 » : *heimlich* =« secret ». Dans la langue actuelle, le mot, sous cette orthographe, n'est d'ailleurs plus guère usité que dans ce sens-là, concurremment avec *geheim*. *Heimelig* s'est spécialisé dans le premier sens.

adjectif qui n'existe qu'en nouveau-haut-allemand, et dont il n'est pas toujours clairement distingué, surtout dans la langue ancienne, par exemple dans la Bible, comme Job 11, 6; 15, 8; Sag. 2, 22; 1 Cor. 2, 6, etc., de même que *Heimlichkeit* pour *Geheimnis* [= secret, subst.] Math. 13, 35, etc. : faire, manigancer quelque chose *heimlich* (dans le dos de quelqu'un); s'esquiver *heimlich;* rencontres, rendez-vous *heimlich*; regarder avec une malice *heimlich*; soupirer, pleurer *heimlich*; agir *heimlich,* comme si l'on avait quelque chose à cacher; amour, affaire de cœur, péché *heimlich*; lieux *heimlich* (que la bienséance commande de voiler). I Sam. 5, 6; la pièce *heimlich* (cabinet) II Rois 10, 27; Sag. 5, 256, etc., également : le siège *heimlich,* Zinkgräf 1, 249; jeter dans des fossés, dans des *Heimlichkeiten.* 3, 75; Rollenhagen Fr. 83, etc. – Fit avancer, en se cachant de [*heimlich vor*] Laomédon / les juments. B. 161 b, etc. – Tout aussi dissimulé, *heimlich,* cauteleux et âpre à l'endroit des seigneurs cruels... qu'ouvert, franc, compatissant et serviable à l'endroit de l'ami souffrant. Burmeister g B 2, 157; il faut que tu apprennes encore ce que j'ai en moi de *heimlich,* de plus sacré. Chamisso 4, 56; l'art *heimlich* (de la magie). 3, 224; Là où doit s'arrêter la ventilation officielle, commence la machination *heimlich.* Forster, Br. 2, 135; Liberté est le mot d'ordre chuchoté de conjurés *heimlich,* le cri de ralliement hurlé des révolutionnaires publics. G. 4, 222; une opération sacrée, *heimlich.* 15; J'ai des racines,/qui sont toutes *heimlich,* / dans les profondeurs du sol / j'ai mon fondement. 2, 109; ma perfidie [*Tücke*] *heimlich* (cf. *Heimtücke* = sournoiserie). 30, 344; s'il ne le reçoit pas au grand jour et avec conscience, qu'il s'en empare *heimlich* et sans conscience. 39, 22; Fit monter *heimlich* et avec mystère des longues-vues achromatiques. 375; A partir de maintenant, je le veux, qu'il n'y ait plus rien de *heimlich* entre nous. Sch. 369. b. – Découvrir, dévoiler, trahir les *Heimlichkeiten* de quelqu'un; Mijoter des *Heimlichkeiten* dans mon dos. Alexis. H. 2, 3, 168; A mon époque / on cultivait la *Heimlichkeit.* Hagedorn 3, 92; La *Heimlichkeit* et les cabales en sous-main. Immermann, M. 3, 289; Le charme impuissant de la *Heimlichkeit* (de l'or caché) / ne peut être rompu que par la main de la connaissance. Novalis 1, 69;/Dis-moi où tu la caches... dans la *Heimlichkeit* discrète de quel lieu. Schr. 495 b; Vous, abeilles, qui pétrissez / le verrou des *Heimlichkeiten* (la cire à cacheter). Tieck, Cymb. 3, 2; initié à des *Heimlichkeiten* rares (à des arts magiques). Schlegel Sh. 6, 102, etc., cf. *Geheimnis,* L. 10 : 291 *sq.*

Composés, voir 1 *c,* de même qu'en particulier l'antonyme : *Un-heimlich* : qui met mal à l'aise, qui suscite une épouvante angoissée : Qui lui parut presque *un-heimlich,* fantomatique. Chamisso 3, 238; Les heures de la nuit qui suscitent une angoisse *un-heimlich.* 4, 148; J'éprouvais depuis longtemps un sentiment *un-heimlich,* voire d'épouvante. 242; Je commence à me sentir *un-heimlich.* Gutzkow R. 2; 82; Éprouver une épouvante *un-heimlich.* Verm. 1, 51; *Unheimlich* et figé comme une statue de pierre. Reis, 1, 10; Le brouillard *un-heimlich* qu'on appelle « fumée de cheveux ». Immermann M., 3, 299; Ces jeunes gens pâles sont *un-heimlich* et mijotent Dieu sait quel mauvais coup. Laube, tome 1, 119; *On qualifie de* un-heimlich *tout ce qui devrait rester... dans le secret, dans l'ombre, et qui en est sorti. Schelling, 2, 2, 649, etc.* – Voiler le divin, l'entourer d'une certaine *Unheimlichkeit* 658, etc. – Inusité comme antonyme de (2), contre l'avis de Campe qui avance le contraire sans l'étayer par des références.

Ce qui ressort pour nous de plus intéressant de cette longue citation, c'est que parmi ses multiples nuances de signification, le petit mot *heimlich* en présente également une où il coïncide avec son contraire *unheimlich.* Ce qui est *heimlich* devient alors *unheimlich*, voir l'exemple de Gutzkow : « C'est ce que nous appelons *unheimlich*; vous, vous l'appelez *heimlich.* » Cela nous rappelle plus généralement que ce terme de *heimlich* n'est pas univoque, mais qu'il appartient à deux ensembles de représentation qui, sans être opposés, n'en sont pas moins fortement étrangers, celui du familier, du confortable, et celui du caché, du dissimulé. *Unheimlich* ne serait usité qu'en tant qu'antonyme de la première signification, mais

236 non de la seconde. Sanders ne nous éclaire pas du tout sur la question de savoir s'il ne faudrait pas tout de même faire l'hypothèse d'une relation génétique entre les deux significations. Notre attention est attirée en revanche par une remarque de Schelling, qui énonce quant au contenu du concept de *Unheimlich* quelque chose de tout à fait nouveau et à quoi notre attente n'était certainement pas préparée. Serait *unheimlich* tout ce qui devait rester un secret, dans l'ombre, et qui en est sorti.

Une partie des doutes ainsi suscités est éclaircie pai les indications de Jacob et Wilhelm Grimm dans le *Deutsches Wörterbuch,* Leipzig 1877 (IV/2, p. 874*sq*)

Heimlich, adj. et adv. *vernaculus, occultus;* moyen-haut-allemand : *heimelîch, heimlîch.*

P. 874 : En un sens légèrement différent : « Je me sens *heimlich,* bien, dépourvu de crainte... »

b) Est aussi *heimlich* le lieu dépourvu de fantomatique...

P. 875 : familier; aimable, confiant.

4. *à partir du natal* [heimatlich], *du domestique* [häuslichen] *se développe par dérivation le concept de ce qui est soustrait à des yeux étrangers, dissimulé, secret* [geheim], *ce concept se spécifiant d'ailleurs dans des contextes divers...*

P. 876 : « à la gauche du lac
se trouve un pré *heimlich* au milieu des bois. »
Schiller, *Tell* I, 4.

... librement et d'une manière inhabituelle pour l'usage moderne... *heimlich* est associé à un verbe signifiant « cacher » : « Il me cache *heimlich* sous sa tente. » Ps. 27, 5. (...des lieux *heimlich* du corps humain, des *pudenda*... quant à ceux qui ne mouraient pas, ils étaient battus en des lieux *heimlich.* 1 Sam. 5, 12...)

c) des fonctionnaires qui donnent pour des affaires d'État des conseils importants et qui doivent être tenus secrets [*geheim zu haltende*], sont nommés *heimliche räthe* [conseillers secrets], l'adjectif étant remplacé suivant l'usage actuel par *geheim* [secret] (voir ce mot) : ... « (Pharaon) le (Joseph) nomme *heimlichen rath* ». Gen. 41, 45;

P. 878 : 6. *heimlich* en parlant de la connaissance, mystique, allégorique : signification *heimlich, mysticus, divinus, occultus, figuratus.*

P. 878 : dans ce qui suit, *heimlich* a une signification différente : soustrait à la connaissance, inconscient : ...

Mais alors *heimlich* signifie aussi : fermé, impénétrable sous le rapport de l'exploration : ...

« Ne le vois-tu pas? ils ne me font pas confiance, 237
ils craignent le visage *heimlich* de Friedland. »
Schiller, *Le camp de Wallenstein,* scène 2.

9. *la signification du caché, du dangereux, qui ressort du numéro précédent, continue à évoluer, de sorte que* heimlich *finit par prendre le sens habituellement réservé à* unheimlich (formé d'après *heimlich, 3 b,* col. 874) : « J'ai par moments la même impression qu'un homme qui chemine dans la nuit et croit à des fantômes, chaque recoin est pour lui *heimlich* et le fait frissonner. » Klinger, Théâtre, 3, 298.

Heimlich est donc un mot dont la signification évolue en direction d'une ambivalence, jusqu'à ce qu'il finisse par coïncider avec son contraire *unheimlich. Unheimlich* est en quelque sorte une espèce de *heimlich.* Maintenons ce résultat non encore bien élucidé en regard de la définition du *Unheimlich* que nous donne Schelling[a]. L'examen détaillé des cas d'*Unheimlich,* d'inquiétante étrangeté nous rendra ces allusions intelligibles.

II

Si nous voulons maintenant passer en revue les personnes et les choses, les impressions, les événements

a. Dans la version originale de l'article uniquement (1919), c'est le nom de Schleiermacher qui figurait ici, évidemment par erreur.

et les situations qui sont à même d'éveiller en nous le sentiment d'inquiétante étrangeté avec une force et une netteté particulières, notre première tâche sera évidemment de choisir un exemple liminaire heureux. E. Jentsch a mis en avant comme cas privilégié la situation où l'on « doute qu'un être apparemment vivant ait une âme, ou bien à l'inverse, si un objet non vivant n'aurait pas par hasard une âme »; et il se réfère à ce propos à l'impression que produisent des personnages de cire, des poupées artificielles et des automates. Il met sur le même plan l'étrangement inquiétant provoqué par la crise épileptique ou les manifestations de la folie, parce qu'elles éveillent chez leur spectateur les pressentiments de processus automatiques – mécaniques –, qui se cachent peut-être derrière l'image habituelle que nous nous faisons d'un être animé. Sans être pleinement convaincu par ce développement de l'auteur, 238 nous le prendrons comme point d'appui de notre propre investigation, parce qu'il nous mettra plus loin sur la voie d'un écrivain qui a réussi mieux que tout autre à produire des effets d'inquiétante étrangeté.

« L'un des stratagèmes les plus sûrs pour provoquer aisément par des récits des effets d'inquiétante étrangeté, écrit Jentsch, consiste donc à laisser le lecteur dans le flou quant à savoir s'il a affaire, à propos d'un personnage déterminé, à une personne ou par exemple à un automate, et ce de telle sorte que cette incertitude ne s'inscrive pas directement au foyer de son attention, afin qu'il ne soit pas amené à examiner et à tirer la chose aussitôt au clair, vu que, comme nous l'avons déjà dit, cela peut aisément compromettre l'effet affectif spécifique. Dans ses pièces fantastiques, E. T. A. Hoffmann a plusieurs fois réussi à tirer parti de cette manœuvre psychologique. »

Cette remarque, certes pertinente, vise avant tout le récit [a] *L'Homme au sable* dans les *Contes nocturnes* [b] (troisième volume de l'édition Grisebach des œuvres complètes de Hoffmann), d'où est sorti le personnage de la poupée Olympia pour aller figurer dans le premier acte de l'opéra d'Offenbach *Les contes d'Hoffmann*. Mais je dois dire – et j'espère que la plupart des lecteurs de l'histoire en tomberont d'accord avec moi – que le motif de la poupée Olympia, apparemment animée, n'est pas du tout le seul qu'on doive rendre responsable de l'incomparable effet d'inquiétante étrangeté qui se dégage du récit, qu'il n'est même pas celui auquel il faut attribuer cet effet au premier chef. Est par ailleurs sans incidence sur l'obtention de cet effet le fait que l'auteur, par un léger coup de pouce, donne à cet épisode d'Olympia un tour satirique et le mette à profit pour se moquer de la surestimation amoureuse dont est dupe le jeune homme. Au centre du récit se trouve bien plutôt un

a. Là où le français dit : les *Contes* d'Hoffmann, l'allemand dit : *die Erzählungen,* c'est-à-dire littéralement : les « récits ». C'est la traduction que nous avons retenue, sauf pour le titre de l'opéra d'Offenbach, fixé par la tradition. En effet, Freud introduit dans la suite de l'article une différence pertinente tout à fait essentielle à son propos (cf. pp. 259 et 263) entre le genre *phantastische Erzählung* et le genre *Märchen* (strictement parlant, « conte de fées »), où justement l'étrangement inquiétant est frappé de non-lieu. *Märchen* s'applique par exemple à Perrault, Grimm, etc. Il eût été trop lourd d'appuyer cette différence sur une distinction entre « conte fantastique » et « conte de fées », d'autant plus qu'on ne dit pas les « contes de fées » de Perrault, et qu'on ne rencontre pas des fées dans tous les *Märchen.* Notre traduction réservera donc le mot « conte » à la traduction de l'allemand *Märchen.*

b. « Contes nocturnes » est la traduction traditionnelle de l'allemand *Nachtstücke.* Il n'est pas indifférent de savoir qu'avant l'usage spécifique qu'en a fait pour la première fois Hoffmann, ce mot était déjà utilisé – et continue de l'être – pour désigner des œuvres musicales et picturales.

autre facteur, auquel il emprunte du reste son titre, et qui est à nouveau mis en relief à chaque passage décisif : à savoir le motif de *L'Homme au sable* qui arrache leurs yeux aux enfants.

239 L'étudiant Nathanaël, par les souvenirs d'enfance duquel s'ouvre le récit fantastique [a], ne peut, en dépit de son bonheur présent, exorciser les souvenirs qui se rattachent pour lui à la mort énigmatiquement effrayante d'un père qu'il aimait. Certains soirs, la mère du garçon avait coutume d'envoyer les enfants au lit de bonne heure, en brandissant cet avertissement : « L'Homme au sable arrive », et de fait, l'enfant entend alors chaque fois le pas lourd d'un visiteur qui accapare le père pour cette soirée. Il est vrai que la mère, interrogée sur l'Homme au sable, dénie que celui-ci ait une existence autre que proverbiale, mais une bonne d'enfants s'entend à donner des informations plus tangibles. « C'est un homme méchant, qui vient auprès des enfants quand ils ne veulent pas aller au lit, et qui leur jette du sable à poignées dans les yeux, de sorte que ceux-ci jaillissent de la tête tout sanglants, alors il les jette dans un sac et les apporte au clair de la demi-lune pour en repaître ses petits enfants; ceux-ci sont blottis là-bas dans un nid et ont des becs crochus, comme les chouettes, et avec eux ils becquettent les yeux des enfants humains qui ne sont pas sages. »

Bien que le petit Nathanaël fût assez âgé et avisé pour récuser d'aussi lugubres attributs ajoutés à la figure de

a. « Fantastique » traduit l'allemand *phantastisch,* qui, dans le langage freudien, s'est également spécifié dans le sens de « fantasmatique ». Suivant le contexte, nous traduirons *phantastisch* par l'un ou l'autre terme. On ne peut évidemment parler d'un « récit fantasmatique de Hoffmann ».

l'Homme au sable, la peur [*Angst*] qu'inspirait le personnage en lui-même ne s'ancra pas moins en lui. Il décida de partir en reconnaissance pour savoir à quoi ressemblait l'Homme au sable, et se cacha, un soir où celui-ci était à nouveau attendu, dans le bureau de son père. Il reconnaît alors en la personne du visiteur l'avocat Coppélius, personnage repoussant, qui avait coutume d'effaroucher les enfants lorsqu'il lui arrivait d'être invité à midi, et il identifie désormais le Coppélius en question à l'Homme au sable redouté. Quant au déroulement ultérieur de cette scène, l'auteur lui-même fait douter si nous avons affaire à un premier délire du jeune garçon en proie à l'angoisse, ou à un compte rendu qui doit être conçu comme réel dans l'univers descriptif du récit. Le père et l'invité s'affairent autour d'un âtre à la flamme rougeoyante. Le petit espion entend Coppélius crier : « Par ici les yeux, par ici les yeux »; il se trahit par une exclamation et est empoigné par Coppélius, qui veut 240 prendre dans la flamme des grains embrasés, pour les lui répandre dans les yeux, et jeter ensuite ceux-ci sur le foyer. Le père demande et obtient grâce pour les yeux de son enfant. Une profonde syncope et une longue maladie closent l'expérience. Quiconque prend parti pour une interprétation rationaliste de l'Homme au sable ne manquera pas de reconnaître dans ce fantasme de l'enfant l'influence persistante du récit de la bonne d'enfants. À la place des grains de sable, ce sont des grains de flamme embrasés qui doivent être répandus dans les yeux de l'enfant, dans les deux cas afin que les yeux jaillissent. Lors d'une visite ultérieure de l'Homme au sable, un an plus tard, le père est tué dans son bureau par une explosion; l'avocat Coppélius disparaît de l'endroit sans laisser de traces.

Devenu maintenant étudiant, Nathanaël croit reconnaître cette figure d'effroi de son enfance sous les traits d'un opticien italien ambulant du nom de Giuseppe Coppola, qui lui propose, dans la ville où il étudie, de lui vendre des baromètres, et sur son refus, ajoute : « Hé! hé! pas baromètre, pas baromètre! – z'ai aussi d'zoli z'yeux – zoli z'yeux. » L'horreur de l'étudiant est apaisée, les yeux ainsi proposés se révélant être d'inoffensives lunettes; il achète à Coppola une longue-vue de poche et épie grâce à elle l'appartement du professeur Spalanzani, situé en face, où il aperçoit la fille de celui-ci, Olympia, belle, mais énigmatiquement laconique et immobile. Il éprouve pour elle un coup de foudre si violent qu'il en oublie sa fiancée raisonnable et banale. Mais Olympia est un automate dont Spalanzani a monté les rouages et dans lequel Coppola – l'Homme au sable – a inséré les yeux. L'étudiant survient alors que les deux maîtres se disputent leur œuvre; l'opticien a emporté la poupée de bois privée d'yeux, et le mécanicien, Spalanzani, ramasse les yeux sanglants d'Olympia qui traînent sur le sol, et les jette à la poitrine de Nathanaël, tout en disant que Coppola les a volés à Nathanaël. Celui-ci est pris d'une nouvelle crise de folie, dans le délire de 241 laquelle la réminiscence de la mort de son père s'associe à l'impression récente : « Hou – hou – hou!, crie-t-il, – cercle de feu – cercle de feu! Tourne, cercle de feu – ô gué – ô gué! Petite poupée de bois hou, belle petite poupée de bois tourne –. » Avec ces mots, il se jette sur le professeur, le soi-disant père d'Olympia, et veut l'étrangler.

S'éveillant d'une longue et grave maladie, Nathanaël semble enfin guéri. Il songe à épouser sa fiancée, qu'il a retrouvée. Un jour, ils traversent tous deux la ville, sur

le marché de laquelle le haut beffroi de l'hôtel de ville projette son ombre gigantesque. La jeune fille propose à son fiancé de monter sur le beffroi, tandis que le frère de la fiancée, qui accompagne le couple, reste en bas. Une fois en haut, l'attention de Clara est attirée par l'étrange apparition de quelque chose qui se rapproche dans la rue. Nathanaël regarde la même chose avec la longue-vue de Coppola, qu'il trouve dans sa poche ; il est à nouveau pris de folie et tout en prononçant les mots : « Petite poupée de bois, tourne », il veut précipiter la jeune fille dans le vide. Le frère accouru à ses cris la sauve et se hâte de redescendre avec elle. En haut, le fou furieux court en tous sens en s'exclamant : « Cercle de feu, tourne », formule dont nous comprenons évidemment l'origine. Parmi les gens qui sont attroupés en bas, on voit émerger l'avocat Coppélius qui a brusquement reparu. Nous pouvons supposer que c'est le spectacle de son approche qui a déclenché la folie de Nathanaël. On veut monter pour maîtriser le fou furieux, mais Coppélius [1] dit en riant : « Attendez un peu, il va descendre de lui-même. » Nathanaël s'immobilise soudain, aperçoit Coppélius, et en criant d'une voix perçante : « Oui ! Zoli z'yeux – Zoli z'yeux », il se jette par-dessus la balustrade. 242
Il n'est pas plus tôt étendu sur le pavé, la tête fracassée, que l'Homme au sable a déjà disparu dans la cohue

Ce bref compte rendu de l'histoire ne laissera sans doute planer aucun doute sur le fait que le sentiment d'inquiétante étrangeté se rattache directement à la figure de l'Homme au sable, donc à la représentation d'être privé de ses yeux, et qu'une incertitude intellectuelle au

1. À propos de la dérivation de ce nom : *coppella* = coupelle (cf. les opérations chimiques au cours desquelles le père est victime d'un accident) ; *coppo* = orbite de l'œil (d'après une remarque de Mme Rank).

sens où l'entend Jentsch n'a rien à voir avec cet effet. Le doute quant à l'existence d'une âme, que nous avons dû admettre dans le cas de la poupée Olympia, n'entre pas du tout en ligne de compte pour cet exemple beaucoup plus saisissant d'inquiétante étrangeté. Il est vrai qu'au début, l'auteur produit en nous une espèce d'incertitude en ne nous permettant pas d'abord de deviner, et ce sans doute à dessein, s'il va nous introduire dans le monde réel ou dans un monde fantastique de son choix. Il a en effet le droit de faire l'un ou l'autre, et quand il a, par exemple, choisi comme théâtre de ses mises en scène un monde où évoluent des esprits, des démons et des fantômes, comme Shakespeare dans *Hamlet, Macbeth* et, en un autre sens, dans *La tempête* et *Le songe d'une nuit d'été,* nous devons lui céder sur ce point et traiter le monde qu'il présuppose comme une réalité pendant le temps que nous nous en remettons à lui. Mais au fur et à mesure que se déroule le récit de Hoffmann, ce doute se dissipe, nous nous apercevons que l'auteur veut nous faire regarder nous-même par les lunettes ou la longue-vue de l'opticien démoniaque, qu'il a peut-être même lorgné en personne à travers un tel instrument. En effet, la conclusion du récit révèle clairement que l'opticien Coppola est bien l'avocat Coppélius et donc du même coup l'Homme au sable.

Il ne peut plus être ici question d'une « incertitude intellectuelle » : nous savons désormais qu'il ne s'agit pas de nous présenter les élucubrations fantasmatiques d'un fou, derrière lesquelles nous pourrions reconnaître, au nom de quelque supériorité rationaliste, les choses telles qu'elles sont, et l'impression d'inquiétante étrangeté n'a pas le moins du monde diminué du fait de cet éclair-
243 cissement. La notion d'incertitude intellectuelle ne nous

est donc d'aucun secours pour la compréhension de cet effet d'inquiétante étrangeté.

En revanche, l'expérience psychanalytique nous met en mémoire que c'est une angoisse infantile effroyable que celle d'endommager ou de perdre ses yeux. Beaucoup d'adultes sont restés sujets à cette angoisse et ils ne redoutent aucune lésion organique autant que celle de l'œil. N'a-t-on pas d'ailleurs l'habitude de dire qu'on tient à quelque chose comme à la prunelle de ses yeux? L'étude des rêves, des fantasmes et des mythes nous a ensuite appris que l'angoisse de perdre ses yeux, l'angoisse de devenir aveugle est bien souvent un substitut de l'angoisse de castration. Même l'auto-aveuglement du criminel mythique Œdipe n'est qu'une atténuation de la peine de castration qui eût été la seule adéquate selon la loi du talion. On peut bien essayer, suivant le mode de pensée rationaliste, de récuser la réduction de l'angoisse oculaire [a] à l'angoisse de castration; on trouve compréhensible qu'un organe aussi précieux que l'œil soit surveillé par une angoisse d'une intensité proportionnelle; on peut même aller jusqu'à affirmer que l'angoisse de castration elle-même ne recèle pas de secret plus profond ni d'autre signification. Néanmoins on ne rend pas compte de cette manière de la relation de substitution qui se manifeste, dans le rêve, le fantasme et le mythe, entre l'œil et le membre viril, et l'on ne pourra contester l'impression que justement la menace de perdre le membre sexuel suscite à son encontre un sentiment obscur particulièrement fort, et que c'est seulement ce sentiment qui confère sa résonance à la repré-

a. *Augenangst,* dans le texte allemand. Nous nous hasardons à traduire par « angoisse oculaire » cette expression elle-même singulière. Il faut entendre : angoisse de perdre ses yeux.

sentation de la perte d'autres organes. Tout autre doute éventuel se dissipe quand on a fait l'expérience, au cours d'analyses de névrosés, des détails du « complexe de castration », et qu'on a pris connaissance de l'importance de son rôle dans leur vie psychique.

D'ailleurs, je ne conseillerais pas à un adversaire de la conception psychanalytique, d'alléguer précisément le récit hoffmannien de *L'Homme au sable* pour affirmer que l'angoisse oculaire est quelque chose d'indépendant du complexe de castration. Car pourquoi l'angoisse oculaire est-elle mise ici en relation si intime avec la mort du père? Pourquoi l'Homme au sable survient-il chaque fois comme trouble-fête de l'amour? Il brouille le malheureux étudiant avec sa fiancée et avec le frère de celle-ci, qui est son meilleur ami; il détruit son deuxième objet d'amour, la belle poupée Olympia, et va jusqu'à le contraindre au suicide, alors qu'il est au seuil d'une union heureuse avec sa Clara reconquise. Ces traits du récit, de même que beaucoup d'autres, apparaissent arbitraires et insignifiants si l'on récuse la relation de l'angoisse oculaire à la castration, tandis qu'ils deviennent riches de sens, aussitôt qu'on met à la place de l'Homme au sable le père redouté dont on attend la castration [1].

1. En fait, l'élaboration que l'écrivain a fait subir au fantasme n'a pas brassé les éléments du sujet d'une manière si échevelée qu'il soit impossible de reconstituer leur ordonnance originelle. Dans l'histoire de l'enfance, le père et Coppélius représentent l'imago du père scindée par l'ambivalence en deux parts opposées; l'un menace d'aveugler (castration), l'autre, le bon père, demande grâce pour les yeux de l'enfant. La portion du complexe la plus atteinte par le refoulement, le désir de mort à l'endroit du mauvais père, trouve sa représentation dans la mort du bon père, qui est mise à la charge de Coppélius. Ce couple paternel a pour pendants, dans l'histoire ultérieure de la vie de l'étudiant, le professeur Spalanzani et l'opticien Coppola, le professeur

Nous nous risquerions donc à ramener l'inquiétante étrangeté de l'Homme au sable à l'angoisse du complexe de castration infantile. Mais dès lors que surgit l'idée d'avoir recours à un tel facteur infantile pour expliquer 245

étant par lui-même une figure dans une série paternelle, Coppola en tant qu'il est reconnu comme identique à l'avocat Coppélius. De même qu'autrefois ils travaillaient ensemble autour de l'âtre mystérieux, de même ils ont maintenant fabriqué en commun la poupée Olympia; le professeur est d'ailleurs nommé père d'Olympia. Par cette double collaboration, ils se révèlent comme étant des clivages de l'imago paternelle, c'est-à-dire que le mécanicien comme l'opticien sont le père d'Olympia aussi bien que de Nathanaël. Au cours de la scène d'effroi de l'enfance, Coppélius, après avoir renoncé à aveugler l'enfant, lui avait dévissé les bras et les jambes à titre expérimental, c'est-à-dire qu'il avait travaillé sur lui comme un mécanicien sur une poupée. Ce trait singulier, qui sort tout à fait du cadre de la représentation de l'Homme au sable, met en jeu un nouvel équivalent de la castration; mais il signale aussi l'identité intrinsèque de Coppélius avec sa réplique ultérieure, le mécanicien Spalanzani, et il nous prépare à interpréter la figure d'Olympia. Cette poupée automatique ne peut être rien d'autre que la matérialisation de l'attitude féminine que Nathanaël avait à l'égard de son père dans sa prime enfance. Ses pères – Spalanzani et Coppola – ne sont en effet que des rééditions, des réincarnations du couple de pères de Nathanaël; les paroles de Spalanzani, affirmant que l'opticien a volé les yeux de Nathanaël (cf. supra), pour les insérer dans la poupée, ne peuvent se comprendre autrement et prennent leur sens comme preuve de l'identité d'Olympia et de Nathanaël. Olympia est pour ainsi dire un complexe détaché de Nathanaël qui vient à sa rencontre sous les traits d'une personne; la domination qu'exerce sur lui ce complexe trouve son expression dans l'amour follement obsessionnel qu'il éprouve pour Olympia. Nous sommes autorisé à qualifier cet amour de narcissique et comprenons que celui qui en est la proie devienne étranger à l'objet d'amour réel. Mais la justesse psychologique de l'idée que le jeune homme fixé à son père par le complexe de castration est incapable d'aimer une femme est corroborée par de nombreuses analyses de malades, dont le contenu est certes moins fantastique, mais guère moins triste que l'histoire de l'étudiant Nathanaël.

E.T.A. Hoffmann était l'enfant d'un mariage malheureux. Alors qu'il avait trois ans, son père se sépara de sa petite famille et ne reprit plus jamais la vie commune. D'après les documents que cite E. Grisebach dans son introduction biographique aux œuvres de Hoffmann, la relation au père a toujours été l'un des points les plus sensibles dans la vie affective de l'écrivain.

la genèse du sentiment d'inquiétante étrangeté, nous sommes également amené à tenter de faire jouer la même dérivation pour d'autres exemples d'inquiétante étrangeté. Dans *L'Homme au sable,* on trouve également le motif de la poupée qui paraît animée, mis en avant par Jentsch. Cet auteur voit une condition particulièrement propice à la production de sentiments d'inquiétante étrangeté dans le fait qu'est suscitée une incertitude intellectuelle quant à savoir si quelque chose est animé ou inanimé, et que l'inanimé pousse trop loin sa ressemblance avec le vivant. Bien sûr, avec les poupées, nous ne sommes pas loin de l'enfantin. Nous nous souvenons que dès l'âge de ses premiers jeux, l'enfant ne fait généralement pas de distinction nette entre l'animé et l'inanimé, et qu'il éprouve une prédilection particulière à traiter sa poupée comme un être vivant. Il arrive même qu'on entende une patiente raconter qu'à l'âge de huit ans elle était encore persuadée qu'il eût suffi qu'elle regardât ses poupées d'une certaine manière, avec la plus grande insistance possible, pour que celles-ci devinssent vivantes. Sur ce point aussi, il est donc facile de mettre en évidence le facteur infantile; mais chose curieuse, dans le cas de l'Homme au sable, il s'agissait du réveil d'une angoisse infantile ancienne, alors que pour la poupée vivante, il n'est pas question d'angoisse; l'enfant n'a pas 246 eu peur de l'animation de ses poupées, il l'a peut-être même souhaitée. La source du sentiment d'inquiétante étrangeté ne serait donc pas ici une angoisse infantile, mais un désir ou même simplement une croyance infantile. Cela paraît contradictoire; il est possible que seule une approche diversifiée pourra par la suite favoriser notre compréhension.

E. T. A. Hoffmann est un maître inégalé de l'étrangement inquiétant dans la création littéraire [a]. Son roman *Les élixirs du Diable* déploie toute une panoplie de motifs auxquels on est tenté d'attribuer l'effet d'inquiétante étrangeté que provoque l'histoire [b]. Le contenu du roman est trop riche et emmêlé pour qu'on prenne le risque d'en citer un extrait. À la fin du livre, quand le lecteur est informé après coup des présupposés de l'action qui lui avaient été dissimulés jusque-là, cela n'a pas pour résultat d'éclairer le lecteur, mais au contraire de le plonger dans une confusion totale. L'auteur a accumulé trop d'éléments du même genre; l'impression d'ensemble

a. Par « création littéraire », nous traduisons l'allemand *Dichtung*. À partir de ce passage, Freud va faire dans la suite de l'article un large usage des mots *Dichter* et *Dichtung,* qui, dans leur acception étroite, désignent le « poète » et la « poésie », mais qui s'appliquent extensivement à l'activité littéraire en général, considérée surtout dans son aspect de création, d'élaboration, d'invention de fictions, d'un monde autre que le monde réel. On parlera des *Dichtungen* de Balzac, on dira que Musil est un grand *Dichter,* etc. Étant donné que Freud se réfère ici le plus souvent à des prosateurs, nous rendrons ces termes par « écrivain », « auteur », « création littéraire », « littérature », suivant le contexte. (Cf. aussi la note de la p. 32.)

b. Sous la rubrique « Varia », dans l'une des parutions de l'*Internationale Zeitschrift für Psychoanalyse* pour l'année 1919 (5, 308), celle où le présent article a été publié pour la première fois, on voit apparaître au-dessus des initiales « S.F. » une brève note qu'il n'est pas déraisonnable d'attribuer à Freud. On nous excusera de l'insérer ici, bien qu'elle soit à strictement parler hors de propos. Cette note est intitulée : « E. T. A. Hoffmann, sur la fonction de la conscience [*Bewusstsein*] », et poursuit ainsi : « Dans *Les élixirs du Diable* (Deuxième partie, p. 210, édition Hesse) – roman riche en descriptions magistrales d'états mentaux pathologiques –, Schönfeld console le héros, dont la conscience est momentanément perturbée, par les paroles suivantes : " À quoi cela vous avance-t-il donc? Je veux parler de cette fonction mentale particulière qu'on nomme conscience [*Bewusstsein*] et qui n'est rien d'autre que la satanée activité d'un damné percepteur de péage – sous-fifre de l'octroi – adjoint supérieur des douanes, qui a installé son maudit bureau sous les combles, et qui dit à toute marchandise qui veut sortir : Hé là! l'exportation est interdite... ça reste dans le pays, dans le pays... " »

n'en pâtit pas, mais bien la compréhension. Il faudra se contenter de dégager, parmi ces motifs producteurs d'inquiétante étrangeté, les plus saillants, afin d'examiner si, pour eux aussi, une dérivation à partir de sources infantiles est permise. Il s'agit du motif du double dans toutes ses gradations et spécifications, c'est-à-dire de la mise en scène de personnages qui, du fait de leur apparence semblable, sont forcément tenus pour identiques, de l'intensification de ce rapport par la transmission immédiate de processus psychiques de l'un de ces personnages à l'autre – ce que nous nommerions télépathie –, de sorte que l'un participe au savoir, aux sentiments et aux expériences de l'autre, de l'identification à une autre personne, de sorte qu'on ne sait plus à quoi s'en tenir quant au moi propre, ou qu'on met le moi étranger à la place du moi propre – donc dédoublement du moi, division du moi, permutation du moi –, et enfin du retour permanent du même [a], de la répétition des mêmes traits de visage, caractères, destins, actes criminels, voire des noms à travers plusieurs générations successives.

247 Le motif du double a fait l'objet d'une étude approfondie dans un ouvrage d'O. Rank qui porte le même nom [1]. Il y examine les relations du double à l'image en miroir et à l'ombre portée, à l'esprit tutélaire, à la doctrine de l'âme et à la crainte de la mort; mais du même coup est aussi mise en lumière la surprenante histoire de l'évolution du motif. Car le double était à l'origine une assurance contre la disparition du moi,

1. O. Rank, *Le double* (1914).

a. Cette phrase semble être un écho de Nietzsche. Dans le chapitre III d'*Au-delà du principe de plaisir* (1920*g*), Freud met une formule similaire, « éternel retour du même », entre guillemets.

un « démenti énergique de la puissance de la mort » (O. Rank), et il est probable que l'âme « immortelle » a été le premier double du corps. La création d'un tel dédoublement pour se garder de l'anéantissement a son pendant dans une mise en scène de la langue du rêve qui aime à exprimer la castration par redoublement ou multiplication du symbole génital [a]; dans la culture des anciens Égyptiens, elle motive l'art de modeler l'image du défunt dans une matière durable. Mais ces représentations ont poussé sur le terrain de l'amour illimité de soi, celui du narcissisme primaire, lequel domine la vie psychique de l'enfant comme du primitif; avec le dépassement de cette phase, le signe dont est affecté le double se modifie; d'assurance de survie qu'il était, il devient l'inquiétant [*unheimlich*] avant-coureur de la mort.

La représentation du double ne disparaît pas nécessairement avec ce narcissisme originaire, car elle peut recevoir des stades d'évolution ultérieurs du moi un nouveau contenu. Dans le moi se spécifie peu à peu une instance particulière qui peut s opposer au reste du moi, qui sert à l'observation de soi et à l'autocritique, qui accomplit le travail de la censure psychique et se fait connaître à notre conscience psychologique comme « conscience morale ». Dans le cas pathologique du délire de surveillance, elle est isolée, dissociée du moi par clivage, observable par le médecin. Le fait qu'il existe une telle instance, capable de traiter le reste du moi à l'instar d'un objet, donc que l'homme a la faculté de s'observer lui-même, rend possible de doter l'ancienne représentation du double d'un nouveau contenu et de

248

a. Cf. *L'interprétation du rêve* (1900*a*), 307.

lui attribuer bien des choses, principalement tout ce qui apparaît à l'autocritique comme faisant partie de l'ancien narcissisme surmonté des origines [1].

Mais on peut faire endosser au double non seulement ce contenu qui heurte la critique du moi; on peut lui attribuer aussi toutes les possibilités avortées de forger notre destin auxquelles le fantasme veut s'accrocher encore, et toutes les aspirations du moi qui n'ont pu aboutir par suite de circonstances défavorables, de même que toutes les décisions réprimées de la volonté, qui ont suscité l'illusion du libre arbitre [2].

Cependant, après avoir ainsi considéré la motivation manifeste de la figure du double, nous sommes obligé de nous dire que rien de tout cela ne nous rend intelligible le degré extraordinairement élevé d'inquiétante étrangeté qui s'y rattache, et notre connaissance des processus psychiques pathologiques nous autorise à ajouter que rien dans ce contenu ne saurait expliquer l'effort défensif qui le projette en dehors du moi comme quelque chose d'étranger. Le caractère d'inquiétante étrangeté ne

1. Je crois que quand les poètes se plaignent de ce que deux âmes habitent en l'homme [a], et quand les vulgarisateurs de psychologie parlent du clivage du moi en l'homme, c'est ce dédoublement, ressortissant à la psychologie du moi, entre l'instance critique et le reste du moi, qu'ils ont en tête, et non l'opposition, mise au jour par la psychanalyse, entre le moi et le refoulé inconscient. Il est vrai que cette distinction est estompée par le fait que parmi ce qui est rejeté par la critique venue du moi se trouvent en premier lieu les rejetons de l'inconscient.

2. Dans le récit de H. H. Ewers, « L'étudiant de Prague », dont part l'étude de Rank sur le double, le héros a promis à sa fiancée de ne pas tuer son adversaire en duel. Mais alors qu'il se rend sur le terrain, il rencontre son double, qui a déjà supprimé son rival.

a. Freud transpose ici à peu près littéralement le vers 1112 du *Premier Faust* de Goethe :

Zwei Seelen wohnen, ach! in meiner Brust,..
(« Deux âmes, hélas, habitent en mon sein. . »)

peut en effet venir que du fait que le double est une formation qui appartient aux temps originaires dépassés de la vie psychique, qui du reste revêtait alors un sens plus aimable. Le double est devenu une image d'épouvante de la même façon que les dieux deviennent des démons après que leur religion s'est écroulée (Heine, *Les dieux en exil*).

Les autres perturbations du moi utilisées chez Hoffmann sont faciles à apprécier selon le modèle du motif du double. Il s'agit dans chaque cas d'une reprise de phases isolées de l'histoire de l'évolution du sentiment du moi, d'une régression à des époques où le moi ne s'était pas encore nettement délimité par rapport au monde extérieur et à autrui. Je crois que ces motifs sont également responsables de l'impression d'inquiétante étrangeté, même s'il n'est pas facile de dégager et d'isoler la part qu'ils y prennent. 249

Le facteur de répétition du même ne sera peut-être pas reconnu par tout un chacun comme source du sentiment d'inquiétante étrangeté. D'après mes observations, il est indubitable qu'à certaines conditions, et combiné avec des circonstances précises, il provoque un tel sentiment, qui rappelle en outre la détresse de bien des états de rêve. Un jour que je flânais, par un chaud après-midi d'été, dans les rues inconnues et désertes d'une petite ville italienne, je tombai par hasard dans une zone sur le caractère de laquelle je ne pus longtemps rester dans le doute. Aux fenêtres des petites maisons, on ne pouvait voir que des femmes fardées, et je me hâtai de quitter la ruelle au premier croisement. Mais après avoir erré pendant un moment sans guide, je me retrouvai soudain dans la même rue où je commençai à susciter quelque curiosité, et mon éloignement hâtif eut pour seul effet de m'y reconduire une troisième fois par un nouveau détour. Mais je fus saisi alors d'un sentiment que je ne peux que qualifier d'*unheimlich,* et je fus heureux lorsque, renonçant à poursuivre mes explorations, je retrouvai le chemin de la *piazza* que j'avais quittée peu de temps auparavant. D'autres situations, qui ont en commun avec celle que je viens de décrire un retour non intentionnel et qui s'en distinguent radicalement sur d'autres points, entraînent pourtant le même sentiment de détresse et d'inquiétante étrangeté. Par 250 exemple, lorsqu'on s'est égaré dans une forêt, à la montagne, surpris peut-être par le brouillard, et qu'en dépit de tous les efforts pour trouver un chemin balisé ou connu, on se retrouve à plusieurs reprises au même endroit que caractérise un relief particulier. Ou bien lorsqu'on erre dans une pièce inconnue et obscure à la recherche de la porte ou de l'interrupteur, et que, ce faisant, on entre en collision pour la énième fois avec le même meuble, situation que Mark Twain, il est vrai au prix d'une outrance grotesque, a transformée en une scène d'un comique irrésistible [a].

Une autre série d'expériences nous fait également reconnaître sans peine que c'est seulement le facteur de répétition non intentionnelle qui imprime le sceau de l'étrangement inquiétant à quelque chose qui serait sans cela anodin, et nous impose l'idée d'une fatalité inéluctable là où nous n'aurions parlé sans cela que de « hasard ». Ainsi, c'est sans doute une expérience indifférente que de recevoir par exemple en échange de ses habits, qu'on a déposés dans un vestiaire, un ticket marqué d'un certain numéro – disons : 62 –, ou de trouver que la cabine qui

a. Mark Twain, *A Tramp Abroad,* Londres, 1880, *1,* 107.

nous a été attribuée sur un bateau porte le même numéro. Mais cette impression se modifie si ces deux événements en eux-mêmes indifférents se trouvent rapprochés, de sorte qu'on se trouve confronté plusieurs fois dans la même journée au nombre 62, et si de plus l'on venait ensuite à faire l'observation que tout ce qui est porteur d'un numéro (adresses, chambres d'hôtel, wagons de chemin de fer, etc.) renferme à chaque fois le même nombre, ne serait-ce qu'à titre d'élément partiel. On trouvera cela *unheimlich,* et quiconque n'est pas cuirassé contre les tentations de la superstition sera porté à attribuer à ce retour obstiné du même nombre une signification secrète [*geheim*], à y voir par exemple l'indication du temps de vie qui lui est imparti [a]. Ou bien si, étant justement en train d'étudier les écrits du grand physiologiste H. Hering, on reçoit à peu de jours d'intervalle des lettres de deux personnes portant ce nom et habitant dans des pays différents, alors que jusque-là on n'était jamais entré en relation avec des gens s'appelant ainsi. Un chercheur naturaliste, qui est aussi un homme d'esprit, a récemment tenté de soumettre des événements de ce genre à des lois précises, ce qui devrait avoir pour effet de lever l'impression d'inquiétante étrangeté. Je ne me hasarderai pas à décider s'il a réussi [1]. 251

Quant à savoir comment on peut faire dériver de la vie infantile ce qu'a d'étrangement inquiétant le retour du même, je ne peux que l'évoquer brièvement ici, et je dois renvoyer pour cela à une autre œuvre, déjà achevée, où cette question est traitée en détail, mais dans un autre

1. P. Kammerer, *Das Gesetz der Serie (La loi de la série)*, 1919.

a. Freud lui-même avait atteint l'âge de soixante-deux ans un an plus tôt, en 1918.

contexte [a]. Dans l'inconscient psychique, en effet, on parvient à discerner la domination d'une *compulsion de répétition* émanant des motions pulsionnelles, qui dépend sans doute de la nature la plus intime des pulsions elles-mêmes, qui est assez forte pour se placer au-delà du principe de plaisir, qui confère à certains aspects de la vie psychique un caractère démonique, qui se manifeste encore très nettement dans les tendances du petit enfant et domine une partie du déroulement de la psychanalyse du névrosé. Toutes les analyses précédentes nous préparent à reconnaître que sera ressenti comme étrangement inquiétant ce qui peut rappeler cette compulsion intérieure de répétition.

Mais je pense qu'à présent il est temps de nous détourner de ces configurations, sur lesquelles il est de toute façon difficile de porter un jugement, et de nous mettre en quête de cas indubitables d'inquiétante étrangeté, dont il nous est permis d'attendre que leur analyse tranchera définitivement quant à la validité de notre hypothèse.

Dans *L'anneau de Polycrate* [b], l'invité se détourne avec horreur, parce qu'il s'aperçoit que chaque désir de son ami se réalise aussitôt, que chacun de ses soucis est effacé sans délai par le destin. Son hôte est devenu pour lui *unheimlich*. L'explication qu'il donne lui-même, à savoir que celui qui est trop heureux doit craindre l'envie des dieux, nous paraît encore impénétrable, son sens est

a. C'est ce qui a été publié un an plus tard sous le titre *Au-delà du principe de plaisir* (1920*g*). Les différentes manifestations de la « compulsion de répétition » énumérées ici sont développées dans les chapitres II et III de cet ouvrage. La « compulsion de répétition » avait déjà été décrite par Freud en tant que phénomène clinique dans un article technique publié cinq ans auparavant (1914*g*).

b. Célèbre ballade de Schiller inspirée d'Hérodote.

mythologiquement voilé. C'est pourquoi nous prendrons un autre exemple, emprunté à une situation bien plus simple : dans l'histoire de la maladie d'un névrosé obses- 252 sionnel [1], j'ai raconté que ce malade avait fait une fois un séjour dans un établissement d'hydrothérapie dont il avait retiré une grande amélioration de son état. Mais il avait été assez avisé pour attribuer ce succès non pas au pouvoir thérapeutique de l'eau, mais à la situation de sa chambre qui se trouvait à proximité immédiate de celle d'une charmante infirmière. Lorsqu'il revint pour la deuxième fois dans cet établissement, il réclama de nouveau la même chambre, mais il dut apprendre qu'elle était déjà occupée par un vieux monsieur, et il donna libre cours à sa mauvaise humeur en ces termes : « Puisse-t-il être frappé par une attaque ! » Et effectivement, quinze jours plus tard, le vieux monsieur fut victime d'une attaque. Pour mon patient, cela fut une expérience « étrangement inquiétante ». L'impression d'inquiétante étrangeté aurait été encore plus forte si le laps de temps écoulé entre cette exclamation et l'accident avait été beaucoup plus court, ou si le patient avait pu faire état d'un grand nombre d'expériences tout à fait similaires. En effet, il ne fut pas embarrassé pour trouver de telles confirmations, mais non pas lui seul : tous les névrosés obsessionnels que j'ai étudiés étaient à même de rapporter à leur sujet des choses analogues. Ils n'étaient pas du tout surpris de rencontrer régulièrement la personne à laquelle ils étaient justement en train de penser – il y avait peut-être un bon moment –; ils avaient l'habitude de recevoir régulièrement le matin une lettre d'un ami, quand ils avaient dit la veille au soir : « Tiens, voilà

1. Freud, 1909*d*.

longtemps qu'on n'a pas eu de nouvelles de celui-là », et surtout les malheurs et les décès se produisaient rarement sans avoir un instant auparavant effleuré leurs pensées. Ils avaient coutume d'exprimer cet état de fait de la manière la plus modeste, en affirmant qu'ils avaient des « pressentiments » qui se réalisaient « la plupart du temps ».

L'une des formes de superstition les plus étrangement inquiétantes et les plus répandues est la peur [*Angst*] du « mauvais œil », qui a fait l'objet d'une étude approfondie de l'ophtalmologiste hambourgeois S. Seligmann [1]. La source à laquelle puise cette angoisse semble n'avoir jamais été méconnue. Quiconque possède quelque chose d'à la fois précieux et fragile, redoute l'envie des autres en projetant sur eux l'envie qu'il aurait éprouvée dans la situation inverse. De telles motions se trahissent par le regard, même quand on leur refuse l'expression verbale, et quand quelqu'un se distingue des autres par des caractéristiques frappantes, en particulier de nature antipathique, on présume de lui que son envie prendra une force particulière et traduira également cette force par des effets. On redoute donc une intention secrète [*geheim*] de nuire, et sur la foi de certains présages, on suppose que cette intention dispose également du pouvoir [de se manifester].

Les derniers exemples d'inquiétante étrangeté mentionnés dépendent du principe qu'à l'instigation d'un patient [a] j'ai nommé la « toute-puissance des pensées ». Nous ne pouvons plus désormais méconnaître le terrain

1. *Der böse Blick und Verwandtes (Le mauvais œil et phénomènes apparentés)*, 1910 et 1911.

a. Il s'agit du patient obsessionnel auquel il a été fait allusion un peu plus haut, l'« Homme aux rats » (Freud, 1909*d*).

sur lequel nous nous trouvons. L'analyse des cas d'inquiétante étrangeté nous a ramené à l'antique conception du monde de l'*animisme,* qui était caractérisée par la tendance à peupler le monde d'esprits anthropomorphes, par la surestimation narcissique des processus psychiques propres, la toute-puissance des pensées et la technique de la magie fondée sur elle, l'attribution de vertus magiques soigneusement hiérarchisées à des personnes et à des choses étrangères *(mana),* ainsi que par toutes les créations grâce auxquelles le narcissisme illimité de cette période de l'évolution se mettait à l'abri de la contestation irrécusable que lui opposait la réalité. Il semble qu'au cours de notre évolution individuelle, nous ayons tous traversé une phase correspondant à cet animisme des primitifs, qu'elle ne se soit déroulée chez aucun d'entre nous sans laisser des restes et des traces encore à même de s'exprimer, et que tout ce qui nous paraît aujourd'hui « étrangement inquiétant » réponde à une condition, qui est de toucher à ces restes d'activité psychique animiste et de les inciter à s'exprimer [1]. 254

C'est ici le lieu d'avancer deux remarques dans lesquelles je voudrais déposer l'essentiel du contenu de cette petite investigation. Premièrement, si la théorie psychanalytique a raison quand elle affirme que tout affect qui s'attache à un mouvement émotionnel, de quelque nature qu'il soit, est transformé par le refoulement en angoisse, alors, il faut que se détache parmi les cas de l'angoissant un groupe dont on puisse démontrer que cet angoissant-

1. Cf. à ce propos la section III « Animisme, magie et toute-puissance des pensées » dans mon livre *Totem et tabou,* 1913. On y trouve également cette remarque : « Il semble que nous conférions le caractère de l'*Unheimlich* à des impressions qui tendent à confirmer la toute-puissance des pensées et le mode de pensée animiste en général, alors que nous nous sommes déjà détournés d'eux dans le jugement. »

là est quelque chose de refoulé qui fait retour. Cette espèce de l'angoissant serait justement l'étrangement inquiétant, et dans ce cas, il doit être indifférent qu'il ait été lui-même angoissant à l'origine ou qu'il ait été porté par un autre affect. Deuxièmement, si là est réellement la nature secrète [*geheim*] de l'étrangement inquiétant, nous comprenons que l'usage linguistique fasse passer le *Heimlich* en son contraire, le *Unheimlich* (p. 221 sqq.), puisque ce *Unheimlich* n'est en réalité rien de nouveau ou d'étranger, mais quelque chose qui est pour la vie psychique familier de tout temps, et qui ne lui est devenu étranger que par le processus du refoulement. La mise en relation avec le refoulement éclaire aussi maintenant pour nous la définition de Schelling selon laquelle l'étrangement inquiétant serait quelque chose qui aurait dû rester dans l'ombre et qui en est sorti.

Il ne nous reste plus qu'à mettre notre découverte à l'épreuve de l'explication de quelques autres cas d'inquiétante étrangeté.

Ce qui paraît au plus haut point étrangement inquiétant à beaucoup de personnes est ce qui se rattache à la mort, aux cadavres et au retour des morts, aux esprits 255 et aux fantômes. Nous avons d'ailleurs vu que nombre de langues modernes ne peuvent pas du tout rendre notre expression : une maison *unheimlich* autrement que par la formule : une maison hantée [a]. Nous aurions pu à vrai dire commencer notre investigation par cet exemple, peut-être le plus frappant de tous, mais nous ne l'avons

a. La phrase de Freud perd un peu de son sens en traduction. Elle dit en effet que beaucoup de langues autres que l'allemand doivent recourir à la *périphrase : « ein Haus, in dem es spukt »*, soit littéralement en français : « une maison hantée ». Par un plaisant retour des choses, il se trouve que la locution française n'est justement pas, pour une fois, périphrastique.

pas fait parce que ici l'étrangement inquiétant est trop mêlé à l'effroyable et est en partie recouvert par lui. Mais il est peu de domaines où notre manière de penser et de sentir se soit si peu transformée depuis l'aube des temps, où l'ancien se soit si bien conservé sous une mince pellicule, que celui de notre relation à la mort. Deux facteurs rendent bien compte de cette immobilité : la force de nos réactions affectives originaires et l'incertitude de nos connaissances scientifiques. Notre biologie n'a pu encore décider si la mort est la destinée nécessaire de tout être vivant ou bien si elle n'est qu'un accident régulier, mais peut-être évitable, à l'intérieur de la vie [a]. La proposition : tous les hommes sont mortels, a beau parader dans les manuels de logique comme modèle d'affirmation universelle, aucun homme ne se résout à la tenir pour évidente, et il y a dans notre inconscient actuel aussi peu place que jadis pour la représentation de notre propre mortalité [b]. Les religions continuent à contester son importance au fait irrécusable de la mort individuelle, et elles prolongent l'existence au-delà du terme de la vie; les pouvoirs de l'État ne pensent pas être capables de maintenir l'ordre moral parmi les vivants, si l'on doit renoncer à corriger la vie terrestre par un au-delà meilleur; sur les colonnes d'affichage de nos grandes villes sont annoncées des conférences prétendant prodiguer des enseignements quant à la manière dont on peut se mettre en relation avec les âmes des défunts, et il est indéniable que plusieurs des têtes les plus subtiles et des

a. Ce problème occupe une place importante dans *Au-delà du principe de plaisir* (1920*g*) que Freud écrivait au même moment que « L'inquiétante étrangeté ».

b. Freud a discuté plus amplement de l'attitude de l'individu face à la mort dans son article « Considérations actuelles sur la guerre et la mort » (1915*b*).

penseurs les plus perspicaces parmi les hommes de science, ont jugé, surtout vers la fin de leur propre temps d'existence, qu'il ne manquait pas de possibilités de communication de ce genre. Étant donné que la quasi-totalité d'entre nous pense encore sur ce point comme les sauvages, il n'est pas étonnant que la peur [*Angst*] primitive du mort soit encore chez nous si puissante, et qu'elle soit prête à se manifester dès qu'une chose quelconque vient au-devant d'elle. Il est probable qu'elle conserve encore le sens ancien, à savoir que le mort est devenu l'ennemi du survivant et a l'intention de l'entraîner avec lui, afin qu'il partage sa nouvelle existence. Étant donné l'immuabilité de notre attitude à l'égard de la mort, on pourrait plutôt demander où demeure la condition du refoulement qui est requis afin que le primitif puisse faire retour comme quelque chose d'étrangement inquiétant Mais celle-ci est effectivement réalisée; officiellement, les gens soi-disant cultivés ne croient plus à la possibilité que les défunts deviennent visibles sous forme d'âmes, ils ont rattaché leur apparition à des conditions lointaines et rarement réalisées, et l'attitude affective à l'égard du mort, qui était à l'origine éminemment ambiguë et ambivalente, s'est trouvée affaiblie pour les couches supérieures de la vie psychique, en faisant place à l'attitude univoque de la piété [1].

Il n'est plus besoin maintenant que de quelques compléments, car avec l'animisme, la magie et la sorcellerie, la toute-puissance des pensées, la relation à la mort, la répétition non intentionnelle et le complexe de castration, nous avons à peu près fait le tour des facteurs qui transforment l'angoissant en étrangement inquiétant.

1. Cf. « Le tabou et l'ambivalence » dans *Totem et tabou* (1912-1913).

Il nous arrive aussi de dire d'un homme vivant qu'il est étrangement inquiétant, et ce quand nous lui prêtons des intentions mauvaises. Mais cela ne suffit pas, nous devons encore ajouter que les intentions malveillantes que nous lui prêtons s'accompliront avec l'aide de forces particulières. Le *gettatore* [a] en est un bon exemple, ce personnage étrangement inquiétant de la superstition latine, qu'Albrecht Schaeffer, dans son livre *Josef Montfort,* a transformé, avec beaucoup d'intuition poétique et une profonde intelligence psychanalytique, en une figure sympathique. Mais avec ces forces occultes [*geheim*], nous nous trouvons à nouveau sur le terrain de l'animisme. C'est le pressentiment de telles forces occultes [*Geheimkräfte*] qui rend Méphisto si étrangement inquiétant aux yeux de la pieuse Gretchen : 257

> Elle pressent que je suis à coup sûr un génie,
> Et qui sait, peut-être le diable [b].

L'inquiétante étrangeté qui s'attache à l'épilepsie, à la folie, a la même origine. Le profane se voit là confronté à la manifestation de forces qu'il ne présumait pas chez son semblable, mais dont il lui est donné de ressentir obscurément le mouvement dans des coins reculés de sa propre personnalité. D'une manière conséquente et presque correcte sur le plan psychologique, le Moyen Âge avait attribué toutes ces manifestations pathologiques à l'action de démons. Je ne m'étonnerais même pas d'apprendre que la psychanalyse elle-même, du fait qu'elle s'emploie à mettre au jour ces forces occultes [*geheim*], soit devenue

a. Littéralement « jeteur » (de sorts). Le roman de Schaeffer a été publié en 1918.
b. Goethe, *Faust,* I, vv. 3540-3541.

étrangement inquiétante pour beaucoup de gens. Dans un cas où j'avais réussi – encore qu'assez lentement – à remettre sur pied une jeune fille malade depuis de nombreuses années, j'ai entendu cette réflexion dans la bouche même de la mère de la patiente, qui avait été guérie pour longtemps.

Des membres séparés, une tête coupée, une main détachée du bras comme dans un conte [a] de Hauff, des pieds qui dansent tout seuls comme dans le livre déjà mentionné d'A. Schaeffer, recèlent un extraordinaire potentiel d'inquiétante étrangeté, surtout lorsque, comme dans le dernier exemple, il leur est accordé par-dessus le marché une activité autonome. Nous savons déjà que cette inquiétante étrangeté-là découle de la proximité du complexe de castration. Nombre de personnes décerneraient le prix de l'étrangement inquiétant à l'idée d'être enterré en état de léthargie. Simplement, la psychanalyse nous a enseigné que ce fantasme effrayant n'est que la transmutation d'un autre qui n'avait à l'origine rien d'effrayant, mais se soutenait au contraire d'une certaine volupté, à savoir le fantasme de vivre dans le sein maternel [b].

258 Ajoutons encore une considération générale qui, à strictement parler, était déjà contenue dans ce que nous avons affirmé jusqu'ici sur l'animisme et les modes de travail dépassés de l'appareil psychique, mais qui nous paraît cependant mériter d'être spécialement mise en

a. Cf. note a, p. 225.

b. Voir la section VIII de l'analyse de l'« Homme aux loups » (1918*b*).

relief : qu'un effet d'inquiétante étrangeté se produit souvent et aisément, quand la frontière entre fantaisie et réalité se trouve effacée, quand se présente à nous comme réel quelque chose que nous avions considéré jusque-là comme fantastique, quand un symbole revêt toute l'efficience et toute la signification du symbolisé, et d'autres choses du même genre. C'est là-dessus que repose également une bonne part de l'inquiétante étrangeté inhérente aux pratiques magiques. Ce qu'il y a d'infantile là-dedans, et qui domine aussi la vie psychique des névrosés, c'est l'accentuation excessive de la réalité psychique par rapport à la réalité matérielle, trait qui se rattache à la toute-puissance des pensées. En plein blocus de la guerre mondiale, il me tomba entre les mains un numéro du magazine anglais *Strand,* dans lequel, au milieu d'autres productions plus ou moins oiseuses, je lus une nouvelle qui racontait comment un jeune couple s'installe dans un meublé, dans lequel se trouve une table aux formes bizarres, ornée de crocodiles sculptés. Vers le soir se répand alors régulièrement dans l'appartement une puanteur insupportable et caractéristique, on trébuche dans le noir sur on ne sait quoi, on croit voir quelque chose d'indéfinissable glisser furtivement sur l'escalier, bref, il s'agit de deviner que par suite de la présence de cette table, la maison est hantée par des crocodiles fantomatiques, ou que les monstres de bois prennent vie dans le noir, ou quelque chose de ce genre. C'était une histoire plutôt sotte, mais on ressentait au plus haut degré son effet d'inquiétante étrangeté.

Pour clore cette collection d'exemples sans doute encore incomplète, il faut mentionner une expérience tirée du travail psychanalytique, qui, si elle ne repose pas sur une coïncidence fortuite, apporte la plus belle confirmation de notre conception de l'inquiétante étran-259 geté. Il advient souvent que des hommes névrosés déclarent que le sexe féminin est pour eux quelque chose d'étrangement inquiétant. Mais il se trouve que cet étrangement inquiétant est l'entrée de l'antique terre natale [*Heimat*] du petit d'homme, du lieu dans lequel chacun a séjourné une fois et d'abord. « L'amour est le mal du pays [*Heimweh*] », affirme un mot plaisant, et quand le rêveur pense jusque dans le rêve, à propos d'un lieu ou d'un paysage : « Cela m'est bien connu, j'y ai déjà été une fois », l'interprétation est autorisée à y substituer le sexe ou le sein de la mère. L'étrangement inquiétant est donc aussi dans ce cas le chez-soi [*das Heimische*], l'antiquement familier d'autrefois. Mais le préfixe *un* par lequel commence ce mot est la marque du refoulement.

III

Déjà pendant la lecture des analyses precédentes, le lecteur a dû sentir monter en lui des doutes auxquels il faut maintenant permettre de se rassembler et de se faire entendre.

Il est sans doute exact que l'inquiétante etrangeté est le *Heimlich-Heimisch* qui a subi un refoulement et qui a fait retour à partir de là, et que tout ce qui est étrangement inquiétant remplit cette condition. Mais l'énigme de l'étrangement inquiétant ne paraît pas résolue par cette délimitation thématique. Notre proposition ne supporte manifestement pas d'être inversée. Tout ce qui nous rappelle des motions de désir refoulées et des modes de pensée dépassés de notre préhistoire individuelle et des temps originaires des peuples n'est pas pour autant étrangement inquiétant.

Nous ne voulons pas non plus passer sous silence que pour presque chaque exemple qui devait corroborer notre proposition, on pourrait en trouver un analogue qui le contredit. Il est par exemple certain que la main coupée produit, dans le conte de Hauff l'*Histoire de la main coupée,* un effet étrangement inquiétant, ce que nous avons ramené au complexe de castration. Mais dans le récit d'Hérodote consacré au trésor de Rhampsinite, le maître-voleur abandonne à la princesse qui veut le retenir par la main, la main coupée de son frère, et d'autres personnes jugeront sans doute tout comme moi que ce trait ne provoque aucun effet d'inquiétante étrangeté. Il ne fait 260 pas de doute que la prompte réalisation du désir dans *L'anneau de Polycrate* produit sur nous un effet tout aussi étrangement inquiétant que sur le roi d'Égypte lui-même. Mais nos contes regorgent de réalisations de désirs immédiates, et l'inquiétante étrangeté en est absente. Dans le conte des trois vœux, la femme, alléchée par les effluves d'une saucisse à rôtir, se laisse entraîner à dire qu'elle en voudrait une pareille. Cette saucisse se trouve aussitôt devant elle, dans son assiette. L'homme, qui se fâche de cette hardiesse, souhaite que la saucisse s'accroche au nez de la femme. En un clin d'œil, la voici qui pendille à son nez. Le conte est très impressionnant, mais pas le moins du monde étrangement inquiétant. Le conte adopte en général tout à fait ouvertement le point de vue animiste de la toute-puissance des pensées et des désirs, et je ne pourrais citer aucun conte authentique dans lequel intervienne quelque chose d'étrangement inquiétant. Nous avons vu qu'il se produit un puissant effet d'inquiétante étrangeté quand des choses, des images, des poupées inanimées s'animent, mais dans les contes d'Andersen, les ustensiles domestiques, les meubles, le soldat d'étain vivent, et pourtant rien n'est peut-être plus éloigné de l'étrangement inquiétant. De même que l'animation de la belle statue de Pygmalion n'inspirera guère de sentiment d'inquiétante étrangeté.

Nous avons noté que la léthargie et la réanimation de morts étaient des représentations très étrangement inquiétantes. Mais encore une fois, de tels phénomènes sont monnaie courante dans le conte; qui oserait qualifier d'étrangement inquiétant le moment où, par exemple, Blanche Neige rouvre les yeux? De même, la résurrection des morts dans les histoires miraculeuses, par exemple celles du Nouveau Testament, suscite des sentiments qui n'ont rien à voir avec l'étrangement inquiétant. Le retour non intentionnel du même, qui nous a paru donner lieu à d'indubitables effets d'inquiétante étrangeté, ne s'en prête pas moins dans toute une série de cas à d'autres effets, d'ailleurs fort différents. Nous avons déjà rencontré un cas dans lequel il est utilisé comme moyen de déclencher un sentiment comique, et nous pourrions accumuler 261 les exemples de ce genre. D'autres fois, il a des effets de renforcement, etc. D'où provient, d'autre part, l'inquiétante étrangeté du silence, de la solitude, de l'obscurité? Est-ce que ces circonstances [a] ne renvoient pas au rôle du danger dans la genèse de l'étrangement inquiétant, même si ce sont là les mêmes conditions que celles dans

a. *Momente,* que nous traduisons ici, ainsi qu'au dernier alinéa de cet essai, par « circonstances » Partout ailleurs le mot apparaît au singulier et a été traduit par « facteur »

lesquelles nous voyons le plus souvent les enfants manifester de l'angoisse? Et pouvons-nous vraiment laisser complètement de côté le facteur de l'incertitude intellectuelle, alors que nous avons reconnu son importance au regard de l'inquiétante étrangeté de la mort?

Nous devons donc être prêt à accepter que l'émergence du sentiment d'inquiétante étrangeté soit encore soumise à d'autres conditions que celles touchant au contenu que nous avons avancées en premier lieu. Il est vrai qu'on pourrait dire qu'avec ce premier ordre de constatations, la question de l'intérêt que présente pour la psychanalyse le problème de l'inquiétante étrangeté est réglé, que le reste nécessiterait sans doute une investigation esthétique. Mais ce faisant, nous ouvririons la porte au doute quant à la valeur dont peut au juste se prévaloir notre découverte qui voit l'origine de l'inquiétante étrangeté dans le familier [*das Heimische*] refoulé.

Une observation peut nous montrer la voie de la solution de ces incertitudes. Presque tous les exemples qui contredisent nos attentes sont empruntés au domaine de la fiction, de la création littéraire. Nous sommes ainsi invité à faire une différence entre l'étrangement inquiétant vécu et l'étrangement inquiétant purement représenté ou connu par la lecture.

L'étrangement inquiétant vécu présente des conditions bien plus simples, mais il englobe un plus petit nombre de cas. Je crois qu'il se prête sans exception à notre tentative de solution, qu'il se laisse chaque fois ramener à un refoulé autrefois familier. Mais ici aussi, il nous faudra trier la matière, procéder à un tri important et d'une grande portée psychologique, que nous repérerons de la meilleure manière en prenant des exemples appropriés.

Prenons l'inquiétante étrangeté de la toute-puissance des pensées, de la prompte réalisation des désirs, des 262 forces occultes [*geheim*] nuisibles, du retour des morts. La condition qui préside ici à la genèse du sentiment d'inquiétante étrangeté est impossible à méconnaître. Nous avons jadis tenu (ou nos ancêtres primitifs ont jadis tenu) ces possibilités pour réelles, nous étions convaincus de la réalité de ces processus. Aujourd'hui nous n'y croyons plus, nous avons *dépassé* ces modes de pensée, mais nous ne nous sentons pas très sûrs de ces nouvelles convictions; les anciennes continuent à vivre en nous, à l'affût d'une confirmation. Aussi, dès lors qu'il *se passe* dans notre vie quelque chose qui paraît apporter une confirmation à ces anciennes convictions mises à l'écart, nous avons un sentiment d'inquiétante étrangeté, qu'on peut compléter par ce jugement : « Ainsi donc, il est tout de même vrai qu'on peut tuer une autre personne simplement en le désirant, que les morts continuent à vivre et réapparaissent sur les lieux de leur activité antérieure, etc. » Sur quiconque en revanche a liquidé en lui, radicalement et définitivement, ces convictions animistes, l'inquiétante étrangeté de ce type n'a aucune prise. La plus bizarre rencontre entre un désir et sa réalisation, la répétition la plus énigmatique d'expériences semblables en un même lieu ou à la même date, les visions les plus génératrices d'illusions et les bruits les plus suspects ne le décontenanceront pas, n'éveilleront en lui aucune angoisse qu'on puisse qualifier de peur [*Angst*] de l'« étrangement inquiétant ». Il s'agit donc ici purement d'une affaire d'épreuve de réalité, d'une question de réalité matérielle [1].

Il en va autrement de l'étrangement inquiétant qui émane de complexes infantiles refoulés, du complexe de castration, du fantasme du sein maternel [a], etc., à ceci près que des expériences réelles susceptibles de provoquer ce type d'inquiétante étrangeté ne peuvent être très fréquentes. L'étrangement inquiétant vécu ressortit la plupart du temps au premier groupe, mais pour la théorie la distinction des deux groupes est d'une très grande portée. Dans le cas d'inquiétante étrangeté dérivé de complexes infantiles, la question de la réalité matérielle n'entre pas du tout en ligne de compte, c'est la réalité psychique qui prend sa place. Il s'agit du refoulement

263

1. Étant donné que l'inquiétante étrangeté du double appartient à cette catégorie, il sera intéressant d'apprendre l'effet que produit le fait de nous trouver face à face, brusquement et inopinément, avec l'image de notre propre personne. E. Mach relate deux observations de ce type dans son *Analyse der Empfindungen* (*Analyse des sensations*), 1900, page 3. Dans le premier cas, quelle ne fut pas sa frayeur quand il reconnut que le visage qu'il voyait était le sien ; et dans le second, il porta un jugement très défavorable sur la personne apparemment inconnue qui montait dans son omnibus : « Qu'est-ce que cette espèce de pédant déchu qui monte là? » – Je peux faire état d'une aventure analogue : j'étais assis tout seul dans un compartiment de wagon-lit, lorsque sous l'effet d'un cahot un peu plus rude que les autres, la porte qui menait aux toilettes attenantes s'ouvrit, et un monsieur d'un certain âge en robe de chambre, le bonnet de voyage sur la tête, entra chez moi. Je supposai qu'il s'était trompé de direction en quittant le cabinet qui se trouvait entre deux compartiments et qu'il était entré dans mon compartiment par erreur ; je me levai précipitamment pour le détromper, mais m'aperçus bientôt, abasourdi, que l'intrus était ma propre image renvoyée par le miroir de la porte intermédiaire. Je sais encore que cette apparition m'avait foncièrement déplu. Au lieu donc de nous effrayer de notre double, nous ne l'avions, Mach et moi, tout simplement pas reconnu. Mais le déplaisir que nous y trouvions n'était-il pas tout de même un reste de cette réaction archaïque qui ressent le double comme une figure étrangement inquiétante?

a. *Mutterleib,* « ventre maternel ».

effectif d'un contenu et du retour de ce refoulé, et non de la suspension de la *croyance à la réalité* de ce contenu. On pourrait dire que dans un cas, c'est un certain contenu de représentation, dans l'autre, la croyance à sa réalité (matérielle) qui est refoulée. Mais il est probable que le deuxième mode d'expression étend l'usage du terme « refoulement » au-delà de ses frontières légitimes. Il est plus correct de tenir compte d'une différence psychologique qui se fait sentir ici, et de qualifier l'état dans lequel se trouvent les convictions animistes de l'homme civilisé, d'un *état de dépassement* plus ou moins achevé. Le résultat auquel nous parvenons se formulerait alors dans ces termes : l'inquiétante étrangeté vécue se constitue lorsque des complexes infantiles *refoulés* sont ranimés par une impression, ou lorsque des convictions primitives *dépassées* paraissent à nouveau confirmées. Enfin, il ne faut pas que notre goût des solutions complètes et des présentations transparentes nous détourne d'avouer que les deux genres d'inquiétante étrangeté que nous venons
264 d'établir ne se laissent pas toujours nettement distinguer dans le vécu. Si l'on songe que les convictions primitives sont liées de la manière la plus étroite aux complexes infantiles et y trouvent à vrai dire leurs racines, on ne s'étonnera pas beaucoup de voir ces délimitations s'estomper.

L'inquiétante étrangeté de la fiction – de l'imagination, de la création littéraire – mérite effectivement d'être considérée à part. Elle est avant tout beaucoup plus riche que l'inquiétante étrangeté vécue, elle englobe non seulement celle-ci dans sa totalité, mais aussi d'autres choses qui ne peuvent intervenir dans les conditions du vécu. L'opposition entre refoulé et dépassé ne peut être appliquée sans modification profonde à l'inquiétante étrangeté de la création littéraire, car le royaume de l'imagination présuppose pour sa validité que son contenu soit dispensé de l'épreuve de la réalité. La conclusion, qui rend un son paradoxal, est *que, dans la création littéraire, beaucoup de choses ne sont pas étrangement inquiétantes, qui le seraient si elles se passaient dans la vie, et que dans la création littéraire, il y a beaucoup de possibilités de produire des effets d'inquiétante étrangeté, qui ne se rencontrent pas dans la vie.*

Parmi les nombreuses libertés de l'écrivain, il y a également celle qui consiste à choisir à volonté le monde qu'il représente de telle manière que celui-ci coïncide avec la réalité qui nous est familière, ou qu'il s'en éloigne d'une façon ou d'une autre. Dans tous les cas, nous le suivons. Le monde du conte, par exemple, a quitté d'emblée le terrain de la réalité et a reconnu ouvertement son adhésion à des convictions animistes. Les réalisations de désirs, les forces occultes [*geheim*], la toute-puissance des pensées, l'animation de l'inanimé, qui sont courants dans le conte, ne peuvent y produire aucun effet d'inquiétante étrangeté, car pour que naisse un tel sentiment il faut, comme nous l'avons déjà vu, un litige quant à savoir si l'incroyable qui a été dépassé n'est tout de même pas réellement possible, question qui est purement et simplement éliminée par les présupposés de l'univers du conte. Ainsi le conte, qui nous a fourni la plupart des exemples contredisant notre conception de l'inquiétante étrangeté, réalise le premier cas signalé, à savoir 265 que dans le royaume de la fiction, beaucoup de choses ne sont pas étrangement inquiétantes, qui devraient avoir un tel effet, si elles se passaient dans la vie. Pour ce qui est du conte, d'autres facteurs interviennent encore, qui seront brièvement abordés un peu plus tard.

L'écrivain peut s'être aussi créé un monde qui, moins fantastique que celui du conte, ne se distingue pas moins du monde réel par l'introduction d'êtres spirituels supérieurs, de démons et d'esprits de défunts. Toute l'inquiétante étrangeté qui pourrait s'attacher à ces figures disparaît alors dans les limites que tracent les présupposés de cette réalité littéraire. Les âmes de l'Enfer de Dante ou les apparitions spectrales dans le *Hamlet,* le *Macbeth,* le *Jules César* de Shakespeare peuvent être lugubres et effrayantes, mais elles sont au fond tout aussi peu étrangement inquiétantes que, par exemple, le monde serein des dieux d'Homère. Nous adaptons notre jugement aux conditions de cette réalité feinte par l'écrivain, et traitons les âmes, les esprits et les fantômes à l'instar d'existants à part entière, tels que nous-mêmes dans la réalité matérielle. C'est là aussi un cas où l'on fait l'économie de l'inquiétante étrangeté.

Mais il en va autrement quand l'écrivain s'est apparemment placé sur le terrain de la réalité commune. À ce moment-là, il adopte du même coup les conditions qui président dans l'expérience vécue à l'émergence du sentiment d'inquiétante étrangeté, et tout ce qui dans la vie produit de tels effets, les produit aussi dans la littérature. Mais dans ce cas, l'écrivain peut aussi intensifier et multiplier l'étrangement inquiétant bien au-delà de la mesure du vécu possible, en faisant survenir des événements qui, dans la réalité, ne se seraient pas présentés du tout, ou seulement très rarement. Il nous livre alors pour ainsi dire par traîtrise à notre superstition, que nous croyions dépassée; il nous trompe en nous promettant la réalité commune et en allant nonobstant au-delà d'elle. Nous réagissons à ses fictions de la même manière que nous aurions réagi à des expériences vécues personnelles; quand nous nous apercevons de la supercherie, il est trop tard, l'écrivain a déjà atteint son objectif; mais je dois affirmer qu'il n'a pas obtenu un effet pur. Il reste en nous un sentiment d'insatisfaction, une sorte de mauvaise humeur du fait de cette tentative de tromperie, comme je l'ai éprouvée de manière particulièrement nette après la lecture du récit de Schnitzler *Die Weissagung (La prédiction)* et d'autres productions semblables qui flirtent avec le merveilleux. Alors l'écrivain a encore un moyen à sa disposition, par lequel il peut esquiver notre protestation et en même temps améliorer les conditions de mise en œuvre de ses desseins. Il consiste à ne pas nous laisser deviner pendant longtemps sur quels présupposés précis il a choisi d'établir son monde, ou bien à se dérober avec ingéniosité et malice, jusqu'à la fin du récit, à un tel éclaircissement décisif. Mais dans l'ensemble se trouve réalisé ici le cas que nous avions précédemment annoncé, à savoir que la fiction crée de nouvelles possibilités d'inquiétante étrangeté qui ne sauraient se rencontrer dans le vécu. 266

Toutes ces variantes ne se rapportent à strictement parler qu'à l'inquiétante étrangeté qui prend sa source dans le dépassé. L'inquiétante étrangeté née de complexes refoulés est plus résistante, elle reste dans la littérature – à une condition près – tout aussi étrangement inquiétant que dans le vécu. L'autre inquiétante étrangeté, celle qui vient du dépassé, garde son caractère dans le vécu et dans la littérature qui se place sur le terrain de la réalité matérielle, mais elle peut le perdre dans les réalités fictives créées par l'écrivain.

Il est patent que les remarques précédentes n'épuisent pas la question des libertés de l'écrivain ni donc non plus des privilèges de la fiction, pour ce qui est de susciter et d'inhiber le sentiment d'inquiétante étrangeté. Face au vécu, nous nous comportons en général avec une passivité uniforme, et nous subissons l'effet du milieu physique. Mais pour l'écrivain nous présentons une malléabilité particulière; par l'état d'esprit dans lequel il 267 nous plonge, par les attentes qu'il suscite en nous, il peut détourner nos processus affectifs d'un certain enchaînement et les orienter vers un autre, et il peut souvent tirer de la même matière des effets très différents. Tout cela est bien connu depuis longtemps et a fait sans doute l'objet d'appréciations approfondies de la part de professionnels de l'esthétique. Nous nous sommes laissé entraîner dans ce champ d'investigation sans l'avoir vraiment voulu, en cédant à la tentation d'élucider la contradiction qu'apportaient certains exemples à notre déduction [des causes] de l'inquiétante étrangeté. C'est pourquoi nous allons d'ailleurs revenir à quelques-uns de ces exemples.

Nous nous étions demandé plus haut pourquoi la main coupée dans le trésor de Rhampsinite ne produit pas le même effet d'inquiétante étrangeté que par exemple dans l'*Histoire de la main coupée* de Hauff. La question gagne maintenant en portée, étant donné que nous avons reconnu un plus grand degré de résistance de l'inquiétante étrangeté qui puise à la source des complexes refoulés. La réponse est facile à donner : dans le récit, nous ne participons pas aux sentiments de la princesse, mais à la rouerie supérieure du « maître-voleur ». Il se peut qu'à ce moment-là, un sentiment d'inquiétante étrangeté n'ait pas été épargné à la princesse, nous sommes même prêt à admettre comme plausible qu'elle s'est évanouie, mais nous n'éprouvons aucun sentiment de ce genre, car nous ne nous mettons pas à sa place, mais à celle de l'autre.

C'est un autre agencement qui nous épargne l'impression d'inquiétante étrangeté dans la farce de Nestroy *Der Zerrissene (Le déchiré),* quand le fugitif, qui se prend pour un meurtrier, voit monter de chaque trappe qu'il soulève, le spectre supposé de la personne assassinée, et pousse ce cri désespéré : « Mais je n'en ai tué qu'*un*! Pourquoi cette multiplication macabre? » Nous connaissons les conditions préalables de cette scène, nous ne partageons pas l'erreur du « déchiré », et c'est pourquoi ce qui pour lui ne peut être qu'étrangement inquiétant fait sur nous l'effet d'un comique irrésistible. Même un *spectre* « réel », comme dans le récit d'O. Wilde *Le fantôme de Canterville,* doit renoncer à toutes ses prétentions, tout au moins en matière d'épouvante, quand l'auteur s'amuse à le traiter sur un mode ironique ou badin. Tant 268 il est vrai que, dans le monde de la fiction, l'effet affectif peut être indépendant du choix de la matière. Dans le monde des contes, aucun sentiment d'angoisse ne doit être suscité, ni donc aucun sentiment d'inquiétante étrangeté. Nous le comprenons, et c'est d'ailleurs pourquoi nous fermons les yeux sur les occasions dans lesquelles cela pourrait se produire.

Quant à la solitude, au silence et à l'obscurité, nous ne pouvons rien en dire, sinon que ce sont là effectivement les circonstances [a] auxquelles s'attache chez la plupart des humains une angoisse infantile qui ne s'éteint jamais tout à fait. La recherche psychanalytique a débattu du problème qu'elle pose en un autre lieu [b].

a. Voir note a, p. 254.
b. Cf. *Trois essais sur la théorie de la sexualité* (1905*d*) III, « La découverte de l'objet ».

UNE NÉVROSE DIABOLIQUE AU XVIIe SIÈCLE

Note liminaire

EINE TEUFELSNEUROSE IM SIEBZEHNTEN JAHRHUNDERT [1923*d*]

Éditions allemandes :

1923 *Imago,* tome 9 (1).
1924 *Gesammelte Schriften,* tome 10.
1924 Internationaler Psychoanalytischer Verlag, Leipzig, Vienne et Zurich.
1928 Édition pour bibliophiles, à tirage limité, avec sept reproductions, chez le même éditeur.
1940 *Gesammelte Werke,* tome 13.
1973 *Studienausgabe,* tome 7.

Traduction anglaise :

1961 *« A Seventeenth-Century Demonological Neurosis »,* traduit par James Strachey, *Standard Edition,* tome 19.

Paru dans la traduction Bonaparte-Marty, sous le titre de « Une névrose démoniaque au XVIIe siècle. »

Freud rédigea cet essai au cours des derniers mois de 1922. Il expose lui-même dans le premier chapitre ce qui le détermina à entreprendre ce travail.

Freud s'intéressait depuis de nombreuses années à la sorcellerie, à la possession diabolique et aux phénomènes similaires. Peut-être son intérêt avait-il été stimulé durant son séjour à la Salpêtrière, auprès de Charcot, en 1885-1886. Les *Leçons sur les maladies du système nerveux,* dont Freud publia la traduction allemande en 1886, rapportent un cas de possession du XVIe siècle. Dans les *Leçons du mardi,* que Freud traduisit également (1892-1894), Charcot discute d'autre part du caractère hystérique de la « démonomanie » médiévale. Enfin, dans l'article nécrologique qu'il consacra à Charcot (1893*f*), Freud insista particulièrement sur cet aspect des travaux de son maître.

Deux lettres à Fliess (17 et 24 janvier 1897, cf. Freud, 1950*a*) traitent des sorcières et de leurs relations avec le diable. Freud y relève que celui-ci est peut-être une figure paternelle et souligne la part d'imagination anale qui entre, au Moyen Âge, dans la croyance aux sorcières.

Nous savons par Jones et les *Minutes de la Société psychanalytique de Vienne* que le 27 janvier 1909 l'éditeur et libraire Hugo Heller fit devant cette société (dont il était lui-même membre) une communication sur l'histoire du diable et que, dans la discussion qui suivit, Freud développa longuement ses propres idées.

G.W., XIII, 317

Nous avons appris par l'examen des névroses de l'enfance, qu'on peut y apercevoir sans peine à l'œil nu maintes choses qui ne se dévoilent plus tard qu'au terme d'une recherche approfondie [a]. Nous pouvons aborder les affections névrotiques des siècles antérieurs avec une attente analogue, pourvu que nous soyons prêts à les trouver répertoriées sous d'autres rubriques que nos névroses d'aujourd'hui. Nous ne saurions nous étonner de voir les névroses de ces temps reculés entrer en scène sous un vêtement démonologique, tandis que celles de l'époque actuelle, fermée à la psychologie, apparaissent sous celui de l'hypocondrie, déguisées en maladies organiques. Plusieurs auteurs, Charcot en tête, ont, comme on sait, reconnu dans les représentations de la possession et du ravissement, telles que l'art nous les a transmises, les formes d'expression de l'hystérie; il n'aurait pas été difficile de retrouver dans les histoires de ces malades les

a. Dans la traduction anglaise de ce texte, qui parut en 1925, on trouve ici la note suivante : « L'auteur désire ajouter à l'édition anglaise deux notes (qu'on trouvera plus loin entre crochets); il regrette qu'elles aient été omises dans l'édition allemande. » Il s'agit en fait de compléments à deux notes déjà existantes. (Cf. notes 2, p. 288 et 1, p. 290.)

contenus de la névrose, si on leur avait alors prêté plus d'attention.

La théorie démonologique de ces temps obscurs a gardé sa validité à l'encontre de toutes les conceptions somatiques de la période des sciences « exactes ». Les 318 possessions sont les équivalents de nos névroses, pour l'explication desquelles nous avons à notre tour recours à des puissances psychiques. Les démons sont à nos yeux des désirs mauvais, rejetés, des descendants de motions pulsionnelles mises à l'écart, refoulées. Ce que nous refusons, c'est simplement la projection dans le monde extérieur à laquelle le Moyen Âge soumettait ces entités psychiques ; nous postulons qu'elles sont le produit de la vie intérieure des malades, où elles ont leur demeure.

I

L'histoire du peintre Christoph Haitzmann

C'est grâce à l'aimable intérêt de M. le Dr R. Payer-Thurn, conseiller aulique, directeur de la Bibliothèque des Fidéicommis [a], autrefois impériale et royale, à Vienne, que j'ai pu avoir un aperçu d'une névrose démonologique de ce type au XVIIe siècle. Payer-Thurn avait trouvé dans la bibliothèque un manuscrit provenant du lieu de pèle-

a. Bibliothèque juridique destinée à l'enregistrement des cessions patrimoniales, actuellement incluse dans la Bibliothèque nationale d'Autriche.

rinage Mariazell[a], qui relate de façon détaillée comment un homme fut miraculeusement délivré d'un pacte avec le diable[b] par la grâce de la Vierge Marie. Son intérêt fut mis en éveil par la relation de ces faits à la légende de Faust, et va l'inciter à faire de cette matière une présentation et une analyse approfondies. Mais s'apercevant que la personne dont on décrit la délivrance souffrait de convulsions et de visions, il s'adressa à moi pour une expertise médicale du cas. Nous nous sommes mis d'accord pour publier nos travaux indépendamment l'un de l'autre et séparément[c]. Je lui exprime mes remerciements pour son rôle incitatif, ainsi que pour l'aide qu'il m'a apportée maintes fois dans l'étude du manuscrit.

Cet exposé de cas démonologique représente vraiment une précieuse trouvaille qui se donne à ciel ouvert sans grande interprétation, tout comme certaines mines fournissent à l'état pur un métal qu'on doit ailleurs obtenir péniblement par la fusion du minerai.

Le manuscrit, dont j'ai sous les yeux une copie exacte, 319 se divise en deux sections de nature totalement différente : à savoir le rapport, rédigé en latin, du moine scribe ou compilateur et un fragment de journal écrit en allemand

a. Lieu de pèlerinage situé à une centaine de kilomètres au sud-ouest de Vienne.

b. *Teufelspakt* : dans la suite du texte, le terme utilisé le plus souvent par Freud pour désigner le « pacte » sera *Verschreibung*. Il signifie mot à mot le « fait de s'engager, se vouer à quelqu'un par écrit ». Le mot *Pakt* apparaît aussi, mais plus rarement, et pour désigner plutôt, semble-t-il, la globalité de l'acte et de la scène, et non seulement sa trace écrite. À la fois pour respecter cette dualité lexicale et pour tenir compte du fait que Freud joue parfois du sens littéral du mot *Verschreibung* et de sa référence explicite à l'écriture, nous traduirons à peu près toujours ce dernier par l'expression « engagement écrit », même si nous sommes conscient que cela n'est pas toujours exempt de quelque lourdeur et artifice.

c. L'article de Payer-Thurn parut un an après celui de Freud.

par le patient. La première partie contient le rapport préliminaire et la guérison miraculeuse proprement dite; la deuxième ne devait pas revêtir grande importance aux yeux des dignitaires religieux; elle n'en a que plus de valeur pour nous. Elle contribue à consolider le jugement que nous portons sur ce cas de maladie, qui sans cela resterait vacillant, et nous avons de bonnes raisons de remercier les religieux d'avoir conservé ce document, en dépit du fait qu'il n'ajoute rien à leur point de vue, qu'il se peut même qu'il l'ait plutôt perturbé.

Mais avant d'entrer plus avant dans la composition de cette petite brochure manuscrite, qui porte le titre

Trophaeum Mariano-Cellense [a],

il faut que je raconte une part de son contenu, que j'extrais du rapport préliminaire.

Le 5 septembre 1677, le peintre Christoph Haitzmann, Bavarois, fut amené, avec une lettre d'introduction du curé de Pottenbrunn (en Basse-Autriche), dans le proche village de Mariazell [1]. D'après cette lettre, il aurait séjourné plusieurs mois à Pottenbrunn, y exerçant son art, il y aurait été pris le 29 août, en l'église, d'effroyables convulsions, et celles-ci s'étant renouvelées au cours des jours suivants, le *Praefectus Dominii Pottenbrunnensis* [le curé de Pottenbrunn] l'aurait examiné pour s'enquérir de ce qui pouvait bien l'oppresser, et s'il ne s'était pas engagé

1. L'âge du peintre n'est indiqué nulle part. Le contexte laisse entrevoir qu'il s'agit d'un homme entre trente et quarante ans, probablement plus près de la limite inférieure. Il mourut, comme nous l'apprendrons, en 1700.

a. Soit : *Le trophée de Mariazell.*

en un commerce illicite avec l'Esprit malin [1]. Sur quoi il aurait avoué qu'en vérité, neuf ans auparavant, en une période de découragement quant à son art et de doute quant à la conservation de sa vie, il aurait cédé au diable, qui l'aurait tenté neuf fois, et se serait obligé par écrit 320 à lui appartenir corps et âme à expiration de ce temps. L'échéance était toute proche : le 24 du mois courant [2]. Le malheureux se repentait et était persuadé que seule la grâce de la Mère de Dieu de Mariazell pouvait le sauver, en contraignant le Malin à lui restituer l'engagement écrit avec son sang. C'est pour cette raison qu'on se permettait de recommander *miserum hunc hominem omni auxilio destitutum* [a] à la bienveillance des Révérends de Mariazell.

Ainsi s'exprimait le curé de Pottenbrunn, Leopoldus Braun, à la date du 1er septembre 1677.

Je peux à présent poursuivre l'analyse du manuscrit. Il est donc composé de trois parties :

1° une page de titre coloriée, qui représente la scène du pacte et celle de la délivrance dans la chapelle de Mariazell; sur le feuillet suivant se trouvent huit dessins des apparitions ultérieures du diable, également coloriés, et accompagnés de brèves légendes en allemand. Ces images ne sont pas des originaux, mais des copies – selon ce qui nous est solennellement assuré : des copies fidèles – d'après les peintures primitives de Chr. Haitzmann;

2° le *Trophaeum Mariano-Cellense* proprement dit (en

1. Contentons-nous d'effleurer ici la possibilité que ce soit cet interrogatoire qui ait inspiré, « suggéré » à l'homme souffrant le fantasme de son pacte avec le diable.

2. *...quorum et finis 24 mensis hujus futurus appropinquat* (« dont d'ailleurs le terme, prévu pour le 24 de ce mois, approche »).

a. « ce pauvre homme dépourvu de toute aide ».

latin), œuvre d'un compilateur religieux, qui signe à la fin « P. A. E. », et adjoint à ces initiales quatre vers qui renferment sa biographie. La conclusion est constituée par un témoignage de l'abbé Kilian de St. Lambert, daté du 12 septembre 1729, qui, tracé par une autre main que celle du compilateur, atteste la concordance exacte du manuscrit et des illustrations avec les originaux conservés dans les archives. L'année de rédaction du *Trophaeum* n'est pas indiquée. Libre à nous de supposer qu'elle a eu lieu la même annéc que celle où l'abbé Kilian a établi son témoignage, soit en 1729, ou bien, étant donné que la dernière date mentionnée dans le [321] texte est 1714, d'assigner l'œuvre du compilateur à une date quelconque entre 1714 et 1729. Le miracle, que cet écrit devait sauver de l'oubli, s'est produit en 1677, soit de trente-sept à cinquante-deux ans auparavant;

3° le journal du peintre rédigé en allemand, qui embrasse une période allant du moment de sa délivrance dans la chapelle jusqu'au 13 janvier de l'année suivante, soit 1678. Il est inséré dans le texte du *Trophaeum,* peu avant la fin de celui-ci.

Le cœur du *Trophaeum* proprement dit est constitué par deux documents écrits, la lettre d'introduction déjà mentionnée du curé Leopold Braun de Pottenbrunn, datée du 1er septembre 1677, et le rapport de l'abbé Franciscus de Mariazell et Sankt Lambert, qui relate la guérison miraculeuse, daté, lui, du 12 septembre 1677, donc de quelques jours plus tard seulement. L'activité propre du rédacteur ou compilateur P. A. E. a produit une introduction qui fond en quelque sorte les deux documents en un seul, a d'autre part ajouté quelques transitions de faible importance, et à la fin, un rapport sur les destinées ultérieures du peintre, d'après une information obtenue en 1714 [1].

Les antécédents du peintre sont donc narrés trois fois dans le *Trophaeum* :

1° dans la lettre du curé de Pottenbrunn,

2° dans le rapport solennel de l'abbé Franciscus et

3° dans l'introduction du rédacteur.

De la confrontation de ces trois sources ressortent certaines incohérences qu'il ne sera pas vain d'examiner.

Je peux maintenant continuer l'histoire du peintre. Après avoir longtemps fait pénitence et prié à Mariazell, il obtient, le 8 septembre, jour anniversaire de la naissance de Marie, à la douzième heure de la nuit, des mains du diable, qui apparaît dans la chapelle sainte sous la forme d'un dragon ailé, restitution du pacte écrit avec du sang. Nous apprendrons plus tard, à notre grand étonnement, que dans l'histoire du peintre Chr. Haitzmann interviennent deux engagements écrits vis-à-vis du diable, un premier écrit à l'encre noire, et un second avec du sang. Dans la scène d'exorcisme qui nous est communiquée, il s'agit, comme le montre encore par ailleurs l'illustration de la page de titre, de celui qui est écrit avec le sang, donc du second.

322

Parvenu à ce point, nous pourrions sentir monter en nous quelque réserve quant à la crédibilité des rapporteurs religieux, nous incitant à ne pas perdre notre peine sur un produit de la superstition monastique. On nous raconte que plusieurs religieux, nommément désignés, ont assisté tout le temps l'exorcisé et qu'ils étaient également présents lors de l'apparition du diable dans la

1. Cela nous inviterait à prendre également 1714 pour date de la rédaction du *Trophaeum*.

chapelle. Si l'on nous affirmait qu'eux aussi ont vu le dragon diabolique tendant au peintre le billet couvert d'écriture rouge (*Schedam sibi porrigentem conspexisset* [a]), nous serions renvoyé à plusieurs hypothèses déplaisantes, parmi lesquelles celle d'une hallucination collective serait encore la plus indulgente. Seulement, la lettre du témoignage établi par l'abbé Franciscus balaie cette réserve. Il n'y est nullement affirmé que les assistants religieux ont aussi aperçu le diable, mais il est dit avec honnêteté et sobriété que le peintre se serait brusquement arraché aux religieux qui le tenaient, se serait précipité dans le coin de la chapelle où il voyait l'apparition, et qu'il serait ensuite revenu avec le billet à la main [1].

Le miracle fut grand, la victoire de la Sainte Mere sur Satan indubitable, mais hélas, la guérison ne dura pas. Il est tout à l'honneur des dignitaires religieux, soulignons-le encore, qu'ils ne passent pas ce fait sous silence. 323 Au bout d'un bref laps de temps, le peintre quitta Mariazell en excellente santé et se rendit ensuite à Vienne, où il habita chez une sœur mariée. Là, le 11 octobre, il fut repris par de nouvelles attaques, dont certaines très graves, que le journal relate jusqu'à la date du 13 janvier. Ce furent des visions, des absences, dans lesquelles il voyait et éprouvait les choses les plus variées, des états convulsifs, accompagnés des sensations les plus douloureuses, une fois un état de paralysie des

1. « *...ipsumque Daemonem ad Aram Sac. Cellae per fenestrellam in cornu Epistolae Schedam sibi porrigentem conspexisset eo advolans e Religiosorum manibus, qui eum tenebant, ipsam Schedam ad manum obtinuit...* » (« il aperçut le Démon lui-même qui, près de l'autel de Zell, lui tendait le billet par la petite fenêtre, du côté de l'Épître ; il se précipita en échappant aux mains des religieux qui le tenaient, reçut ce même billet dans la main »).

a. « l'ayant aperçu qui lui tendait le billet ».

jambes, etc. Mais cette fois, ce n'était pas le diable qui le tourmentait, mais de saints personnages qui venaient l'affliger, le Christ, la Sainte Vierge mêmes. Chose étrange, il ne souffrait pas moins de ces apparitions célestes et des châtiments qu'elles lui infligeaient qu'auparavant de son commerce avec le diable. Du reste, il réunit aussi ces nouvelles expériences dans son journal sous le vocable « apparitions du diable », et se plaignit de *maligni Spiritus manifestationes* [a], lorsqu'en mai 1678 il retourna à Mariazell.

Aux dignitaires religieux il donna pour motif de son retour le fait qu'il lui fallait aussi réclamer au diable un autre engagement plus ancien, écrit à l'encre [1]. Cette fois encore, la Sainte Vierge et les bons pères l'aidèrent à exaucer son vœu. Mais l'exposé du déroulement des faits est laconique. Il est simplement dit en peu de mots : *qua juxta votum reddita* [b]. Il pria à nouveau et récupéra le contrat. Ensuite il se sentit tout à fait libre et entra dans l'Ordre des Frères de la Miséricorde.

Nous devons une fois encore reconnaître que la tendance avouée de ses efforts n'a pas entraîné le compilateur à passer outre à la véracité qu'on est en droit d'exiger d'une histoire de cas. Car il ne passe pas sous silence ce qu'a donné l'enquête faite en 1714, auprès du supérieur du couvent des Frères de la Miséricorde, sur la fin du peintre. Le Révérend Père Provincial rapporte que frère Chrysostome a été encore à plusieurs reprises inquiété par l'Esprit malin, qui voulait l'entraîner à un nouveau pacte, et ce seulement *« lorsqu'il avait bu un peu plus de*

324

1. Celui-ci, établi en septembre 1668, serait parvenu, neuf ans et demi plus tard, en mai 1678, depuis longtemps à échéance.

a. « manifestations de l'Esprit malin ».

b. « celui-ci ayant été rendu conformément au vœu ».

vin qu'à l'accoutumée[a] *»,* mais que, par la grâce de Dieu, il avait toujours été possible de le repousser. Frère Chrysostome serait ensuite décédé de la fièvre hectique *« paisiblement et comblé de consolations*[b] *»* en l'an 1700, dans le couvent de l'Ordre sis à Neustatt an der Moldau.

II

Le motif du pacte avec le diable

Si nous considérons cet engagement écrit vis-à-vis du diable comme une histoire de cas névrotique, notre intérêt se porte d'abord vers la question de ce qui a pu le motiver, question à l'évidence étroitement liée à celle de ce qui a pu l'occasionner. Pourquoi se voue-t-on par écrit au diable? Le Dr Faust demande, il est vrai avec dédain : « Que veux-tu donner, pauvre diable? » Mais il n'a pas raison; le diable a, en contrepartie de l'âme immortelle, toutes sortes de choses à offrir, auxquelles les humains accordent beaucoup de valeur : la richesse, la sécurité dans les dangers, le pouvoir sur les hommes et sur les forces de la nature, jusqu'à des arts magiques, et par-dessus tout : la jouissance, la jouissance de belles femmes. Ces réalisations ou engagements du diable sont du reste

a. Manuscrit : *« wenn er etwas mehrers von Wein getrunken ».* La langue et la graphie du manuscrit étant archaïques, nous donnerons toujours, en note, le texte original des citations qui en sont faites.

b. *« sanft und trostreich ».*

expressément mentionnés dans le contrat passé avec lui [1]. Or, quel a été pour Christoph Haitzmann le motif de son pacte?

Curieusement, aucun de tous ces désirs si naturels. Pour bannir tout doute à ce sujet, il n'est que de parcourir les brèves annotations dont le peintre accompagne les apparitions du diable par lui reproduites. Voici par exemple la note qui va avec la troisième vision :

« En troisième lieu, m'apparut-il pendant un an et demi sous cette forme repoussante, avec un livre à la main, lequel ne renfermait que maléfices et magie noire [a]*... »* 325

Mais, en lisant la légende d'une apparition postérieure, nous apprenons que le diable lui adresse de violents reproches, lui demandant pourquoi il a *« brûlé son susdit livre* [b] », et menace de le déchiqueter s'il ne le lui restitue pas.

Lors de la quatrième apparition, il lui montre une grosse bourse jaune et un gros ducat, et il lui promet qu'il pourra toujours en avoir autant qu'il en voudra, *« ce que toutefois je n'acceptai point* [c] *»*, peut se glorifier le peintre.

1. Cf. *Faust I,* « Le cabinet d'étude » :
Ich will mich hier *zu deinem Dienst verbinden,*
Auf deinen Wink nicht rasten und nicht ruhn;
Wenn wir uns drüben *wieder finden,*
So sollst du mir das Gleiche thun.
(Je veux *ici* m'attacher à ton service, / Au moindre signe t'obéir sans trêve ni repos; / Quand nous nous reverrons *là-bas,* / Tu devras me rendre la pareille.)

a. *« Zum driten ist er mir in anderthalb Jahren in disser abscheühlichen Gestalt erschinen, mit einen Buuch in der Handt, darin lauter Zauberey und schwarze Kunst war begrüffen... »*

b. *« sein vorgemeldtes Buuch verbrennt ».*

c. *« aber ich solliches gar nit angenomben ».*

Une autre fois, il exige de lui qu'il se laisse amuser, distraire. À ce propos, le peintre observe : *« ce qui du reste fut fait selon son vouloir, mais que je ne poursuivis pas au-delà de trois jours, sur quoi je me dégageai aussitôt* [a]*. »*

Donc, comme il repousse la magie, l'argent et la jouissance, quand le diable les lui propose, qu'il en a encore moins fait les conditions du pacte, il devient vraiment urgent de savoir ce que ce peintre voulait au juste du diable lorsqu'il se voua à lui par écrit. Il faut tout de même qu'il ait eu quelque motif d'entrer en commerce avec lui.

Le *Trophaeum* donne d'ailleurs sur ce point des informations sûres. Il était devenu profondément triste, il ne pouvait, ou ne voulait pas bien travailler, et se faisait du souci quant à la manière d'assurer son existence : c'est-à-dire dépression mélancolique avec inhibition au travail et souci (justifié) pour sa subsistance. Nous voyons que nous avons vraiment affaire à un cas pathologique, nous apprenons aussi ce qui a occasionné cette maladie, que le peintre lui-même qualifie nommément de mélancolie dans ses annotations accompagnant les images du diable *(« je devais aussi me divertir et chasser ma mélancolie* [b] *»).* Parmi nos trois sources, la première, la lettre d'introduction du curé, se contente, il est vrai, de mentionner l'état dépressif *(« dum artis suae progressum emolumentumque secuturum pusillanimis perpenderet* [c] *»),* mais 326 la deuxième, le rapport de l'abbé Franciscus, est égale-

a. *« welliches zwar auch auf sein begehren geschehen aber ich yber drey Tag nit continuirt, und gleich widerumb aussgelöst worden ».*

b. *« solte mich darmit belustigen und meläncoley vertreiben ».*

c. « quand il considérait avec découragement les progrès de son art et les émoluments à venir ».

ment en mesure de nommer la source de ce découragement ou de cette altération d'humeur, car il est dit ici *« acceptâ aliquâ pusillanimitate ex morte parentis*[a] *»*, et également, en conformité avec cela, dans l'introduction du compilateur, dans les mêmes termes, dont on a simplement changé l'ordre : *ex morte parentis acceptâ aliquâ pusillanimitate.* Son père était donc mort, il avait sombré de ce fait dans la mélancolie, et voici que le diable s'approchait de lui, lui demandait pourquoi il était si abattu et triste, et lui promettait *« de l'aider et de lui prêter main-forte en toutes manières*[1 b] *»*.

Voilà donc quelqu'un qui s'engage par écrit envers le diable pour être délivré d'une dépression affective. C'est là certainement un excellent motif, autant que peut en juger tout un chacun s'il est capable d'éprouver par empathie les tourments d'un tel état, et sait de surcroît à quel point l'art médical est peu à même d'apaiser cette souffrance. Toutefois, aucun individu ayant suivi le récit jusqu'en ce point ne saurait deviner le libellé exact de cet engagement écrit vis-à-vis du diable (ou plutôt des deux engagements, le premier écrit avec de l'encre, le deuxième, environ un an plus tard, avec du sang, tous deux, à ce qu'on nous assure, encore conservés dans la chambre du trésor de Mariazell et communiqués dans le *Trophaeum*).

Ces engagements nous réservent deux surprises de taille. Premièrement, ils ne font pas état d'une obligation du diable, dont celui-ci devrait s'acquitter en échange

1. Figure 1 et légende correspondante sur la page de titre, le diable sous les traits d'un « honorable bourgeois ». [Cf. ill. « Première apparition du diable ».]

a. « pris de quelque découragement à la mort de son père ».

b. *« auf alle Weiss zu helfen und an die Handt zu gehen »*.

de la mise en gage de la béatitude éternelle [du peintre], mais seulement d'une exigence du diable à laquelle le peintre doit se plier. Cela nous choque comme quelque chose de tout à fait illogique, absurde, que cet homme mette son âme en jeu, non pour quelque chose qu'il obtiendrait du diable, mais pour quelque chose qu'il doit lui fournir. Ce à quoi s'oblige le peintre rend un son encore plus étrange.

Première « syngrapha » [a] écrite à l'encre noire :

327 *Moi, Christoph Haitzmann, me constitue par cet écrit à ce Seigneur son fils inféodé de corps pour 9 ans. En l'an 1669* [b].

Deuxième, écrite avec du sang :

En l'an 1669

Christoph Haizmann. Par cet écrit, je m'engage envers ce Satan, à être, moi, son fils inféodé de corps, et, dans 9 ans, à lui appartenir corps et âme [c].

a. *Syngrapha* : équivalent gréco-latin à peu près exact de l'allemand *Verschreibung*.

b. *« Ich Christoph Haitzmann undterschreibe mich disen Herrn : sein leibeigent Sohn auff 9 Jahr. 1669 Jahr. »*

Notre locution « inféodé de corps » essaie de traduire l'adjectif *leibeigen*. L'élément *leib-* signifie « corps »; *-eigen* signifie « propre, propriété (de) ». Le tout signifie donc « appartenant de par son corps à » et servait à désigner au Moyen Âge ce qu'on appelle en France un *serf* et probablement aussi à traduire le latin *servus*. Notre traduction cherche ainsi à faire droit à la fois au mot à mot et à la connotation féodale du terme. On voit aussi en quoi la lettre du mot pouvait importer à l'inconscient de Christoph Haitzmann et le parti que ne manquera pas d'en tirer Freud.

c. *« Anno 1669*
Christoph Haizmann. Ich verschreibe mich disen Satan, ich sein leibeigner Sohn zu sein, und in 9 Jahr ihm mein Leib und Seel zu zugeheren. »

Mais tout aspect déconcertant disparaît si nous lisons le texte des engagements de manière à y voir présenté comme exigence du diable ce qui est plutôt sa prestation, donc une exigence du peintre. Alors, le pacte incompréhensible prendrait un sens sans ambiguïté et pourrait s'interpréter de la manière suivante : le diable s'oblige à remplacer pour le peintre, neuf ans durant, le père perdu. À expiration de ce temps, le peintre échoit au diable corps et âme, conformément à l'usage général lors de ces tractations. La suite des idées du peintre, telle qu'elle motive son pacte, semble en effet être la suivante : de par la mort de son père, il a perdu moral et aptitude au travail ; si, à présent, il obtient un substitut de père, il espère recouvrer ce qu'il a perdu.

Quand quelqu'un est devenu mélancolique du fait de la mort de son père, il faut bien qu'il ait chéri ce père. Mais alors, il est très singulier qu'une telle personne puissse avoir l'idée de prendre pour substitut du père aimé le diable.

III

Le diable comme substitut du père

Je crains qu'une froide critique ne nous accorde pas que nous ayons mis au jour le sens du pacte avec le diable par ce renversement interprétatif. Elle dressera à notre encontre deux sortes d'objections. Premièrement : elle dira qu'il n'est pas nécessaire de considérer l'engagement écrit comme un contrat dans lequel les obliga- 328 tions pour les deux parties ont trouvé place. Il ne renfermerait plutôt que l'obligation faite au peintre, celle du diable étant restée hors du texte, en quelque sorte *« sousentendue »* [a]. En revanche, le peintre contracte deux sortes d'obligations : premièrement être le fils du diable pendant neuf ans et deuxièmement, lui être tout entier dévolu après sa mort. Par là se trouve écarté l'un des fondements de notre déduction.

La deuxième objection dira qu'il n'est pas justifié d'accorder un poids particulier à l'expression : être le fils inféodé de corps du diable. Ce serait une locution courante que chacun peut entendre comme ont pu la comprendre les dignitaires religieux. Ceux-ci ne traduisent pas dans leur latin la filiation promise dans les engagements, mais se contentent de dire que le peintre *« mancipavit »* lui-même, s'est inféodé [b] au Malin, a pris sur lui de mener une vie pécheresse et de renier Dieu et la Sainte Trinité. Pourquoi devrions-nous nous écarter de cette conception, qui tombe tout naturellement sous le sens [1]? La situation reviendrait alors simplement à ceci,

1. De fait, lorsque plus tard, nous supputerons à quel moment et pour qui ces engagements ont été rédigés, nous nous apercevrons nous-même qu'il fallait que le texte eût une allure banale et universellement intelligible. Mais il nous suffit qu'il renferme une équivoque sur laquelle puisse se greffer aussi notre interprétation.

a. *Sic,* et en français dans le texte.

b. « S'est inféodé » traduit cette fois l'allemand *sich... zu eigen gegeben* (soit, mot à mot : « s'est constitué la propriété de »). Freud redouble ainsi en allemand l'expression latine *mancipavit.* Ici, la traduction devient acrobatique, puisque, par la force des choses, l'expression religieuse latine ne peut se référer qu'à la réalité romaine antique de l'*esclavage,* qui n'était pas le *servage.* On est donc tiraillé entre trois pôles : la réalité médiévale, la réalité romaine et la métaphore religieuse qui flotte entre les deux.

On voit par ailleurs que, rapportées aux mots *eigen* et *leibeigen,* les expressions « possédé » et « possession » prennent tout leur sens.

que quelqu'un, en proie au tourment et au désarroi d'une dépression mélancolique, contracte un engagement envers le diable, auquel, du reste, il accorde le plus grand savoir-faire thérapeutique. Quant au fait que cette démoralisation émanât de la mort du père, il ne mériterait pas plus ample considération; l'occasion déclenchante aurait pu tout aussi bien être une autre. Cela paraît solide et raisonnable. La psychanalyse se trouve une fois de plus en butte au reproche de compliquer des relations simples par des subtilités, de voir des mystères et des problèmes là où il n'y en a pas, et de procéder de la sorte en accentuant à l'excès de menus traits secondaires, tels qu'on peut en rencontrer partout, et en les érigeant en vecteurs des déductions les plus poussées et les plus extravagantes. C'est en vain que nous ferions valoir là contre que du fait de ce rejet, on supprime un grand nombre d'analogies frappantes et on détruit beaucoup de rapports déliés, que dans le cas qui nous occupe nous pourrions mettre en lumière. Nos adversaires diront que ces analogies et ces rapports n'existent justement pas, mais que c'est nous qui les introduisons dans le cas, du fait d'une ingéniosité superflue.

329

Je n'introduirai pas ma réplique en disant : « Soyons honnêtes », ou « Soyons sincères », car cela, on doit toujours pouvoir l'être sans prendre particulièrement son élan; je dirai par contre simplement que je sais bien que, si quelqu'un ne croit pas déjà au bien-fondé du mode de pensée psychanalytique, ce n'est pas davantage dans le cas du peintre Chr. Haitzmann, remontant au XVIIe siècle, qu'il pourra puiser cette conviction. Ce n'est pas non plus du tout mon intention d'utiliser ce cas pour prouver la validité de la psychanalyse; je présuppose bien plutôt ladite validité et je prends appui sur elle pour élucider l'affection démonologique du peintre. Je m'autorise pour cela du succès de nos investigations sur l'essence des névroses en général. En toute modestie, on peut affirmer qu'aujourd'hui même les plus réfractaires parmi nos contemporains et confrères commencent à s'apercevoir qu'on ne peut parvenir à comprendre les états névrotiques sans recourir à la psychanalyse.

« Les flèches seules conquièrent Troie, elles seules », reconnaît Ulysse dans le *Philoctète* de Sophocle.

S'il est correct de considérer l'engagement écrit de notre peintre à l'égard du diable comme un fantasme névrotique, alors il n'est pas besoin de plus ample excuse pour porter sur lui une appréciation analytique. Même de menus indices ont leur sens et leur valeur, tout particulièrement parmi les conditions d'émergence de la
330 névrose. On peut bien sûr les surestimer aussi bien que les sous-estimer et c'est une affaire de tact que de fixer jusqu'où on peut les exploiter. Mais si quelqu'un ne croit pas à la psychanalyse ni même au diable, nous lui laissons le soin de faire ce qu'il voudra du cas du peintre, soit qu'il puisse l'expliquer par ses propres moyens, soit qu'il n'y trouve rien qui nécessite une explication.

Nous revenons donc à notre hypothèse selon laquelle le diable, à l'égard de qui notre peintre s'engage par écrit, est pour lui un substitut direct du père. À cela s'accorde aussi bien la silhouette sous laquelle il lui apparaît la première fois, avec les traits d'un honorable bourgeois d'un certain âge, une barbe brune, un manteau rouge, un chapeau noir, la dextre appuyée sur une canne, un chien noir à son côté [ill. 1] [1]. Par la suite, son apparence devient

1. C'est d'un chien noir de ce genre que se dégage chez Goethe le diable lui-même.

de plus en plus effroyable, on a envie de dire de plus en plus mythologique : il se voit pourvu de cornes, de serres d'aigle, d'ailes de chauve-souris. Pour finir, il apparaît dans la chapelle sous la forme d'un dragon volant. Il est un détail particulier de sa configuration physique sur lequel nous devrons revenir plus tard.

Le fait que le diable est choisi comme substitut d'un père aimé a vraiment de quoi déconcerter, mais seulement si c'est la première fois que nous entendons parler de cela, car nous connaissons maintes choses qui peuvent atténuer notre surprise. À commencer par le fait que Dieu est un substitut du père, ou plus exactement : un père exalté, ou en d'autres termes encore : une copie du père, tel qu'on le voyait et le ressentait dans l'enfance, l'individu dans sa propre enfance, et l'humanité dans sa préhistoire, en tant que père de la primitive horde originaire. Plus tard, l'individu a vu son père autrement, et amoindri, mais l'image de la représentation infantile s'est conservée et s'est fondue avec la trace mnésique qui a été transmise du père originaire pour constituer la représentation de Dieu chez l'individu. À partir de l'histoire secrète de l'individu que l'analyse met au jour, nous savons aussi que la relation à ce père était sans doute dès le début, ou en tout cas est devenue rapidement, 331 ambivalente, c'est-à-dire qu'elle renfermait en elle deux motions affectives opposées, pas seulement une motion de soumission tendre, mais aussi une motion de défi hostile. Cette même ambivalence domine, selon nous, la relation de l'espèce humaine à sa divinité. À partir du conflit non parvenu à son terme entre d'une part la nostalgie du père [*Vatersehnsucht*], d'autre part l'angoisse et le défi filial, nous nous sommes expliqué des caractères importants et des évolutions décisives des religions [1].

Nous savons au sujet du mauvais démon qu'il est conçu comme antagoniste de Dieu et que, pourtant, il est très proche de lui par sa nature. Son histoire, il est vrai, n'est pas aussi bien explorée que celle de Dieu, toutes les religions n'ont pas adopté l'Esprit malin, l'adversaire de Dieu; son modèle dans la vie individuelle reste d'abord dans l'obscurité. Mais une chose est sûre : des dieux peuvent devenir de mauvais démons quand de nouveaux dieux les refoulent. Quand un peuple est vaincu par un autre, il n'est pas rare que les dieux renversés des vaincus se transforment en démons pour le peuple vainqueur. Le mauvais démon de la foi chrétienne, le diable du Moyen Âge, était suivant la mythologie chrétienne elle-même, un ange déchu et d'une nature semblable à Dieu. Point n'est besoin d'une grande perspicacité analytique pour deviner que Dieu et le diable étaient à l'origine identiques, une seule et même figure, qui fut ensuite décomposée en deux entités, dotées de qualités opposées [2]. Dans les temps originaires des religions, Dieu lui-même portait encore tous les traits effrayants qui ont été par la suite réunis en une entité qui lui était opposée.

C'est là le processus que nous connaissons bien de la décomposition d'une représentation à contenu de sens contraires – ambivalent – en deux contraires nettement 332 contrastés. Or les contradictions dans la nature originaire de Dieu sont le reflet de l'ambivalence qui domine la relation de l'individu à son père personnel. Si le Dieu

1. Cf. *Totem et tabou* (1912-1913) et, pour les détails, Th. Reik (1919).

2. Cf. Th. Reik (1923), au chapitre : *« Gott und Teufel »* (« Dieu et Diable ») [citant Ernst Jones, 1912].

bon et juste est un substitut du père, il ne faut pas s'étonner que l'attitude hostile, qui le hait, le craint et se plaint de lui, se soit exprimée aussi par la création de Satan. Le père serait donc pour l'individu l'image originaire tant de Dieu que du diable. Mais les religions seraient soumises à la répercussion indélébile du fait que le père primitif des origines était un être à la méchanceté illimitée, moins semblable à Dieu qu'au diable.

Bien sûr, il n'est pas si facile de dévoiler dans la vie psychique de l'individu la trace de la conception satanique du père. Quand le petit garçon dessine des figures grotesques et des caricatures, on réussit éventuellement à établir qu'à travers elles, il se gausse du père ; et quand des personnes des deux sexes s'effraient nuitamment de brigands et de cambrioleurs, il n'est pas difficile de reconnaître en ces derniers des dédoublements du père [1]. De même, les animaux qui prennent place dans les phobies animales des enfants sont le plus souvent des substituts du père, comme l'animal totem à l'époque originaire. Mais on n'entend jamais aussi clairement que chez notre peintre névrosé du XVIIe siècle que le diable est une copie du père et peut se présenter comme son substitut. C'est pourquoi j'ai exprimé, au seuil de ce travail, l'attente qu'une histoire de cas démonologique de ce genre nous montrera à l'état de métal pur ce que, dans les névroses d'une époque ultérieure, où la superstition a fait place à l'hypocondrie, on ne peut mettre au jour qu'au prix d'un pénible travail d'extraction analy-

1. C'est aussi sous les traits d'un cambrioleur que fait son apparition le père loup dans le conte bien connu des sept chevreaux [a].

a. Il s'agit du conte de Grimm numéro 5 : *« Der Wolf und die sieben jungen Geisslein »* (« Le loup et les sept jeunes chevreaux »).

tique, à partir du minerai des idées incidentes et des symptômes [1].

333 Nous renforcerons sans doute notre conviction si nous pénétrons plus profondément dans l'analyse de l'affection de notre peintre. Qu'un homme soit atteint d'une dépression mélancolique et d'une inhibition au travail du fait de la mort de son père, c'est un fait qui n'a rien d'inhabituel. Nous en déduisons qu'il était attaché à ce père par un amour particulièrement fort, et nous nous souvenons avec quelle fréquence également la mélancolie grave se manifeste comme forme névrotique du deuil [a].

Sur ce point, nous avons sans doute raison, mais pas si nous allons jusqu'à déduire que cette relation ait été pur amour. Au contraire, à la suite de la perte du père, un deuil aura d'autant plus de chances de se transformer en mélancolie que la relation avec lui était placée sous le signe de l'ambivalence. En mettant en relief cette ambivalence, nous nous préparons à l'éventualité d'un rabaissement du père, tel qu'il s'exprime dans la névrose diabolique du peintre. Si nous pouvions à présent apprendre de Chr. Haitzmann autant que nous apprenons

1. S'il nous est si rarement donné de découvrir dans nos analyses le diable comme substitut du père, cela peut être l'indice que cette figure de la mythologie médiévale a dès longtemps fait long feu chez les personnes qui se soumettent à notre analyse. Pour le chrétien dévot des siècles antérieurs, la croyance au diable n'était pas moins obligatoire que la croyance à Dieu. De fait, il avait besoin du diable pour pouvoir adhérer à Dieu. Par la suite, et pour des raisons diverses, le recul de la foi a affecté d'abord et au premier chef le personnage du diable.

Si l'on se hasarde à appliquer l'idée du diable comme substitut du père dans le domaine de l'histoire des civilisations, on peut aussi apercevoir sous un autre jour les procès de sorcières du Moyen Âge [comme l'a déjà montré Ernst Jones dans le chapitre consacré aux sorcières dans son livre sur le cauchemar (1912)].

a. Sur ce point, et pour le paragraphe suivant, cf. « Deuil et mélancolie » (1917*e*).

d'un patient qui se soumet à notre analyse, ce serait chose facile que de développer cette ambivalence, de l'amener à se remémorer quand et en quelles occasions il a pu avoir des raisons de craindre et de haïr son père, mais surtout de mettre au jour les facteurs accidentels qui sont venus s'ajouter aux motifs typiques de la haine du père qui trouvent inévitablement racine dans la relation naturelle entre père et fils. Peut-être trouverions-nous alors une élucidation spécifique à l'inhibition au travail. Il est possible que le père se soit opposé au désir du fils de devenir peintre; l'incapacité où s'est trouvé celui-ci d'exercer son art après la mort de son père serait alors d'une part l'expression d'un phénomène connu, l'« obéissance après coup » [a]; d'autre part, rendant le fils 334 incapable de subvenir à ses besoins, elle devrait nécessairement augmenter la nostalgie du père en tant qu'il met à l'abri des soucis de la vie. En tant qu'obéissance après coup, elle serait aussi une manifestation du repentir et une autopunition réussie.

Étant donné que nous ne pouvons entreprendre une telle analyse avec Chr. Haitzmann, décédé en 1700, nous devons nous contenter de faire ressortir les traits de l'histoire de son cas qui peuvent renvoyer aux motivations typiques d'une attitude négative à l'endroit du père. Il n'y en a que peu, pas très frappants, mais fort intéressants.

En premier lieu, le rôle du nombre neuf. Le pacte avec le Malin est conclu pour neuf ans. Le rapport du curé de Pottenbrunn, qui est sans doute au-dessus de tout soupçon, se prononce clairement sur ce point : *pro novem annis Syngraphen scriptam tradidit* [b]. Cette lettre

a. On en trouvera un exemple dans l'analyse du « petit Hans » (1909*b*).

b. « il remit un engagement écrit pour neuf ans ».

d'introduction datée du 1er septembre 1677 indique en même temps que le délai aurait expiré peu de jours après : *quorum et finis 24 mensis hujus futurus appropinquat* [a]. L'engagement écrit aurait donc eu lieu le 24 septembre 1668 [1]. Dans ce rapport, le nombre neuf trouve même encore un autre emploi. C'est *nonies* – neuf fois – que le peintre prétend avoir résisté aux tentations du Malin avant d'y succomber. Ce détail n'est plus mentionné dans les rapports ultérieurs; par la suite, il est également dit dans l'attestation de l'abbé *« post annos novem »* [b], de même que le compilateur reprend *« ad novem annos »* [c] dans son résumé, preuve que ce nombre n'était pas considéré comme indifférent.

Le nombre neuf nous est familier à partir des fantasmes névrotiques. C'est le nombre des mois de la grossesse et, chaque fois qu'il apparaît, il attire notre attention sur un fantasme de grossesse. Chez notre peintre, bien sûr, 335 il s'agit de neuf ans, et non de neuf mois, et le neuf, dira-t-on, est également par ailleurs un nombre significatif. Mais qui sait si le neuf ne doit justement pas une bonne part de son caractère sacré à son rôle dans la grossesse; et point n'est besoin de nous laisser égarer par la mutation des neuf mois en neuf années. Le rêve nous a appris [d] avec quelle désinvolture l'« activité intellectuelle inconsciente » en use avec les nombres. Si par exemple, nous rencontrons dans le rêve le nombre cinq,

1. La contradiction inhérente au fait que les deux engagements écrits, tels qu'ils nous sont transmis, portent la date de 1669 nous occupera plus loin.

a. Cf. note 2, p. 273.

b. « au bout de neuf ans ».

c. « pour neuf ans ».

d. Cf. *L'interprétation du rêve* (1900*a*), chap. VI, section F, p. 354 sqq.

il faut le faire remonter chaque fois à un cinq significatif de la vie éveillée; or, dans la réalité, il s'agissait d'une différence d'âge de cinq ans ou d'un groupe de cinq personnes; dans le rêve, elles réapparaissent sous la forme de cinq billets de banque ou de cinq fruits. C'est-à-dire que le nombre est conservé, mais que son dénominateur est échangé à volonté, suivant les exigences de la condensation ou du déplacement. Neuf années dans le rêve peuvent donc très facilement correspondre à neuf mois de la réalité. Par ailleurs, le travail du rêve joue encore d'une autre façon avec les nombres de la vie éveillée : avec une souveraine indifférence, il ne fait aucun cas des zéros, il ne les traite pas du tout comme des nombres. Cinq dollars dans le rêve peuvent représenter [*vertreten*] cinquante, cinq cents, cinq mille dollars de la réalité.

Il est un autre détail des relations du peintre avec le diable qui nous renvoie également à la sexualité. La première fois, il aperçoit le Malin, comme nous l'avons déjà signalé, sous les traits d'un honorable bourgeois. Mais dès la fois suivante, il est nu, difforme, et il a deux paires de seins de femme [cf. ill. 2]. Et les seins, tantôt en un seul exemplaire, tantôt multipliés, ne manquent désormais dans aucune des apparitions suivantes. Seulement dans l'une d'entre elles, le diable présente, outre les seins, un grand pénis qui se termine en serpent. Cette accentuation du caractère sexuel féminin par l'adjonction de grands seins pendants (on ne trouve jamais rien qui évoque l'organe génital féminin) ne peut manquer de nous apparaître comme une contradiction flagrante avec notre hypothèse selon laquelle le diable signifierait pour notre peintre un substitut du père. Par ailleurs, une telle représentation du diable est par elle-même insolite. Là 336 où le mot diable désigne un genre, c'est-à-dire où des diables surgissent en plusieurs exemplaires, la représentation de diables féminins n'a pas non plus de quoi déconcerter; mais que *le*[a] diable, qui est une grande individualité, le Maître de l'Enfer et Adversaire de Dieu, soit figuré autrement que comme un être viril, voire « surviril »[a], avec des cornes, une queue et un grand serpent-pénis, voilà qui ne me paraît pas se produire.

À partir de ces deux petits indices, on peut quand même deviner quel est le facteur typique qui conditionne la part négative dans son rapport au père. Ce contre quoi il se rebelle, c'est la position féminine par rapport au père, laquelle culmine dans le fantasme de lui faire un enfant (neuf ans). Cette résistance, nous la connaissons avec exactitude à partir de nos analyses, où elle prend, dans le transfert, de très étranges formes et nous donne beaucoup de travail. Du fait du deuil du père perdu, de l'exacerbation de la nostalgie éprouvée à son égard, se trouve réactivé chez notre peintre le fantasme de grossesse depuis longtemps refoulé, fantasme contre lequel il doit se défendre par la névrose et le rabaissement du père.

Mais pourquoi le père rabaissé au rang de diable porte-t-il sur lui la caractéristique physique de la femme? Ce trait paraît d'abord difficile à interpréter; mais très tôt se présentent pour lui deux explications, qui sont concurrentes sans pour autant s'exclure. La position féminine par rapport au père fut soumise au refoulement, dès que le garçon comprit que rivaliser avec la femme pour obtenir l'amour du père impliquait de renoncer à l'organe génital masculin propre, soit la castration. Le refus de la position féminine est donc la conséquence de

a. Les italiques et les guillemets sont du traducteur.

la rébellion face à la castration ; elle trouve régulièrement son expression la plus forte dans le fantasme opposé qui consiste à castrer le père lui-même, à faire de lui une femme. Les seins du diable correspondraient donc à la projection de la féminité propre sur le substitut du père. L'autre explication de ces attributs dont est doté le corps du diable a un sens qui n'est plus hostile, mais tendre ; elle consiste à apercevoir dans cette figuration un indice que la tendresse infantile a été déplacée de la mère sur le père, et elle suggère de la sorte une forte fixation antérieure à la mère, laquelle est à son tour responsable d'une part de l'hostilité à l'égard du père. Les grands seins sont l'emblème sexuel positif de la mère, même à une époque où le caractère négatif de la femme, le manque de pénis, n'est pas encore connu de l'enfant [1]. 337

Si sa répugnance à admettre la castration met notre peintre dans l'incapacité de liquider sa nostalgie du père, il est tout à fait compréhensible que, pour obtenir assistance et salut, il se tourne vers l'image de la mère. C'est pourquoi il déclare que seule la Sainte Mère de Dieu de Mariazell peut l'affranchir de son pacte avec le diable, et il recouvre sa liberté le jour anniversaire de la Nativité de la Vierge (le 8 septembre). Quant à savoir si le jour où le pacte a été conclu, le 24 septembre, n'était pas aussi un jour qui portait une marque analogue, nous ne l'apprendrons évidemment jamais.

Il y a peu d'autres parties des découvertes faites par la psychanalyse sur la vie psychique de l'enfant qui paraissent aussi repoussantes et incroyables à l'adulte normal, que la position féminine à l'égard du père et le fantasme de grossesse qui s'ensuit pour le petit garçon.

1. Cf. *Un souvenir d'enfance de Léonard de Vinci* (1910*c*).

Nous ne pouvons en parler sans inquiétude et sans éprouver le besoin de nous en excuser que depuis que le président du Sénat de Saxe, Daniel Paul Schreber, a divulgué l'histoire de son affection psychotique et de son haut degré de guérison [1]. Par cette publication inestimable, nous apprenons que Monsieur le Président du Sénat reçut aux environs de la cinquantième année de sa vie, la ferme conviction que Dieu – lequel porte du reste 338 des traits manifestes de son père, le respectable médecin que fut le Dr Schreber – avait pris la résolution de l'émasculer, de l'utiliser comme femme et de faire naître de lui des humains nouveaux d'esprit schrébérien. (Son mariage à lui était resté sans enfants.) C'est la rébellion contre cette intention divine, qui lui apparaissait hautement injuste et « contraire à l'ordre du monde », qui le rendit malade ; sa maladie prit la forme d'une paranoïa, qui régressa toutefois au fil des ans, à un menu vestige près. Celui qui rédigea ainsi avec beaucoup d'esprit l'histoire de son propre cas ne pouvait certes pas se douter qu'à travers elle, il avait mis au jour un facteur pathogène typique.

Cette rébellion contre la castration ou la position féminine, Alf. Adler l'a arrachée à ses contextes organiques, l'a mise, de manière superficielle ou fausse, en relation avec l'aspiration à la puissance, et lui a donné le statut autonome de « protestation virile ». Étant donné qu'une névrose ne peut de toute façon résulter que du conflit entre deux tendances, il est tout aussi justifié d'apercevoir dans la protestation virile la cause de « toutes » les névroses que dans la position féminine contre laquelle

1. D. P. Schreber, *Denkwürdigkeiten eines Nervenkranken* (*Mémoires d'un névropathe*), Leipzig, 1903. Cf. mon analyse du cas Schreber (1911*c*).

est élevée la protestation. Il est exact que cette protestation virile a régulièrement sa part dans la formation du caractère, une part très importante dans beaucoup de types, et que dans l'analyse des hommes névrosés, nous nous heurtons à elle comme à une résistance acharnée. La psychanalyse prend en compte la protestation virile dans le contexte du complexe de castration, sans pouvoir soutenir qu'elle soit toute-puissante ou omniprésente dans les névroses. Le cas de protestation virile le plus caractérisé dans toutes ses réactions et traits manifestes que j'aie eu à traiter, a eu recours à moi à cause d'une névrose obsessionnelle avec idées obsédantes [*Zwangsneurose mit Obsessionen*] [a], dans lesquelles s'exprimait clairement le conflit non résolu entre positions virile et féminine (angoisse de castration et envie [*Lust*] de castration). En outre, le patient avait développé des fantasmes masochistes, qui émanaient pour l'essentiel du désir d'accepter la castration, et il était même passé de ces fantasmes à leur satisfaction réelle dans des situations perverses. L'ensemble de son état reposait – comme la théorie d'Adler en général – sur le refoulement, la dénégation de fixations amoureuses de la petite enfance [b]. 339

Le président du Sénat Schreber trouva la guérison, lorsqu'il se résolut à abandonner sa résistance vis-à-vis de la castration et à se plier au rôle féminin que Dieu

a. Rappelons ici que « névrose obsessionnelle » est la traduction devenue traditionnelle mais approximative de *Zwangsneurose*. *Zwang* signifiant « contrainte, compulsion », *Zwangsneurose* serait plus exactement rendu par « névrose compulsionnelle ». Le présent passage montre, s'il en était besoin, que la névrose « obsessionnelle » n'implique pas nécessairement l'existence de pensées « obsédantes ».

b. Freud a traité assez longuement de la théorie adlérienne de la « protestation virile » dans son article, rédigé quelques années auparavant, « Un enfant est battu » (1919*e*).

lui avait réservé. Il trouva alors la sérénité et le calme, put obtenir de lui-même qu'on le laissât sortir de l'asile, et mena une vie normale, à ceci près qu'il passait chaque jour quelques heures à cultiver sa féminité, dont il restait persuadé qu'elle progresserait lentement jusqu'au but fixé par Dieu.

IV

Les deux engagements écrits

Il est un détail singulier dans l'histoire de notre peintre : c'est l'indication qu'il a établi pour le diable deux engagements écrits différents.

Le premier, écrit à l'encre noire, avait pour libellé :

> *Moi, Chr. H., me constitue par cet écrit à ce Seigneur fils inféodé de corps pour 9 ans* [a].

Le deuxième, écrit avec du sang, est rédigé en ces termes :

> *Ch. H. Par cet écrit je m'engage envers ce Satan, à être, moi, son fils inféodé de corps, et, dans 9 ans, à lui appartenir corps et âme* [b].

On affirme que les deux originaux étaient accessibles, à l'époque de la rédaction du *Trophaeum,* dans les archives de Mariazell; tous deux portent la même date : 1669.

a. Cf. note b, p. 282.
b. Cf. note c, p. 282.

J'ai déjà fait plusieurs fois mention des deux engagements écrits, et je me propose maintenant de les examiner de manière plus détaillée, bien que, précisément sur ce point, le danger de surestimer des vétilles apparaisse particulièrement menaçant.

Le fait que quelqu'un s'engage deux fois par écrit vis-à-vis du diable, de telle sorte que le premier texte est remplacé par le second, sans pour autant perdre sa propre validité, est inhabituel. Peut-être qu'il déconcerte moins d'autres personnes, plus familières de la démonologie. Je ne pouvais qu'y voir une particularité distinctive de notre cas, et je devins méfiant, lorsque je constatai que les rapports ne concordent justement pas sur ce point. L'étude de ces contradictions nous mènera de manière inattendue à une compréhension plus profonde de l'histoire du cas. 340

La lettre d'introduction du curé de Pottenbrunn présente la situation de la manière la plus simple et la plus claire. Il n'y est question que d'un engagement écrit, que le peintre a confectionné neuf ans auparavant avec du sang, et qui viendra à échéance dans les prochains jours, le 24 septembre : il aurait donc été établi le 24 septembre 1668; malheureusement, cette date, qu'on peut déduire avec certitude, n'est pas mentionnée expressément

L'attestation de l'abbé Franciscus, datée, comme nous le savons, de quelques jours plus tard (12 sept. 1677), fait déjà état d'un ensemble de faits plus compliqué. On est tenté d'admettre qu'entre-temps, le peintre avait fait des déclarations plus précises. Dans cette attestation, on nous raconte que le peintre a émis deux engagements écrits : l'un écrit en 1668 (comme cela ressort en effet de la lettre d'introduction) à l'encre noire, mais l'autre écrit *sequenti anno 1669* [a] avec du sang. L'engagement qu'il recouvra le jour de la Nativité de Marie, était celui qu'il avait écrit avec du sang, donc le second, établi en 1669. Cela ne ressort pas de l'attestation de l'abbé, car il y est simplement dit un peu plus loin : *schedam redderet* [b] et *schedam sibi porrigentem conspexisset* [c], comme s'il ne pouvait s'agir que d'un seul document. Mais cela découle bien du déroulement ultérieur de l'histoire ainsi que de la page de titre coloriée du *Trophaeum,* où on peut voir, sur le billet que tient le dragon démoniaque, une écriture nettement *rouge.* Voici, comme nous l'avons 341 déjà mentionné, la suite des événements : en mai 1678, le peintre revient à Mariazell, après avoir à nouveau subi, à Vienne, des assauts du Malin, et il supplie que, par une nouvelle grâce de la Sainte Mère, lui soit restitué également le premier document, écrit à l'encre. De quelle manière cela se produit-il? La description n'est pas cette fois aussi détaillée que la première. Il est seulement dit : *quâ juxta votum reddita* [d]; et en un autre passage, le compilateur raconte que c'est justement cet engagement écrit qui, *« froissé et déchiré en quatre* [e] *»,* a été jeté au peintre par le diable, le 9 mai 1678, vers la neuvième heure du soir.

Mais les engagements écrits portent tous deux la même date : l'année 1669.

Ou bien cette contradiction ne signifie rien du tout, ou bien elle nous conduit sur la piste suivante :

Si nous partons de la présentation de l'abbé, en tant

a. « l'année suivante, en 1669 ».
b. « il rendit le billet ».
c. Cf. note 1, p. 276.
d. Cf. note b, p. 277.
e. *« in globum convolutam et in quatuor partes dilaceratam ».*

qu'elle est la plus détaillée, bien des difficultés surgissent. Quand Chr. H. confessa au curé de Pottenbrunn qu'il était en proie au diable et que le délai expirerait bientôt, il ne peut avoir pensé (en 1677) qu'à l'engagement établi en 1668, c'est-à-dire au premier, écrit en noir (qui, du reste, est seul mentionné dans la lettre d'introduction et y est présenté comme écrit avec du sang). Or, peu de jours après, à Mariazell, il n'a en tête qu'une chose : recouvrer l'engagement ultérieur, écrit avec du sang, qui n'est pas encore du tout arrivé à échéance (1669-1677), et ne se soucie pas que le premier délai soit passé. Ce n'est qu'en 1678, donc dix ans après, qu'il demande le retour du premier. D'autre part, pourquoi ces deux engagements sont-ils datés de la même année 1669, alors que l'un d'entre eux est expressément assigné à l'*« anno subsequenti »*[a]?

Le compilateur doit avoir ressenti ces difficultés, car il fait une tentative pour les lever. Dans son introduction, il se rallie à la présentation de l'abbé, tout en la modifiant sur un point. Le peintre, dit-il, se serait engagé vis-à-vis du diable en 1669 en écrivant avec de l'encre, *« deinde vero »*, mais plus tard[b] avec du sang. Il passe donc outre à l'indication expresse des deux rapports qui fait remonter l'un des deux engagements à l'année 1668, et néglige dans l'attestation de l'abbé la remarque selon laquelle, d'un engagement à l'autre, on aurait changé d'année, pour rester en accord avec la datation des jours où le diable a restitué les deux documents.

342

Dans l'attestation de l'abbé, se trouve, après les mots *« sequenti vero anno 1669*[c] *»* un passage mis entre paren-

a. « l'année suivante ».
b. « mais plus tard » traduit les mots latins qui précèdent.
c. « mais l'année suivante, 1669 »

thèses rédigé comme suit : *sumitur hic alter annus pro nondum completo uti saepe in loquendo fieri solet, nam eundum annum indicant Syngraphae quarum atramento scripta ante praesentem attestationem nondum habita fuit* [a]. Ce passage est à n'en pas douter une interpolation du compilateur, car l'abbé, qui n'a vu qu'un engagement écrit, ne peut en effet énoncer que les deux portent la même date. Il est également probable que les parenthèses étaient destinées à le désigner comme un ajout étranger au témoignage. Ce qu'il contient est une nouvelle tentative du compilateur pour concilier les contradictions existantes. Il veut dire qu'il est certes exact que le premier engagement a été donné en 1668; mais étant donné que l'année était déjà avancée (septembre), le peintre l'aurait postdaté d'un an, de manière que les deux engagements pussent porter mention de la même année. Qu'il se réclame du fait qu'on procède souvent d'une manière analogue dans les échanges verbaux, condamne sans doute toute cette tentative d'explication comme un « piètre expédient »

Arrivé à ce point, je ne sais si mon exposé a produit quelque impression que ce soit sur le lecteur et s'il l'a mis à même de s'intéresser à ces bagatelles. Je me suis trouvé dans l'impossibilité d'établir les faits de manière correcte et indubitable, mais en étudiant cet imbroglio, je suis arrivé à une conjecture qui a l'avantage d'établir la succession la plus naturelle, même si, là également, les témoignages écrits ne s'y plient pas tout à fait.

a. « l'année suivante est mise ici pour l'année qui n'est pas encore terminée, comme on a coutume de le faire souvent en parlant, car la même année est portée sur les *Syngraphae,* dont celle qui avait été écrite à l'encre noire n'avait pas encore été recouvrée avant la présente attestation ».

343

Je pense que, quand il est arrivé la première fois à Mariazell, le peintre n'a parlé que d'*un* engagement, écrit, comme il se doit, avec du sang, qui devait arriver sous peu à échéance, avait donc été donné en septembre 1668, tout à fait comme il est dit dans la lettre d'introduction du curé. À Mariazell, il présenta également cet engagement sanglant comme celui que le démon lui avait restitué sous la contrainte de la Sainte Mère. Nous savons ce qui advint ensuite. Le peintre quitta peu après le lieu de pèlerinage et se rendit à Vienne, où, du reste, il se sentit libéré jusqu'à la mi-octobre. Mais ensuite, il fut repris par des souffrances et des apparitions, dans lesquelles il vit l'œuvre de l'Esprit malin. Il éprouva à nouveau le besoin d'être délivré, mais se trouva confronté à la difficulté d'expliquer pourquoi l'exorcisme, qui avait eu lieu dans la chapelle sainte, ne lui avait pas apporté de délivrance durable. En tant que relaps non guéri, il n'aurait sans doute pas été bienvenu à Mariazell. En cette extrémité, il inventa un premier engagement antérieur, écrit, à ce qu'il disait, avec de l'encre, afin de rendre plausible la priorité donnée à un engagement sanglant ultérieur. Une fois revenu à Mariazell, il se fit restituer également ce prétendu premier engagement écrit. Alors, il se trouva en paix avec le Malin; mais il est vrai qu'en même temps il accomplit quelque chose d'autre qui nous fera découvrir l'arrière-plan de cette névrose.

Il est probable qu'il n'exécuta les dessins que lors de son deuxième séjour à Mariazell; la page de titre, d'une composition homogène, renferme la présentation des deux scènes d'engagement. En essayant de mettre ses nouvelles indications en harmonie avec celles qu'il avait données précédemment, il se peut qu'il soit tombé dans des embarras. Il était peu commode pour lui de ne pouvoir forger en supplément qu'un engagement antérieur, et non ultérieur. Ainsi, il ne put éviter l'issue maladroite d'avoir retiré l'un des deux engagements, le sanglant, trop tôt (au cours de la huitième année), l'autre, le noir, trop tard (au cours de la dixième année). Indice révélateur 344 de sa double rédaction, il lui arriva qu'il se trompa dans la datation des engagements, et qu'il assigna également le premier à l'année 1669. Cette erreur a la signification d'une sincérité non voulue; elle nous permet de deviner que l'engagement prétendument antérieur a été rédigé à une date ultérieure. Le compilateur, qui n'entreprit sans doute pas de travailler sur cette matière avant 1714, peut-être seulement en 1729, fut contraint de s'efforcer d'éliminer, autant que faire se pouvait, ces contradictions qui n'étaient pas sans importance. Étant donné que les deux engagements écrits qu'il avait sous les yeux portaient la date de 1669, il s'en sortit par l'expédient qu'il interpola dans le témoignage de l'abbé.

On aperçoit sans peine où se situe le point faible de cette construction par ailleurs séduisante. L'indication de deux engagements, un noir et un sanglant, se trouve déjà dans le témoignage de l'abbé Franciscus. J'ai donc le choix entre : ou bien soupçonner le compilateur d'avoir aussi changé quelque chose à ce témoignage, en étroit rapport avec son interpolation, ou reconnaître mon incapacité à éclaircir cette confusion [1]

1. Le compilateur, veux-je dire, se trouvait coincé entre deux points fixes. D'une part, il trouvait, tant dans la lettre d'introduction du curé que dans l'attestation de l'abbé, l'indication selon laquelle l'engagement écrit (tout au moins le premier) avait été établi en 1668; d'autre part, les deux engagements écrits conservés dans les archives étaient datés de l'année 1669; étant donné qu'il avait sous les yeux deux engagements écrits, il ne faisait pour lui aucun doute qu'il avait été procédé

Les lecteurs auront trouvé depuis longtemps toute cette discussion oiseuse et les détails qui en font l'objet trop futiles. Mais l'affaire prend un nouvel intérêt, si on en suit le fil dans une certaine direction. 345

Je viens de déclarer à propos du peintre que, désagréablement surpris par l'évolution de sa maladie, il avait inventé un engagement antérieur (celui écrit à l'encre), pour pouvoir affermir sa position face aux dignitaires religieux de Mariazell. Or, j'écris pour des lecteurs qui croient, il est vrai, à la psychanalyse, mais pas au diable; et ceux-là pourraient m'objecter qu'il est insensé de faire un tel reproche à ce pauvre hère de peintre – *hunc miserum*, comme l'appelle la lettre d'introduction. En effet, l'engagement sanglant était tout aussi fantasmé

à deux engagements écrits. Si, comme je le crois, il n'était question dans le témoignage de l'abbé que d'un seul, il était contraint d'insérer dans ce témoignage la mention de l'autre, et de lever ensuite la contradiction en faisant l'hypothèse d'une postdate. La modification du texte à laquelle il s'est livré fait immédiatement suite à l'interpolation qui ne peut émaner que de lui. Il fut obligé de relier l'interpolation et la modification par les mots *sequenti vero anno 1669* [mais l'année suivante, en 1669], parce que le peintre avait expressément écrit dans la légende (fort endommagée) de la page de titre :

Nach einem Jahr würdt Er	(Au bout d'un an, il aurait
...schrökhliche betrohungen in ab-	... effroyables menaces par in-
..... gestalt Nr. 2 bezwungen sich,	... figure n° 2 contraint,
.... n Bluut verschreiben.	... engager par écrit ... sang.)

Le « lapsus calami » [*Verschreiben,*] du peintre, qui lui échappa lors de la confection des *« Syngraphae »*, et qui m'a acculé à ma tentative d'explication, ne me paraît pas moins intéressant que ses engagements écrits [*Verschreibungen*] eux-mêmes.

[Freud joue ici du double sens de l'expression *sich verschreiben,* qui peut signifier, nous l'avons vu, « s'engager, se vouer par écrit (à) », mais aussi « se tromper en écrivant, commettre un lapsus calami ». (Cf. en particulier à ce sujet le chapitre VI, section B, de la *Psychopathologie de la vie quotidienne.*) Et l'on voit que c'est là le mot même par lequel se termine le fragment cité, qui est de la main du peintre. *(N.d.T.)*]

que le prétendu engagement antérieur à l'encre. Car en réalité, il ne lui est pas apparu de diable du tout : le pacte tout entier n'a tout bonnement existé que dans son fantasme. J'entre dans cette vue; on ne peut contester au malheureux le droit de compléter son premier fantasme par un nouveau, dès lors que le changement de situation paraissait l'exiger.

Mais sur ce point aussi, il y a encore une suite. En effet, les deux engagements écrits ne sont pas des fantasmes comme les visions du diable; c'étaient des documents, conservés, selon les assurances du copiste autant que d'après le témoignage de l'abbé Kilian survenu ensuite, dans les archives de Mariazell, visibles et palpables par tous. Nous sommes donc ici face à un dilemme. Ou bien il nous faut supposer que c'est le peintre lui-même qui a confectionné les deux *schedae,* prétendument restituées par faveur divine, au moment où il en avait besoin; ou bien, en dépit de toutes les assurances et confirmations solennelles émises par des témoins avec apposition de sceaux, etc., il nous faut refuser toute crédibilité aux dignitaires religieux de Mariazell et Sankt Lambert. J'avoue qu'il ne me serait pas facile de mettre en suspicion ces dignitaires. J'incline, il est vrai, à supposer que, dans l'intérêt de la concordance, le compilateur 346 a falsifié quelques éléments du témoignage du premier abbé; mais cette « élaboration secondaire » ne va pas tellement au-delà d'interventions analogues, même de la part d'historiographes modernes et laïcs, et en tout état de cause, elle a été accomplie de bonne foi. Sur un autre chapitre, les dignitaires religieux se sont acquis un droit justifié à notre confiance. Je l'ai déjà dit : rien ne les empêchait de supprimer les rapports sur le caractère incomplet de la guérison et la persistance des tentations, et même la description de la scène d'exorcisme dans la chapelle, qui ne pouvait manquer d'inspirer quelque appréhension, produit un effet sobre et crédible. Il ne nous reste donc qu'à incriminer le peintre. Il est probable qu'il avait l'engagement rouge sur lui quand il se rendit dans la chapelle pour faire sa prière de pénitence, et qu'ensuite, il l'exhiba, quand, revenant de sa rencontre avec le démon, il rejoignit ses assistants religieux. Point n'est besoin, du reste, que ce soit le même billet que celui qui a été conservé plus tard aux archives ; mais, en conformité avec notre construction, il se peut qu'il ait porté la date de 1668 (neuf ans avant l'exorcisme).

V

La névrose ultérieure

Mais ce serait une tromperie, et non une névrose, le peintre serait un simulateur et un faussaire, non un possédé malade ! Toutefois, les transitions entre la névrose et la simulation sont – c'est bien connu – insensibles. Je ne vois non plus aucune difficulté à supposer que le peintre a écrit ce billet, tout comme les billets ultérieurs, dans un état particulier, assimilable à ses visions, et l'a emporté avec lui. S'il voulait mettre à exécution le fantasme du pacte avec le diable et de la délivrance, il n'avait en effet pas d'autre choix.

En revanche, le journal de Vienne, qu'il a remis aux religieux lors de son deuxième séjour à Mariazell, est marqué du sceau de la véracité. Il nous livre, bien sûr, 347 de profonds aperçus sur la motivation ou, disons plutôt, l'exploitation de la névrose.

Les notes [du journal] vont de son exorcisme réussi jusqu'au 13 janvier de l'année suivante, soit 1678. Jusqu'au 11 octobre, il se porta très bien à Vienne, où il logeait chez une sœur à lui qui était mariée; mais ensuite, il fut repris par de nouveaux états avec visions et convulsions, perte de connaissance et sensations douloureuses, qui, du reste, aboutirent ensuite à son retour à Mariazell en mai 1678.

Ce nouvel épisode de souffrance s'articule en trois phases. D'abord, la tentation s'annonce sous la forme d'un cavalier vêtu de beaux habits, qui veut le persuader de jeter le billet attestant son admission dans la Confrérie du Saint-Rosaire. Du fait de sa résistance, la même apparition se reproduisit le jour suivant, mais cette fois dans une salle à la décoration somptueuse, dans laquelle des messieurs distingués dansaient avec de belles dames. Le même cavalier qui l'avait déjà tenté une fois, lui adressa une proposition ayant trait à la peinture [1] et lui promit en échange une belle somme d'argent. Après qu'il eut chassé cette vision par des prières, elle se reproduisit quelques jours plus tard sous une forme encore plus insistante. Cette fois, le cavalier lui envoya l'une des plus belles femmes qui étaient assises à la table de la fête, afin de l'inciter à se joindre à la compagnie, et il eut de la peine à se garder de la séductrice. Mais la vision la plus effrayante fut celle qui suivit peu après : c'était celle d'une salle encore plus fastueuse, dans laquelle se dressait un « *trône édifié avec des pièces d'or* [a] ». Des

1. Passage qui ne m'est pas compréhensible.
a. « *Goldstuckh aufgerichteter Thron.* »

cavaliers se tenaient autour de lui et attendaient l'arrivée de leur roi. La même personne qui s'était déjà si souvent mise en peine de lui vint le trouver et l'invita à monter sur le trône : ils « *voulaient le considérer comme leur roi et le vénérer pour l'éternité* [a] ». C'est par cette divagation de son imagination [*Phantasie*] que s'achève la première phase, fort transparente, de l'histoire des tentations. 348

Il fallait que se produisît maintenant un effet en retour. La réaction ascétique leva la tête. Le 20 octobre, lui apparut une grande clarté, il en sortit une voix qui se fit reconnaître pour celle du Christ et exigea de lui qu'il renonçât à ce monde mauvais et servît Dieu pendant six ans dans un désert. Manifestement, le peintre souffrit plus de ces saintes apparitions que des apparitions démoniaques antérieures. Il ne s'éveilla de cette attaque qu'au bout de deux heures et demie. Lors de la suivante, le saint personnage environné de lumière fut beaucoup plus inamical, le menaça parce qu'il n'avait pas faite sienne la proposition divine, et le conduisit en Enfer, afin qu'il fût effrayé par le sort des damnés. Mais de toute évidence, cela resta sans effet, car les apparitions du personnage lumineux, qui devait être le Christ, se reproduisirent encore plusieurs fois, accompagnées chaque fois pour le peintre d'une perte de conscience et d'un ravissement qui duraient plusieurs heures. Au cours du plus grandiose de ces ravissements, le personnage lumineux le conduisit d'abord dans une ville dans les rues de laquelle les humains s'adonnaient à toutes les œuvres des ténèbres, et ensuite, par contraste, sur une belle prairie, où des ermites menaient une vie agréable à Dieu et obtenaient des preuves tangibles de la

a. « *wollten ihn für ihren König halten und in Ewigkeit verehren* ». À noter : seul passage cité d'une certaine longueur dont la graphie coïncide en tout point avec celle de l'allemand actuel.

grâce et de la sollicitude divines. Ensuite apparut à la place du Christ, la Sainte Mère elle-même, qui, alléguant l'aide qu'elle lui avait apportée antérieurement, l'exhortait à se conformer au commandement de son fils bien-aimé. « *Comme il ne s'y était pas véritablement résolu* [a] », le Christ revint le jour suivant et le harcela à satiété de menaces et de promesses. Alors, il finit par céder, décida de quitter cette vie et de faire ce qu'on réclamait de lui. C'est par cette résolution que se termine la deuxième phase. Le peintre constate qu'à compter de ce moment, il n'eut plus aucune apparition ni ne fut inquiété.

Toutefois, il faut que cette décision n'ait pas été bien solide ou que sa mise à exécution ait été trop longtemps ajournée, car le 26 décembre, alors qu'il faisait ses dévo- 349 tions en l'église Saint-Étienne, il ne put, au spectacle d'une gente demoiselle qui passait aux côtés d'un monsieur fort bien mis, se défendre de l'idée qu'il pourrait se trouver lui-même à la place de ce monsieur. Cela exigeait une punition : le soir même, cela le frappa comme un coup de tonnerre, il se vit au milieu de flammes lumineuses et tomba en syncope. On s'efforça de le réveiller, mais il se roula sur le sol de la chambre, jusqu'à ce que du sang lui sortît de la bouche et du nez, eut l'impression d'être plongé dans une fournaise et de la puanteur, et entendit une voix dire que cet état lui avait été envoyé pour le punir de ses pensées oiseuses et vaines. Par la suite, les esprits malins le flagellèrent avec des cordes, et on lui promit qu'il serait tourmenté ainsi tous les jours jusqu'à ce qu'il se fût résolu à entrer dans l'ordre des ermites. Ces expériences se prolongèrent tout le temps que couvrent les annotations du journal (jusqu'au 13 janvier).

a. « *Da er sich hiezu nicht recht resolviret.* »

Nous voyons que chez notre pauvre peintre, les fantasmes de tentation sont relayés par des fantasmes d'ascèse et, finalement, de punition, quant à la fin de l'histoire de ses souffrances, nous la connaissons déjà. Il se rend en mai à Mariazell, y expose l'histoire d'un engagement antérieur écrit à l'encre noire, auquel il attribue manifestement qu'il puisse être encore tourmenté par le diable, obtient restitution de celui-ci et est guéri.

Au cours de ce deuxième séjour, il peint les images qui sont recopiées dans le *Trophaeum*; mais ensuite, il fait quelque chose qui converge avec l'exigence de la phase ascétique de son journal. Il ne va certes pas dans le désert pour y devenir ermite, mais il entre dans l'ordre des Frères de la Miséricorde : *religiosus factus est* [a].

La lecture du journal nous permet de comprendre un nouvel élément de l'ensemble. Nous nous souvenons que le peintre s'était engagé par écrit vis-à-vis du diable, parce que à la suite de la mort de son père, démoralisé et inapte au travail, il se demandait avec inquiétude comment assurer sa subsistance. Ces facteurs : dépression, 350 inhibition au travail et deuil du père, sont d'une manière ou d'une autre, qu'elle soit simple ou complexe, liés entre eux. Peut-être les apparitions du diable étaient-elles si surabondamment dotées de seins pour la raison que le Malin était destiné à devenir son père nourricier. L'espoir ne se réalisa pas, il continua à aller mal, soit qu'il ne pût correctement travailler, soit qu'il n'eût pas de chance et ne trouvât pas assez de travail. La lettre d'introduction du curé parle de lui comme de « *hunc miserum omni auxilio destitutum* [b] ». Par conséquent, il

a. « il devint, se fit religieux ».
b. Cf. note a, p. 273.

n'était pas seulement dans une détresse morale, il était aussi en proie à la détresse matérielle. La relation de ses visions ultérieures est parsemée de remarques qui montrent, tout comme les contenus des scènes aperçues, que même après le premier exorcisme réussi, rien de tout cela n'avait changé. Nous faisons la connaissance d'un homme qui n'arrive à rien, et à qui aussi, pour cette raison, on n'accorde aucune confiance. Au cours de la première vision, le cavalier lui demande ce qu'il veut entreprendre au juste, puisque personne ne le prend en charge (« *étant donné qu'ores étais-je abandonné de tous, ce que j'entreprendrais* [a] »). La première série de visions à Vienne correspond tout à fait aux fantasmes de désir de quelqu'un de pauvre, affamé de jouissance, déchu : les salles magnifiques, la belle vie, de la vaisselle d'argent et de belles femmes; on rattrape ici ce qui a fait défaut dans la relation avec le diable. À cette époque-là il existait une mélancolie qui le rendait inapte à la jouissance, lui enjoignait de renoncer aux offres les plus alléchantes. À partir de l'exorcisme, la mélancolie paraît dépassée, tous les appétits de l'enfant du siècle sont rallumés.

Dans l'une des visions ascétiques, il se plaint au personnage qui le conduit (le Christ), que personne ne veut le croire, de sorte qu'il ne peut accomplir ce qui lui a été ordonné. La réponse qu'il obtient alors nous reste malheureusement obscure (« *on ne me croira pas mais ce qui advint, je le sais bien, mais il m'est impossible d'en parler* [b] »). Est toutefois particulièrement éclairant

a. *« dieweillen ich von iedermann izt verlassen, wass ich anfangen würde ».*

b. *« so fer man mir nit glauben, wass aber geschechen, waiss ich wol, ist mir aber selbes auszuspröchen unmöglich ».*

ce que son guide divin lui permet de vivre auprès des ermites. Il arrive dans une grotte, dans laquelle un vieil homme vit déjà depuis soixante ans, et en l'interrogeant, il apprend que ce vieillard est quotidiennement nourri par les anges de Dieu. Et ensuite il voit lui-même comment un ange apporte à manger au vieillard : « *Trois écuelles de nourriture, un pain, et une boulette et à boire* [a]. » Après que l'ermite s'est restauré, l'ange ramasse tout et l'emporte. Nous comprenons quelle tentation les pieuses visions ont à lui proposer; elles veulent le pousser à choisir une forme d'existence dans laquelle le souci de nourriture lui sera ôté. Remarquables sont aussi les discours du Christ dans la dernière vision. Après l'avoir menacé que, s'il ne se soumettait pas, il arriverait quelque chose qui ferait que lui et les gens seraient obligés d'[y] croire, il admoneste directement : « *Je ne devais prendre nulle garde aux gens, bien que par eux je fusse persécuté, ou d'eux ne reçusse aucun secours, Dieu ne m'abandonnerait pas* [b]. »

351

Chr. Haitzmann était suffisamment artiste et enfant du siècle pour qu'il ne lui fût point facile de renoncer à ce monde pécheur. Mais il finit tout de même par le faire eu égard à la situation de dénuement [*hilflos*] où il se trouvait. Il entra dans un ordre religieux; cela mit un terme tant à son combat intérieur qu'à sa détresse matérielle. Dans sa névrose, on trouve le reflet de cette issue dans le fait que la restitution d'un prétendu premier engagement écrit le débarrasse de ses attaques et de ses visions. À tout prendre, les deux episodes de son affection

a. *« Drei Schüsserl mit Speiss, ein Brot und ein Knödl und Getränk. »*

b. *« Ich solle die Leith nit achten, obwollen ich von ihnen verfolgt wurdte, oder von ihnen keine hilfflaistung empfienge, Gott würde mich nit verlassen »*

démonologique avaient eu le même sens. Son seul vœu était chaque fois d'assurer sa subsistance : la première fois, avec l'aide du diable, et au prix de sa béatitude; et lorsque celui-ci déçut et dut être abandonné, avec l'aide de l'état religieux, et au prix de sa liberté et de la plupart des possibilités de jouissance qu'offre la vie. Peut-être Chr. Haitzmann n'était-il lui-même qu'un pauvre diable, tout bonnement privé de chance, peut-être fut-il trop malhabile ou trop peu doué pour subvenir lui-même à ses besoins, et faisait-il partie de ce type d'hommes qui sont connus pour être d'« éternels nourrissons », qui ne peuvent s'arracher à la situation gratifiante [du nouveau-né] au sein de sa mère et maintiennent 352 durant toute leur vie la revendication d'être nourris par quelqu'un d'autre. Et c'est ainsi qu'au cours de l'histoire de sa maladie, il parcourut le chemin qui part du père, passe par le diable en tant que substitut du père, et aboutit aux révérends pères.

À un examen superficiel, sa névrose apparaît comme une fantasmagorie qui recouvre un pan de la grave, mais banale lutte pour la vie. Les choses ne se présentent certes pas toujours ainsi, mais il n'est pas du tout rare que cela se produise. Les analystes font souvent l'expérience de l'incommodité qu'il y a à traiter un commerçant qui, « habituellement bien portant, manifeste depuis quelque temps les symptômes d'une névrose ». La catastrophe financière dont le commerçant se sent menacé, soulève, en tant qu'effet secondaire, le tourbillon de cette névrose, dont il tire également l'avantage de pouvoir dissimuler, derrière les symptômes de celle-ci, les soucis de sa vie réelle. Mais par ailleurs, elle est tout à fait inadéquate, car elle mobilise des forces qui trouveraient un emploi plus avantageux dans le règlement réfléchi de la situation périlleuse.

Dans un bien plus grand nombre de cas, la névrose est plus autonome et plus indépendante des intérêts de la conservation et de l'affirmation de la vie. Dans le conflit créé par la névrose, ce sont ou bien seulement des intérêts libidinaux qui sont en jeu, ou bien des intérêts libidinaux en intime connexion avec ceux de l'affirmation de la vie. Dans les trois cas, le dynamisme de la névrose est le même. Une stase libidinale qui ne trouve pas à se satisfaire réellement se ménage, moyennant une régression à d'anciennes fixations, un écoulement au travers de l'inconscient refoulé. Pour autant que le moi du malade peut tirer de ce processus un bénéfice de maladie, il laisse libre cours à la névrose, dont la nocivité économique ne fait pourtant pas de doute.

De même, la situation difficile de notre peintre n'aurait pas suscité chez lui de névrose diabolique, si n'avait pas surgi de sa détresse une nostalgie du père renforcée. Mais lorsqu'il se fut débarrassé de la mélancolie et du diable, les choses prirent encore en lui le tour d'une lutte entre 353 le plaisir libidinal de la vie et la découverte que l'intérêt de la conservation de la vie exigeait impérativement renoncement et ascèse. Il est intéressant de constater que le peintre ressent très bien l'unicité des deux éléments de l'histoire de ses souffrances, car il fait remonter tant l'un que l'autre à des engagements écrits qu'il aurait contractés avec le diable. Par ailleurs, il ne fait pas de distinction nette entre les interventions de l'Esprit malin et celles des puissances divines; il a une seule dénomination pour les deux : apparitions du diable.

L'HUMOUR

Note liminaire

DER HUMOR [1927*d*]

Éditions allemandes :

1927 *Almanach der Psychoanalyse 1928.*
1928 *Imago,* tome 14 (1).
1928 *Gesammelte Schriften,* tome 11.
1948 *Gesammelte Werke,* tome 14.
1970 *Studienausgabe,* tome 4.

Traduction anglaise :

1928 *« Humour »,* traduit par James Strachey, *Standard Edition,* tome 21.

L'humour fut publié pour la première fois en français avec *Le mot d'esprit et ses rapports avec l'inconscient,* en 1930, dans la collection « Les documents bleus », n° 19, Gallimard. La traduction en était due à Marie Bonaparte et au Dr M. Nathan. Le même texte fut repris en 1953 dans la collection « Les Essais », n° LXIV, puis en 1969 dans la collection « Idées », n° 198.

Freud écrivit cet essai au mois d'août 1927. Il fut lu par sa fille Anna le 1er septembre suivant à l'occasion du dixième

Congrès de psychanalyse, qui se tint à Innsbruck. Il fut publié en automne de la même année.

Freud renoue ici avec un sujet qu'il avait déjà abordé en 1905 dans les dernières pages de son livre sur le mot d'esprit (chap. VI, avant-dernière section).

G.W., XIV, 383

Dans mon ouvrage sur *Le mot d'esprit et sa relation à l'inconscient* (1905), je n'ai à vrai dire traité de l'humour que du point de vue économique. Ce qui m'importait, c'était de trouver la source du plaisir pris à l'humour, et je pense avoir montré que le gain de plaisir humoristique émane d'une économie de dépense affective.

Le processus humoristique peut s'accomplir de deux manières : ou bien sur une seule personne qui adopte elle-même l'attitude humoristique, tandis que le rôle du spectateur et de bénéficiaire échoit à la deuxième, ou bien entre deux personnes, dont l'une n'a aucune part dans le processus humoristique, mais dont la seconde fait de cette première personne l'objet de son regard humoristique. Quand, pour s'en tenir à l'exemple le plus trivial, le malfaiteur qui est conduit le lundi à la potence émet ce propos : « Eh bien, la semaine commence bien », c'est lui-même qui développe l'humour, le processus humoristique s'opère sur sa personne, et lui apporte manifestement une certaine satisfaction. Quant à moi, auditeur non impliqué, c'est en quelque sorte par un effet à distance de la prestation humoristique du criminel que je suis atteint; je ressens, peut-être à son instar, un gain de plaisir humoristique.

Il s'agit du deuxième cas quand, par exemple, un écrivain ou un narrateur décrit de manière humoristique 384 le comportement de personnes réelles ou fictives. Point n'est besoin que ces personnes manifestent elles-mêmes de l'humour; l'attitude humoristique est uniquement l'affaire de celui qui les prend comme objets, et le lecteur ou l'auditeur participe à nouveau, comme dans le cas précédent, à la jouissance humoristique. Pour résumer, on peut donc dire que l'attitude humoristique – quelle que soit sa nature – peut être dirigée vers la personne propre ou vers des personnes étrangères; il faut supposer qu'elle apporte à celui qui l'adopte un gain de plaisir; un gain de plaisir analogue échoit à l'auditeur, qui n'est pas impliqué.

Le mieux, pour saisir la genèse du gain de plaisir humoristique, est de nous tourner vers le processus en cours chez l'auditeur devant lequel un autre développe de l'humour. Il voit cet autre pris dans une situation qui l'induit à attendre qu'il produise les indices d'un affect; il va se mettre en colère, se plaindre, extérioriser de la douleur, s'effrayer, s'épouvanter, peut-être même se désespérer, et le spectateur-auditeur est disposé à le suivre sur cette voie, à laisser naître en lui les mêmes motions affectives. Mais cette disponibilité affective est déçue, l'autre n'extériorise aucun affect, mais fait une plaisanterie; or, c'est cette économie de dépense affective qui donne lieu chez l'auditeur au plaisir humoristique.

Pas de difficultés jusqu'ici; mais on est bientôt aussi amené à se dire que c'est le processus en cours chez l'autre, chez l'« humoriste », qui mérite le plus d'attention. Il n'y a aucun doute, l'essence de l'humour consiste à économiser les affects que la situation devrait occasionner, et à se dégager par une plaisanterie de la possibilité de telles extériorisations affectives. Dans cette mesure, il faut que le processus en cours chez l'humoriste concorde avec celui qui anime l'auditeur; plus exactement, il faut que le processus en cours chez l'auditeur ait copié celui qui anime l'humoriste. Mais comment l'humoriste produit-il cette attitude psychique qui le dispense de libérer un affect, qu'est-ce qui, du point de vue dynamique, se passe chez lui dans l'« attitude humoristique »? Manifestement, il faut chercher la solution du 385 problème chez l'humoriste; chez l'auditeur, il faut supposer simplement un écho, une copie de ce processus inconnu.

Il est temps que nous nous familiarisions avec quelques caractères de l'humour. L'humour n'a pas seulement quelque chose de libérateur comme le mot d'esprit et le comique, mais également quelque chose de grandiose et d'exaltant, traits qui ne se retrouvent pas dans les deux autres sortes de gain de plaisir obtenu à partir de l'activité intellectuelle. Le caractère grandiose est manifestement lié au triomphe du narcissisme, à l'invulnérabilité victorieusement affirmée du moi. Le moi se refuse à se laisser offenser, contraindre à la souffrance par les occasions qui se rencontrent dans la réalité; il maintient fermement que les traumatismes issus du monde extérieur ne peuvent l'atteindre; davantage : il montre qu'ils ne sont pour lui que matière à gain de plaisir. Ce dernier trait est pour l'humour tout à fait essentiel. Supposons que le criminel qu'on emmène le lundi au supplice ait dit : « Cela ne me fait rien, qu'importe qu'un gaillard comme moi soit pendu, la terre ne va pas s'arrêter de tourner pour ça » – alors, nous devrions juger que ce discours renferme bien cette manière grandiose de s'élever au-dessus de la situation réelle, qu'il est sage et justifié, mais aussi qu'il ne porte pas trace d'humour, qu'il repose même sur une appréciation de la réalité qui va carrément à l'encontre de celle de l'humour. L'humour n'est pas résigné, il défie; il ne signifie pas seulement le triomphe du moi, mais aussi celui du principe de plaisir, qui parvient en l'occurrence à s'affirmer en dépit du caractère défavorable des circonstances réelles.

Par ces deux derniers traits, la mise à l'écart des exigences de la réalité et la suprématie assurée au principe de plaisir, l'humour se rapproche des processus régressifs ou réactionnels, qui nous occupent si abondamment dans la psychopathologie. Par la défense qu'il constitue contre la possibilité de la souffrance, il prend place dans la longue série des méthodes que la vie psychique de l'homme a déployées pour échapper à la contrainte de
386 la souffrance, série qui commence avec la névrose, culmine dans la folie, et dans laquelle il faut inclure l'ivresse, l'absorption en soi-même, l'extase. L'humour reçoit de cette relation une dignité qui fait totalement défaut par exemple au mot d'esprit, car ou bien celui-ci ne sert qu'au gain de plaisir, ou bien il met le gain de plaisir au service de l'agressivité. En quoi consiste donc l'attitude humoristique, par laquelle on se refuse à la souffrance, on souligne l'invincibilité du moi face au monde réel, on affirme victorieusement le principe de plaisir, et tout cela sans pour autant, comme dans d'autres procédés poursuivant la même fin, abandonner le terrain de la santé psychique? Ces deux réalisations n'apparaissent-elles pas inconciliables?

Si nous envisageons la situation où quelqu'un adopte vis-à-vis d'autres une attitude humoristique, nous sommes tentés de concevoir les choses de la manière que j'ai d'ailleurs déjà timidement suggérée dans le livre sur le mot d'esprit : à savoir qu'il se comporte à leur égard comme l'adulte à l'égard de l'enfant, lorsqu'il reconnaît l'inanité des intérêts et des souffrances qui apparaissent considérables à celui-ci, et qu'il en sourit. L'humoriste tirerait donc sa supériorité du fait qu'il s'installe dans le rôle de l'adulte, dans une sorte d'identification au père, et qu'il ravale les autres au rang d'enfants. Cette hypothèse coïncide sans doute avec les faits, mais elle n'est guère convaincante. On se demande ce qui permet à l'humoriste de s'arroger ce rôle.

Mais on se souvient de l'autre situation de l'humour, probablement plus originaire et plus significative : celle où quelqu'un dirige l'attitude humoristique vers sa propre personne, pour se défendre de la sorte de ses propres possibilités de souffrance. Cela a-t-il un sens de dire que quelqu'un se traite lui-même comme un enfant et joue en même temps à l'égard de cet enfant le rôle de l'adulte supérieur?

Je pense que nous fournirons à cette représentation peu plausible un appui solide si nous prenons en considération ce que nous avons appris sur la structure de notre moi à partir d'expériences pathologiques. Ce moi n'est rien de simple : il héberge au contraire comme son noyau une instance particulière, le surmoi, avec lequel parfois il conflue, de sorte que nous ne parvenons plus à distinguer les deux, tandis qu'en d'autres circonstances, il se sépare nettement de lui. Le surmoi est génétiquement l'héritier de l'instance parentale, il tient souvent le moi dans une dépendance rigoureuse, le traite vraiment encore comme autrefois, dans les premières années, les parents – ou le père – traitaient l'enfant. Nous obtenons donc

387

une élucidation dynamique de l'attitude humoristique, si nous supposons qu'elle consiste en ce que la personne de l'humoriste a retiré l'accent psychique de son moi et l'a déplacé sur son surmoi. Or, à ce surmoi ainsi grossi, le moi peut apparaître minuscule, tous ses intérêts futiles, et il se peut que du fait de cette nouvelle répartition de l'énergie, le surmoi n'ait aucune peine à réprimer les possibilités de réaction du moi.

Fidèle à notre mode d'expression habituel, nous devrons dire, au lieu de translation de l'accent psychique, déplacement de grandes quantités d'investissement. Se pose alors la question de savoir si nous sommes autorisés à nous représenter des déplacements aussi massifs d'une instance de l'appareil psychique à une autre. Cela ressemble à une nouvelle hypothèse construite *ad hoc,* mais nous devons nous rappeler qu'à plusieurs reprises, même si ce n'était pas très souvent, nous avons, lors de nos tentatives de représentation métapsychologique du fonctionnement psychique, compté avec un tel facteur. C'est ainsi que nous avons par exemple supposé que la différence entre un investissement d'objet érotique habituel et l'état amoureux consiste en ce que, dans le deuxième cas, un investissement incomparablement plus important passe du côté de l'objet, que, pour ainsi dire, le moi se vide en direction de l'objet. Lors de l'étude de quelques cas de paranoïa, j'ai pu constater que les idées de persécution se forment précocement et subsistent longtemps sans produire un effet notable, jusqu'au jour où, de par une occasion déterminée, elles reçoivent un investissement d'une amplitude telle qu'elles deviennent dominantes. De même, le traitement de telles crises paranoïaques 388 devrait moins consister à dissoudre et à corriger les idées délirantes qu'à retirer l'investissement qui leur est accordé.

L'alternance de la mélancolie et de la manie, de l'oppression cruelle du moi par le surmoi et de la libération du moi au terme de cette pression, nous a fait l'impression d'une telle fluctuation dans l'investissement, fluctuation qu'il faudrait d'ailleurs aussi prendre en considération pour expliquer toute une série de phénomènes de la vie psychique normale. Si cela s'est produit jusqu'ici dans des proportions si modestes, la raison en est dans la réserve, plutôt louable, à laquelle nous nous sommes astreints. Le domaine dans lequel nous nous sentons sûrs, est celui de la pathologie de la vie psychique; c'est là que nous faisons nos observations, que nous acquérons nos convictions. Pour l'instant, nous ne nous hasardons à porter un jugement sur le normal que dans la mesure où nous devinons celui-ci à travers les isolations et les distorsions du maladif. Cette appréhension une fois surmontée, nous nous apercevrons de l'importance du rôle qui échoit, dans la compréhension des processus psychiques, aux rapports statiques ainsi qu'aux variations dynamiques dans la quantité de l'investissement énergétique.

Je pense donc que la possibilité proposée ici, à savoir que l'individu, dans une situation déterminée, surinvestit brusquement son surmoi et modifie dès lors, à partir de celui-ci, les réactions de son moi, mérite d'être retenue. Ce que je conjecture à propos de l'humour trouve aussi une analogie remarquable dans le domaine apparenté du mot d'esprit. Pour expliquer la genèse du mot d'esprit, j'ai dû supposer qu'une pensée préconsciente est abandonnée pour un moment à l'élaboration inconsciente, que le mot d'esprit serait donc la contribution au comique que fournit l'inconscient. De manière tout à fait semblable, *l'humour* serait *la contribution au comique par la médiation du surmoi.*

Nous connaissons par ailleurs le surmoi comme un maître sévère. Il s'accorde peu à ce caractère, dira-t-on, qu'il condescende à permettre au moi un menu gain de 389 plaisir. Il est exact que le plaisir humoristique n'atteint jamais l'intensité du plaisir pris au comique ou au mot d'esprit, qu'il ne se prodigue jamais en francs éclats de rire; il est également vrai que le surmoi, quand il instaure l'attitude humoristique, écarte à proprement parler la réalité et se met au service d'une illusion. Mais – sans très bien savoir pourquoi – nous attribuons à ce plaisir peu intense une valeur élevée, nous le ressentons comme particulièrement libérateur et exaltant. La plaisanterie que fait l'humour n'est du reste pas l'essentiel, elle n'a qu'une valeur d'échantillon; le principal est l'intention que l'humour met en acte, que celui-ci opère sur la personne propre ou sur des personnes étrangères. Il veut dire : « Regarde, voilà donc le monde qui paraît si dangereux. Un jeu d'enfant, tout juste bon à faire l'objet d'une plaisanterie! »

Si c'est réellement le surmoi qui, dans l'humour, tient au moi effarouché un discours si plein de sollicitude consolatrice, nous ne voulons pas oublier que nous avons encore toutes sortes de choses à apprendre sur l'essence du surmoi. Du reste, tout le monde n'est pas apte à l'attitude humoristique; c'est là un don précieux et rare, et beaucoup sont même dépourvus de l'aptitude à goûter le plaisir humoristique qui leur est communiqué. Et pour terminer, si par l'humour, le surmoi aspire à consoler le moi et à le garder des souffrances, il n'a pas contredit par là sa descendance de l'instance parentale

BIBLIOGRAPHIE

Les chiffres entre parenthèses placés après les titres originaux renvoient aux pages du présent livre.

Les noms des périodiques ont été abrégés en conformité avec la *World List of Scientific Periodicals.*

G.W. = *Gesammelte Werke von Sigmund Freud,* S. Fischer Verlag, Francfort-sur-le-Main, 18 volumes.

BRANDES, G. (1896) *William Shakespeare,* Paris. (66)

DARMSTETTER, J. (1881) (éd.) *Macbeth,* Paris. (155, 157)

FERENCZI, S. (1912) « Ueber passagère Symptombildung während der Analyse », *Zentbl. Psychoanal.,* 2, 588. (202)
Trad. : « Symptômes transitoires au cours d'une psychanalyse », trad. J. Dupont, *Œuvres complètes,* I, Paris, Payot, 1968.

FREUD, S. (1893*f*) « Charcot », *Wien. med. Wschr.* 43, 37. *G.W.,* 1, 19. (268)
Trad. : « Charcot », trad. J. Altounian *et al., Résultats, idées, problèmes,* I, Paris, Presses universitaires de France, 1984.

(1895*d*) en collaboration avec BREUER, J., *Studien über Hysterie,* Vienne. *G.W.,* 1, 77 (sans les textes de Breuer). (20, 168)
Trad. : Études sur l'hystérie, trad. A. Berman, Paris, Presses universitaires en France, 1967 (avec les textes de Breuer).

(1900*a*) *Die Traumdeutung,* Vienne *G.W.*. 2-3. (23 40 51, 201, 206, 237, 292)
Trad. : L'Interprétation des rêves [1], trad. I. Meyerson, révisée par D. Berger, Paris, Presses universitaires de France, 1967.
(1901*b*) *Zur Psychopathologie des Alltagslebens,* Berlin, 1904, *G.W.*, 4. (16, 17, 18, 196)
Trad. : Psychopathologie de la vie quotidienne, trad. S. Jankélévitch, Paris, Payot, 1973.
(1905*c*) *Der Witz und seine Beziehung zum Unbewussten,* Vienne, *G.W.*, 6. (35, 46, 321)
Trad. : Le mot d'esprit et ses rapports avec l'inconscient, trad. M. Bonaparte et M. Nathan, Paris, Gallimard, 1969.
(1905*d*) *Drei Abhandlungen zur Sexualtheorie, G.W.*, 5, 29. (46, 263)
Trad. : Trois essais sur la théorie de la sexualité, trad. B. Reverchon, rév. par J. Laplanche et J.-B. Pontalis, Paris, Gallimard, 1968.
(1909*b*) « Analyse der Phobie eines fünfjährigen Knaben », *G.W.*, 7, 243. (205, 171, 291)
Trad. : « Analyse d'une phobie d'un petit garçon de cinq ans » (Le petit Hans), trad. M. Bonaparte, *Cinq psychanalyses,* Paris, Presses universitaires de France, 1970.
(1909*d*) « Bemerkungen über einen Fall von Zwangsneurose », *G.W.*, 7, 381. (196, 243, 244)
Trad. : « Remarques sur un cas de névrose obsessionnelle » (L'Homme aux rats), trad. M. Bonaparte et R. Loewenstein, *Cinq psychanalyses,* Paris, Presses universitaires de France, 1970.
(1910*c*) *Eine Kindheitserinnerung des Leonardo da Vinci, G.W.*, 8, 128. (295)
Trad. : Un souvenir d'enfance de Léonard de Vinci, trad. M. Bonaparte, Paris, Gallimard, 1927.
(1911*c*) « Psychoanalytische Bemerkungen über einen auto-

1. Dans le texte, l'ouvrage a été nommé *L'Interprétation du rêve.*

biographisch beschriebenen Fall von Paranoia (Dementia Paranoides) », *G.W.*, 8, 240. (296)
Trad. : « Remarques psychanalytiques sur l'autobiographie d'un cas de paranoïa (Dementia paranoides) (Le président Schreber), trad. M. Bonaparte et R. Loewenstein, *Cinq psychanalyses,* Paris, Presses universitaires de France, 1970.

(1912-1913) *Totem und Tabu, G.W.*, 9. (245, 248, 288)
Trad. : *Totem et tabou,* trad. S. Jankélévitch, Paris, Payot, 1973.

(1914*c*) « Zur Einführung des Narcissmus », *G.W.*, 10, 138. (42)
Trad. : « Pour introduire le narcissisme », trad. J. Laplanche, *La vie sexuelle,* Paris, Presses universitaires de France, 1969.

(1914*g*) « Weitere Ratschläge zur Technik der Psychoanalyse », II, « Erinnern, Wiederholen und Durcharbeiten », *G.W.*, 10, 126. (242)
Trad. : « Remémoration, répétition et élaboration », *trad.* A. Berman, *La technique psychanalytique,* Paris, Presses universitaires de France, 1970.

(1915*b*) « Zeitgemässes über Krieg und Tod », *G.W.*, 10, 324. (42)
Trad. : « Considérations actuelles sur la guerre et sur la mort », trad. P. Cotet, A. Bourguignon et A. Cherki, *Essais de psychanalyse,* Paris, Payot, 1981.

(1917*e*) « Trauer und Melancholie », *G.W.*, 10, 428. (290)
Trad. : « Deuil et mélancolie », trad. J. Laplanche et J.-B. Pontalis, *Métapsychologie,* Paris, Gallimard, 1968.

(1918*b*) « Aus der Geschichte einer infantilen Neurose », *G.W.*, 12, 29. (171, 250)
Trad. : « Extrait de l'histoire d'une névrose infantile » (L'Homme aux loups), trad. M. Bonaparte et R. Loewenstein, avec révisions par A. Berman, *Cinq psychanalyses,* Paris, Presses universitaires de France, 1970.

(1919*e*) « Ein Kind wird geschlagen », *G.W.*, 12, 197. (297)
Trad. : « Un enfant est battu », trad. D. Guérineau, *Névrose*

psychose et perversion, Paris, Presses universitaires de France, 1973
(1920*g*) *Jenseits des Lustprinzips, G.W.*, 13, 3. (236, 242, 247)
Trad. : « Au-delà du principe de plaisir », trad. Jean Laplanche et J.-B. Pontalis, *Essais de psychanalyse,* Paris, Payot, 1981.
(1922*a*) « Traum und Telepathie », *G.W.*, 13, 165. (71)
Trad. : « Rêve et télépathie », trad. J. Altounian *et al.*, *Résultats, idées, problèmes,* II, 1985.
(1931*d*) « Das Fakultätsgutachten im Prozess Halsmann », *G.W.*, 14, 541. (27)
Trad. : « L'expertise de la Faculté au procès Halsmann », trad. A. Balseinte *et al.*, *Résultats, idées, problèmes,* II, Paris, Presses universitaires de France, 1985.
(1936*a*) « Brief an Romain Rolland : eine Erinnerungsstörung auf der Akropolis », *G.W.*, 16, 250. (168)
Trad. : « Un trouble de mémoire sur l'Acropole. (Lettre à Romain Rolland) », trad. M. Robert, *Résultats, idées, problèmes,* II, Paris, Presses universitaires de France, 1985.
(1939*a*) *Der Mann Moses und die monotheistische Religion, G.W.*, 16, 103. (114)
Trad. : L'Homme Moïse et la religion monothéiste, trad. C. Heim, Paris, Gallimard, 1986.
(1950*a*) *Aus den Anfängen der Psychoanalyse. Briefe an Wilhelm Fliess,* Londres, Imago Publishing, 1950. (44)
Trad. : La naissance de la psychanalyse. Lettres à Wilhelm Fliess, trad. A. Berman, Paris, Presses universitaires de France, 1956.
(1960*a*) *Briefe 1873-1939,* Fischer Verlag. (86)
Trad. : Correspondance 1873-1939, trad. A. Berman avec la coll. de J.-P. Grossein, Paris, Gallimard, 1966.

FUCHS, E. (1904) *Das erotische Element in der Karikatur,* Berlin. (132)

JENTSCH, E. (1906) « Zur Psychologie des Unheimlichen » [« Sur la psychologie de l'inquiétante étrangeté »], *Psychiat.-neurol. Wschr.*, 8, 195. (214)

JONES, E. (1912) *Der Alptraum in seiner Beziehung zu gewissen Formen des mittelalterlichen Aberglaubens* [*Le cauchemar dans son rapport avec certaines formes de la superstition médiévale*], trad. H. Sachs, Leipzig et Vienne. (288, 290)
Repris dans *On the Nightmare,* Londres et New York, 1931.
Trad. : Le cauchemar, trad. A. Stronck-Robert, Paris, Payot, 1973.

JUNG, C. G. (1906) *Die psychologische Diagnose des Tatbestandes* [*Le diagnostic psychologique de l'établissement des faits*], Halle. (16, 18)

MACH, E. (1900) *Die Analyse des Empfindung* [*L'analyse de l'impression*], Iéna. (257)

PRELLER, L. et ROBERT, C. (1894) (éd.) *Griechische Mythologie* [*Mythologie grecque*], 4e éd. Berlin. (76)

RANK, O. (1909) *Der Mythus von der Geburt des Helden* [*Le mythe de la naissance du héros*], Leipzig et Vienne. (67)
(1912) *Das Inzest-Motiv in Dichtung und Sage* [*Le Thème de l'inceste dans la littérature et la légende*], Vienne et Leipzig. (168)
(1914) « Der Doppelgänger », *Imago,* 3, 97. (236)
Trad. : « Le double », trad. S. Lautmann, *Don Juan,* Paris, Payot, 1973.

REIK, T. (1919) *Probleme der Religionspsychologie :* I, *Das Ritual,* Leipzig, Vienne et Zurich. (288)
Trad. : Le Rituel, trad. M. -F. Demet, Paris, Denoël, 1974.
(1923) *Der eigene und der fremde Gott* [*Le dieu propre et le dieu étranger*], Leipzig, Vienne et Zurich. (288)

REINACH, S. (1905-1912) *Cultes, mythes et religions,* 4 vol., Paris. (133)

SELIGMANN, S. (1910-1911) *Der Böse Blick und Verwandtes* [*Le mauvais œil et croyances apparentées*], Berlin. (244)

STEKEL, W. (1911) *Die Sprache des Traumes* [*La langue du rêve*], Wiesbaden. (71, 72)

Stucken, E. (1907) *Astralmythen der Hebraeer, Babylonier und Egypter* [*Mythes astraux des Hébreux, des Babyloniens et des Égyptiens*], Leipzig. (66)
Thode, H. (1908) *Michelangelo, kritische Untersuchungen über seine Werke* [*Michel-Ange, examens critiques de ses œuvres*], 1, Berlin. (90, 91, 92)
Zinzow, A. (1881) *Psyche und Eros,* Halle. (79)

RECUEILS D'ŒUVRES DE FREUD ET REVUES DE PSYCHANALYSE

Sigmund Freud, *Sammlung kleiner Schriften zur Neurosenlehre,* 5 tomes, Vienne, 1906-1922.
Sigmund Freud, *Psychoanalytische Studien an Werken der Dichtung und der Kunst* (abrégé en *Dichtung und Kunst* dans les Notes liminaires), Vienne, 1924.
Sigmund Freud, *Gesammelte Schriften,* 12 tomes, Vienne, 1924-1934.
Sigmund Freud, *Gesammelte Werke,* 18 tomes, depuis 1960 chez S. Fischer Verlag, Francfort-sur-le-Main.
Sigmund Freud, *Studienausgabe,* 10 tomes et un tome complémentaire, S. Fischer Verlag, Francfort-sur-le-Main, 1969-1975.

Almanach der Psychoanalyse 1926, Vienne, Internationaler Psychoanalytischer Verlag, 1925.
Almanach der Psychoanalyse 1928, Vienne, Internationaler Psychoanalytischer Verlag, 1927.

INDEX

ŒUVRES DE SIGMUND FREUD

Dans la même collection

LE DÉLIRE ET LES RÊVES DANS LA *GRADIVA* DE W. JENSEN, *précédé de* GRADIVA FANTAISIE POMPÉIENNE *par Wilhelm Jensen*, nº 181.

L'HOMME MOÏSE ET LA RELIGION MONOTHÉISTE, nº 219.

MÉTAPSYCHOLOGIE, nº 30.

LE MOT D'ESPRIT ET SA RELATION À L'INCONSCIENT, nº 201.

NOUVELLES CONFÉRENCES D'INTRODUCTION À LA PSYCHANALYSE, nº 126.

LA QUESTION DE L'ANALYSE PROFANE, nº 318.

SIGMUND FREUD PRÉSENTÉ PAR LUI-MÊME, nº 54.

SUR LE RÊVE, nº 12.

TROIS ESSAIS SUR LA THÉORIE SEXUELLE, nº 6.

DANS LA COLLECTION FOLIO / ESSAIS

430 Stephen Hawking et Roger Penrose : *La nature de l'espace et du temps.*
431 Georges Roque : *Qu'est-ce que l'art abstrait ?*
432 Julia Kristeva : *Le génie féminin, I. Hannah Arendt.*
433 Julia Kristeva : *Le génie féminin, II. Melanie Klein.*
434 Jacques Rancière : *Aux bords du politique.*
435 Herbert A. Simon : *Les sciences de l'artificiel.*
436 Vincent Descombes : *L'inconscient malgré lui.*
437 Jean-Yves et Marc Tadié : *Le sens de la mémoire.*
438 D. W Winnicott : *Conversations ordinaires.*
439 Patrick Pharo : *Morale et sociologie (Le sens et les valeurs entre nature et culture).*
440 Joyce McDougall : *Théâtres du je.*
441 André Gorz : *Les métamorphoses du travail.*
442 Julia Kristeva : *Le génie féminin, III. Colette.*
443 Michel Foucault : *Philosophie (Anthologie).*
444 Annie Lebrun : *Du trop de réalité.*
445 Christian Morel : *Les décisions absurdes.*
446 C. B. Macpherson : *La theorie politique de l'individualisme possessif.*
447 Frederic Nef : *Qu'est-ce que la métaphysique ?*
448 Aristote : *De l'âme.*
449 Jean-Pierre Luminet : *L'Univers chiffonné.*
450 André Rouillé : *La photographie.*
451 Brian Greene : *L'Univers élégant.*
452 Marc Jimenez : *La querelle de l'art contemporain.*
453 Charles Melman : *L'Homme sans gravité.*
454 Nûruddîn Abdurrahmân Isfarâyinî : *Le Révélateur des Mystères.*
455 Harold Searles : *Le contre-transfert.*
456 Le Talmud : *Traité Moed Katan.*
457 Annie Lebrun : *De l'éperdu.*
458 Pierre Fédida : *L'absence.*
459 Paul Ricœur : *Parcours de la reconnaissance.*
460 Pierre Bouvier : *Le lien social.*
461 Régis Debray : *Le feu sacré.*
462 Joëlle Proust : *La nature de la volonté.*
463 André Gorz : *Le traître* suivi de *Le vieillissement.*
464 Henry de Montherlant : *Service inutile.*

465 Marcel Gauchet : *La condition historique.*
466 Marcel Gauchet : *Le désenchantement du monde.*
467 Christian Biet et Christophe Triau : *Qu'est-ce que le théâtre ?*
468 Trinh Xuan Thuan : *Origines (La nostalgie des commencements).*
469 Daniel Arasse : *Histoires de peintures.*
470 Jacqueline Delange : *Arts et peuple de l'Afrique noire (Introduction à une analyse des créations plastiques).*
471 Nicole Lapierre : *Changer de nom.*
472 Gilles Lipovetsky : *La troisième femme (Permanence et révolution du féminin).*
473 Michael Walzer : *Guerres justes et injustes (Argumentation morale avec exemples historiques).*
474 Henri Meschonnic : *La rime et la vie.*
475 Denys Riout : *La peinture monochrome (Histoire et archéologie d'un genre).*
476 Peter Galison : *L'Empire du temps (Les horloges d'Einstein et les cartes de Poincaré).*
477 George Steiner : *Maîtres et disciples.*
479 Henri Godard : *Le roman modes d'emploi.*
480 Theodor W. Adorno/Walter Benjamin : *Correspondance 1928-1940.*
481 Stéphane Mosès : *L'ange de l'histoire (Rosenzweig, Benjamin, Scholem).*
482 Nicole Lapierre : *Pensons ailleurs.*
483 Nelson Goodman : *Manières de faire des mondes.*
484 Michel Lallement : *Le travail (Une sociologie contemporaine).*
485 Ruwen Ogien : *L'Éthique aujourd'hui (Maximalistes et minimalistes).*
486 Sous la direction d'Anne Cheng, avec la collaboration de Jean-Philippe de Tonnac : *La pensée en Chine aujourd'hui.*
487 Merritt Ruhlen : *L'origine des langues (Sur les traces de la langue mère).*
488 Luc Boltanski : *La souffrance à distance (Morale humanitaire, médias et politique)* suivi de *La présence des absents.*

489 Jean-Marie Donegani et Marc Sadoun : *Qu'est-ce que la politique ?*
490 G. W. F. Hegel : *Leçons sur l'histoire de la philosophie.*
491 Collectif : *Le royaume intermédiaire* (*Psychanalyse, littérature, autour de J.-B. Pontalis*).
492 Brian Greene : *La magie du Cosmos* (*L'espace, le temps, la réalité : tout est à repenser*).
493 Jared Diamond : *De l'inégalité parmi les sociétés* (*Essai sur l'homme et l'environnement dans l'histoire*).
494 Hans Belting : *L'histoire de l'art est-elle finie ?* (*Histoire et archéologie d'un genre*).
495 J. Cerquiglini-Toulet, F. Lestringant, G. Forestier et E. Bury (sous la direction de J.-Y. Tadié) : *La littérature française : dynamique et histoire I.*
496 M. Delon, F. Mélonio, B. Marchal et J. Noiray, A. Compagnon (sous la direction de J.-Y. Tadié) : *La littérature française : dynamique et histoire II.*
497 Catherine Darbo-Peschanski : *L'*Historia (*Commencements grecs*).
498 Laurent Barry : *La parenté.*
499 Louis Van Delft : *Les moralistes. Une apologie.*
500 Karl Marx : *Le Capital* (*Livre I*).
501 Karl Marx : *Le Capital* (*Livres II et III*).
502 Pierre Hadot : *Le voile d'Isis* (*Essai sur l'histoire de l'idée de Nature*).
503 Isabelle Queval : *Le corps aujourd'hui.*
504 Rémi Brague : *La loi de Dieu* (*Histoire philosophique d'une alliance*).
505 George Steiner : *Grammaires de la création.*
506 Alain Finkielkraut : *Nous autres modernes (Quatre leçons).*
507 Trinh Xuan Thuan : *Les voies de la lumière (Physique et métaphysique du clair-obscur).*
508 Marc Augé : *Génie du paganisme.*
509 François Recanati : *Philosophie du langage (et de l'esprit).*
510 Leonard Susskind : *Le paysage cosmique (Notre univers en cacherait-il des millions d'autres ?)*
511 Nelson Goodman : *L'art en théorie et en action.*

512 Gilles Lipovetsky : *Le bonheur paradoxal (Essai sur la société d'hyperconsommation).*
513 Jared Diamond : *Effondrement (Comment les sociétés décident de leur disparition et de leur survie).*
514 Dominique Janicaud : *La phénoménologie dans tous ses états (Le tournant théologique de la phénoménologie française* suivi de *La phénoménologie éclatée).*
515 Belinda Cannone : *Le sentiment d'imposture.*
516 Claude-Henri Chouard : *L'oreille musicienne (Les chemins de la musique de l'oreille au cerveau).*
517 Stanley Cavell : *Qu'est-ce que la philosophie américaine ? (De Wittgenstein à Emerson, une nouvelle Amérique encore inapprochable* suivi de *Conditions nobles et ignobles* suivi de *Status d'Emerson).*
518 Frédéric Worms : *La philosophie en France au* XXe *siècle (Moments).*
519 Lucien X. Polastron : *Livres en feu (Histoire de la destruction sans fin des bibliothèques).*
520 Galien : *Méthode de traitement.*
521 Arthur Schopenhauer : *Les deux problèmes fondamentaux de l'éthique (La liberté de la volonté — Le fondement de la morale).*
522 Arthur Schopenhauer : *Le monde comme volonté et représentation I.*
523 Arthur Schopenhauer : *Le monde comme volonté et représentation II.*
524 Catherine Audard : *Qu'est-ce que le libéralisme ? (Éthique, politique, société).*
525 Frédéric Nef : *Traité d'ontologie pour les non-philosophes (et les philosophes).*
526 Sigmund Freud : *Sur la psychanalyse (Cinq conférences).*
527 Sigmund Freud : *Totem et tabou (Quelques concordances entre la vie psychique des sauvages et celle des névrosés).*
528 Sigmund Freud : *Conférences d'introduction à la psychanalyse.*
529 Sigmund Freud : *Sur l'histoire du mouvement psychanalytique.*

530 Sigmund Freud : *La psychopathologie de la vie quotidienne (Sur l'oubli, le lapsus, le geste manqué, la superstition et l'erreur).*
531 Jared Diamond : *Pourquoi l'amour est un plaisir (L'évolution de la sexualité humaine).*
532 Marcelin Pleynet : *Cézanne.*
533 John Dewey : *Le public et ses problèmes.*
534 John Dewey : *L'art comme expérience.*
535 Jean-Pierre Cometti : *Qu'est-ce que le pragmatisme ?*
536 Alexandra Laignel-Lavastine : *Esprits d'Europe (Autour de Czeslaw Milosz, Jan Patočka, Istán Bibó. Essai sur les intellectuels d'Europe centrale au XXe siècle).*
537 Jean-Jacques Rousseau : *Profession de foi du vicaire savoyard.*
538 Régis Debray : *Le moment fraternité.*
539 Claude Romano : *Au cœur de la raison, la phénoménologie.*
540 Marc Dachy : *Dada & les dadaïsmes (Rapport sur l'anéantissement de l'ancienne beauté).*
541 Jean-Pierre Luminet : *Le Destin de l'Univers (Trous noirs et énergie sombre) I.*
542 Jean-Pierre Luminet : *Le Destin de l'Univers (Trous noirs et énergie sombre) II.*
543 Sous la direction de Jean Birnbaum : *Qui sont les animaux ?*
544 Yves Michaud : *Qu'est-ce que le mérite ?*
545 Luc Boltanski : *L'Amour et la Justice comme compétences (Trois essais de sociologie de l'action).*
546 Jared Diamond : *Le troisième chimpanzé (Essai sur l'évolution et l'avenir de l'animal humain).*
547 Christian Jambet : *Qu'est-ce que la philosophie islamique ?*
548 Lie-tseu : *Le Vrai Classique du vide parfait.*
549 Hans-Johann Glock : *Qu'est-ce que la philosophie analytique ?*
550 Helène Maurel-Indart : *Du plagiat.*
551 Collectif : *Textes sacrés d'Afrique noire.*
552 Mahmoud Hussein : *Penser le Coran.*
553 Hervé Clerc : *Les choses comme elles sont (Une initiation au bouddhisme ordinaire).*